Sandie Jones est journaliste et écrit régulièrement pour le *Sunday Times*, le *Daily Mail* et *Woman's Weekly*. Si elle n'était pas devenue écrivain, elle aurait sans doute fait carrière dans la décoration d'intérieur, car elle a une obsession maladive pour le papier peint et les coussins. Elle vit à Londres avec son mari et leurs trois enfants. Son premier roman, *L'Autre Femme de ta vie*, est déjà traduit en quinze langues.

De la même autrice :

L'Autre Femme de ta vie
Je sais tout de toi
Elle n'est pas des nôtres

www.editions-hauteville.fr

Sandie Jones

ELLE N'EST PAS DES NÔTRES

Traduit de l'anglais (Grande-Bretagne) par Florence Moreau

Hauteville

Hauteville est un label des éditions Bragelonne

Titre original : *The Half Sister*
Le présent ouvrage a fait l'objet d'une première publication
en langue anglaise chez Pan Books, une filiale de Pan Macmillan.
Copyright © Sandie Jones 2020
Tous droits réservés.

© Bragelonne 2021, pour la présente traduction

ISBN : 978-2-38122-034-5

Bragelonne – Hauteville
60-62, rue d'Hauteville – 75010 Paris

E-mail : info@editions-hauteville.fr
Site Internet : www.editions-hauteville.fr

Pour Oliver.
Tu me rends fière, jour après jour.
Ne change rien.

1

KATE

Dès que Kate voit la plaque familière sur la porte du docteur Williams, une boule se forme dans son estomac. Elle ne sait pas pourquoi cela l'affecte encore autant. Elle devrait y être habituée, après tout ce temps. Seulement, chaque fois qu'elle franchit la porte de son cabinet, elle est pleine d'espoir et, quand elle en ressort, elle ne ressent que tristesse et découragement. Comment le sort peut-il être aussi cruel?

Comme s'il savait ce qu'elle ressent, Matt lui prend la main alors qu'ils sont dans la salle d'attente et la presse doucement dans la sienne, désireux sans doute de lui communiquer son optimisme sans bornes.

Il lui donne un baiser sur le front quand elle se penche vers lui.

—Cette fois-ci, c'est la bonne, dit-il avec enthousiasme.

Comme si le fait d'y croire allait lui donner raison.

—En tout cas, c'est sans doute la dernière, répond-elle d'un ton plus tempéré.

—On verra ça, dit-il encore avec une jovialité appuyée.

À cet instant, le docteur Williams ouvre la porte.

—Kate!

Elle devrait l'appeler Ben, comme il le lui a proposé si souvent. Mais cela reviendrait à admettre qu'elle le connaît bien parce que ces visites durent depuis une éternité.

— Bonjour, docteur.

Elle se lève et s'avance vers lui, main tendue.

— Ravi de vous voir ! dit le docteur Williams. Matt, comment allez-vous ?

Les deux hommes se saluent comme s'ils étaient de vieux amis qui se retrouvaient à un match de football. À quel moment la bonhomie de leur échange laissera-t-elle place à l'affaire qui les amène ? se demande Kate. Sans doute quand elle aura les pieds dans les étriers et que le docteur aura les mains gantées.

— Alors, vous êtes prêts ? demande ce dernier, pour l'instant assis à son bureau.

Mais, comme il ne détourne pas les yeux de son ordinateur, il ne voit pas Matt acquiescer d'un hochement de tête déterminé.

— Bien, tous vos résultats ont l'air bons, poursuit-il presque pour lui-même. Nous avons identifié l'embryon le plus vigoureux, qui, je suis heureux de vous l'annoncer, est de la qualité la meilleure.

Kate sent le regard de Matt posé sur elle, certaine qu'un grand sourire éclaire son visage. Elle n'a pas l'énergie d'afficher la même excitation, car le docteur Williams dit chaque fois la même chose. « Meilleur grade », « Blastocyste 4AAA », « On ne pourrait pas rêver mieux » – ces échanges ont déjà eu lieu lors des trois précédentes tentatives. Et pourtant, sur le test de grossesse, aucune ligne bleue ne s'est affichée, si ?

Au début, l'enthousiasme de Matt boostait Kate quand les tests s'enchaînaient sans succès. Elle s'était reposée sur son optimisme pour retrouver espoir, après qu'on leur avait diagnostiqué une «infertilité inexpliquée» et annoncé qu'il leur serait difficile d'avoir des enfants.

— Cela signifie qu'il n'y a aucun dysfonctionnement, ni chez toi ni chez moi, avait déclaré Matt alors qu'ils sortaient à peine du cabinet du docteur Williams, trois ans auparavant.

Elle n'avait alors pas eu le courage de lui répondre que l'absence de dysfonctionnement ne suffisait visiblement pas pour procréer.

Elle avait suivi rigoureusement le régime alimentaire préconisé, arrêté de consommer de l'alcool et fait le poirier après leurs rapports sexuels. Mais ses efforts étant restés infructueux, ils n'avaient eu d'autre choix que de retourner à la clinique.

Une fois Kate sur le dos et les jambes écartées, elle chante dans sa tête «Bohemian Rhapsody» pour oublier le fait qu'un médecin, une embryologiste, une infirmière et une étudiante en médecine sont tous penchés sur ses parties intimes.

Galileo, Galileo, fredonne-t-elle intérieurement pour se soustraire à cette pénible situation.

— Une fois que tu auras eu un enfant, faire un frottis, ce sera aussi indolore que d'aller chez le coiffeur, lui avait dit un jour sa sœur Lauren qu'ils avaient croisée par hasard au cabinet.

Kate, qui n'avait pas voulu lui confier son combat contre l'infertilité, avait été prise de court par cette rencontre. Pour justifier sa présence, elle lui avait dit la première chose qui lui avait traversé l'esprit : un frottis. Franchement, c'était absurde ! s'était-elle ensuite fustigée.

On aurait pu croire qu'une sœur aînée, mère de trois enfants, était le parfait antidote à la situation dans laquelle se trouvait Kate. Une alliée qui aurait tout de suite montré son empathie, donné des conseils astucieux et offert son épaule pour pleurer. Mais Kate sait que Lauren n'est pas comme ça.

À ses yeux, c'est une femme qui estime mener l'existence qui lui revient. Sœur ou pas, sa petite famille parfaite ne peut pas apporter à Kate le soutien dont elle a besoin.

Et puis, comment pourrait-elle comprendre les épreuves que je traverse, puisqu'il lui suffit de regarder son mari pour tomber enceinte ?

Voilà ce que Kate pense de Lauren.

Soudain, elle sursaute. Elle vient de ressentir une vive douleur dans le bas-ventre.

— Tout va bien, nous sommes en train d'introduire l'embryon, dit le docteur Williams.

Honnêtement, Kate ne sait même pas s'il s'adresse à elle ou à l'étudiante qui, si elle le pouvait, se rapprocherait encore plus pour bien voir ce qui se passe.

Peu importe le nombre de fois où on a subi des gestes médicaux aussi invasifs, ce n'est jamais aussi anodin que d'aller chez le coiffeur, contrairement à ce que prétend sa sœur.

Elle a envie de repousser mains et instruments, de retrouver sa dignité et de leur dire à tous qu'elle en a assez d'être traitée comme un rat de laboratoire. Son regard croise celui de Matt, qui lui sourit gentiment, les yeux pleins d'espoir. Elle pourrait céder à la facilité en déplorant l'injustice de la vie, mais, dans ses rares moments de lucidité, elle sait qu'une existence comblée ne rime pas forcément avec maternité. Elle est si heureuse que Matt fasse partie de sa vie.

Bien sûr, son vœu le plus cher a toujours été d'avoir un bébé avec son mari, l'homme qu'elle aime. À un moment, c'était même devenu une obsession. Mais la douleur et la déception constante ont fait leur œuvre. Si elle avait été la seule à décider, elle aurait arrêté après la troisième tentative de FIV. Elle était épuisée, aussi bien physiquement que moralement. Et puis elle en avait assez des histoires qu'elle devait inventer devant ses amis et collègues qui lui jetaient des regards entendus quand elle refusait un verre d'alcool.

Deux soirs plus tôt, alors qu'ils regardaient tous les deux la télévision, blottis sur le canapé, elle avait dit à Matt :

— Cette fois, c'est bon.

Elle l'avait senti se raidir, et il s'était redressé.

— Comment ça ? C'est notre dernière chance ?

Il semblait atterré.

N'avait-il pas remarqué combien tout cela l'épuisait ? Vu la désolation dans ses yeux à chaque test de grossesse négatif ? Ne se rendait-il donc pas compte que toute leur vie était désormais phagocytée par ces innombrables protocoles pour qu'elle tombe enceinte ?

— J'en ai assez, avait-elle répondu d'une voix calme.

— Mais nous… (Il en balbutiait.) Ma chérie, nous n'allons pas nous arrêter si près du but. On va y arriver, j'en suis certain.

Quelque chose s'était cassé en elle.

— Tu dis toujours « nous », « on », comme si on formait une équipe.

Il lui avait adressé un regard blessé.

— Mais c'est le cas, non ?

Elle s'en était alors voulu de rejeter ses propres frustrations sur la personne qu'elle aimait le plus au monde. Mais n'est-ce pas toujours ce que l'on fait ?

Elle repense à la vie insouciante qu'ils ont menée, plus jeunes. Ils s'étaient rencontrés dans la salle de rédaction de la *Gazette* et avaient tout de suite sympathisé après une plaisanterie mutuelle sur un rédacteur qu'ils détestaient. Soudain, les journées étaient passées plus vite sous l'œil de ce maudit rédacteur, il lui avait paru plus facile à supporter. Chaque fois qu'il débarquait dans l'open space et hurlait son mantra matinal : « Qui va-t-on jeter dans l'arène, aujourd'hui ? », Kate et Matt rivalisaient de vitesse pour envoyer le premier à l'autre « TOI ? » par e-mail. Et puis, par un jour regrettable, Matt avait par inadvertance envoyé le sien à l'éditeur lui-même...

— Notre collaboration va me manquer, lui avait-il alors qu'ils buvaient un verre au pub, maudissant leur stupidité. Mais à quelque chose malheur est bon...

Elle avait cru qu'il parlait du nouveau job qu'il venait de décrocher chez leur rival, *L'Écho*. Mais elle avait cessé de rire quand il avait ajouté :

— Je vais enfin pouvoir te demander si tu veux sortir avec moi.

Ils avaient passé des soirées fabuleuses à écumer les pubs de South London et des week-ends paresseux à lire les journaux au lit. Hélas, il y avait fort longtemps que cela ne leur était plus arrivé.

À la place, ils parlaient de ses dates d'ovulation avant de faire l'amour et évitaient inconsciemment les soirées avec les amis qui attendaient des enfants ou avaient déjà la joie d'en avoir. C'est-à-dire à peu près *tous*.

À cause de ces tentatives, ils avaient perdu toute spontanéité. De façon paradoxale, ils avaient renoncé à ce qui aurait dû être une période d'insouciance et de liberté avant d'être parents, comme s'ils étaient responsables d'un autre être humain qui n'existait même pas.

— C'est fini ! s'exclame le docteur Williams d'un ton enjoué.

Et il repose le cathéter sur le plateau avant d'ôter ses gants.

— Donc, on en a encore deux au congélateur ? demande Matt. Avant un nouveau prélèvement d'ovocytes, je veux dire.

—Oui, nous en avons encore deux de bonne qualité, depuis la dernière ponction.

—Et même si ça ne marche pas, on pourra continuer, n'est-ce pas ?

Kate n'a pas envie de discuter de cela. Elle a un besoin urgent de vider sa vessie douloureusement pleine. En outre, chaque fois qu'elle porte en elle la possibilité d'un bébé viable, elle refuse de penser qu'ils devront éventuellement recommencer toute la procédure. Parce que cela signifierait que le petit être vivant qui va devoir ardemment s'accrocher pour vivre ne va pas y parvenir.

—Concentrons-nous sur ce que nous venons de faire, dit le docteur Williams tandis que Kate referme les jambes et se redresse. Donc, continuez à vivre comme d'habitude et revenez dans deux semaines pour le test sanguin afin que l'on voie où l'on en est.

Kate regarde Matt et lui sourit. Malgré elle, elle remarque qu'il a les doigts croisés.

2

KATE

—Alors, on ne verra pas Matt, aujourd'hui ? demande Rose, la mère de Kate, en entrant d'un pas vif dans la salle à manger, un plat de pommes de terre rôties à la main.

Lauren en prend habilement une au moment où Rose le pose sur la table, et mord dedans en poussant un gémissement de plaisir.

—Non, désolée, répond Kate. Il a été appelé au bureau à la dernière minute.

—Bon, tant pis, dit Rose en retournant dans la cuisine. Tu emporteras une barquette pour lui.

—Alors, c'est quoi le scoop du jour ? questionne Simon, le mari de Lauren.

Et il prend une tranche du rôti de bœuf qui est posé au milieu de la table. Malgré elle, Kate se dit qu'il ne remplit pas du tout le rôle que son père occupait autrefois.

—Ou bien tu n'es pas autorisée à en parler ?

—Je pourrais, dit-elle, mais ensuite je devrais tous vous tuer.

Il sourit de bon cœur à sa plaisanterie, ignorant que rien ne procurerait un plus grand plaisir à Kate. Souvent, Matt et elle se demandaient, quand ils paressaient au lit, comment commettre le crime parfait. Le mari de sa sœur figurait toujours dans le top cinq des potentielles victimes. Il est toléré plus qu'apprécié, et si sa mère ne tenait pas tant à ce sacro-saint rituel du déjeuner en famille le dimanche, Kate pourrait parfaitement se passer de le voir. Hélas, on ne choisit pas sa famille…

— Allez, sérieusement, j'aimerais bien savoir. Est-ce que Matt et toi vous discutez de vos sujets ou c'est la guerre totale entre vous ? À qui sera le meilleur ?

Elle se demande ce qu'il préférerait entendre : le remaniement imminent de leur journal ou l'histoire de la prostituée qui s'est vantée d'avoir couché avec un joueur de football en Ligue 1, la veille d'une finale. Mais elle refuse de lui donner satisfaction sur aucun des sujets.

— Je ne peux pas te confier les conversations que nous avons sur l'oreiller, dit-elle. Lauren, tu peux me passer les carottes, s'il te plaît ?

— Je n'arrive pas à me rappeler la dernière fois qu'on a mangé tous ensemble, renchérit cette dernière.

Kate, si. C'était trois semaines auparavant. Et, sur le chemin du retour, Matt et elle se sont demandé comment ils pourraient suggérer que ces rendez-vous dominicaux n'aient lieu qu'une semaine sur deux.

— Je le fais uniquement pour maman, avait dit Kate. Tu sais qu'elle adore qu'on soit tous réunis.

— Je sais, avait répondu Matt. Mais il n'empêche que c'est elle qui dicte nos week-ends. Je n'ai pas tellement de temps disponible, et, quand c'est le cas, je préférerais qu'on fasse quelque chose juste tous les deux.

Mais, au cours des trois semaines suivantes, cela n'avait pas non plus été possible, car Matt avait dû travailler, puis Kate assister à un festival de films. Et, ce dimanche, il était de nouveau contraint d'aller au bureau.

— Tout le monde est occupé, dit alors Kate en réponse à sa sœur.

— Tout le monde, sauf moi, dit Lauren en riant. Je viendrai manger les pommes de terre rôties à cette table jusqu'au dernier jour de ma vie.

— Encore faudrait-il que tu en aies une, répond Simon en riant lui aussi.

C'est curieux comme les mots prennent des connotations différentes en fonction de celui qui les prononce. Si Matt lui avait dit cela, Kate l'aurait pris à la légère, comme une blague entre deux personnes ayant l'habitude d'échanger des reparties. Mais, venant de la bouche de Simon, la plaisanterie n'est pas drôle, elle est même de mauvais goût et semble irrespectueuse.

À l'éclair d'amertume qui traverse les yeux de Lauren, il est clair que celle-ci n'est pas la seule à ne pas apprécier.

— J'imagine que le fait d'être mère te prend tout ton temps, intervient Kate.

Lauren roule des yeux.

— Ah, tu n'as pas idée !

Tu as raison, pense Kate.

— En toute honnêteté, maintenant que je suis en congé parental sans solde, je ne sais pas comment je faisais quand je travaillais avec mes deux premiers, dit Lauren d'un ton enjoué.

— Tout est une question d'organisation, intervient Simon. Imagine Kate quand elle aura des enfants. Ce sera comme une opération militaire.

Il est hilare.

— Tout le monde ne veut pas forcément des enfants, reprend Lauren.

Malgré elle, Kate se sent atterrée : ces paroles si déplacées lui font affreusement mal.

Elle se force à sourire. Combien de temps va-t-elle encore jouer son rôle dans cette hypocrisie de la famille heureuse ? Si Matt était là, il partagerait au moins les piques avec elle, la soutiendrait sans hésiter.

— Certaines femmes choisissent à la place de faire carrière, poursuit Lauren.

Kate tente de garder une expression neutre, mais elle a l'impression qu'on vient de la gifler.

— Je ne pense pas qu'on doive forcément choisir entre faire carrière ou faire des enfants, dit-elle.

Simon lui adresse un regard amusé.

— On ne peut pas avoir les deux.

— Et pourquoi ? demande sèchement Kate. Nous en sommes parfaitement capables. Ce n'est pas parce que nous, les femmes, portons les enfants, que nos carrières doivent en pâtir.

Simon roule des yeux.

Kate regarde Lauren et secoue la tête en espérant qu'elle la soutiendra, au moins par solidarité familiale. Mais celle-ci détourne les yeux. Depuis quand sa sœur est-elle devenue pleutre à ce point et ne réagit-elle pas aux opinions dépassées de son mari ?

Jusqu'à la naissance de leur premier enfant, Noah, cinq ans plus tôt, la vocation de Lauren était de mettre au monde les bébés des autres femmes. De fait, sa sœur a toujours été entourée d'enfants, elle ne se rappelle plus l'époque où elle ne l'était pas. Adolescente, elle faisait du baby-sitting pour les amis de la famille, puis, après le baccalauréat, elle a entrepris des études de sage-femme. Voilà pourquoi elle était si bien placée pour déclarer que, lorsqu'on donnait la vie, on pouvait oublier sa dignité. Logiquement, Kate savait que le commentaire de sa sœur était bien intentionné, et pourtant elle ne pouvait pas s'empêcher d'avoir l'impression qu'il la visait personnellement.

Simon poussa un soupir exagéré.

—Les choses parlent d'elles-mêmes. Quelqu'un comme Lauren, qui a travaillé pendant quinze ans à l'hôpital, n'a pas un salaire aussi élevé que ses collègues qui n'ont pas d'enfant. C'est cela, la réalité.

—À propos, quand penses-tu reprendre le travail, Lauren ? demande Rose, pour détourner la conversation.

Kate est en effet certaine que sa mère connaît la date précise, Lauren et cette dernière étant très proches.

Sa sœur lance un regard à son mari.

—Je ne suis pas obligée de reprendre avant la fin de l'été, mais si nous avons besoin d'argent, je retournerai travailler avant.

—En espérant qu'elle ait toujours son poste d'ici là, dit Simon. Si le gouvernement actuel obtient ce qu'il veut, le système hospitalier national ne tiendra pas longtemps.

Attends une minute ! Ce gouvernement a fait tout son possible pour assurer l'avenir de notre système de santé.

C'est ce que son conservateur de père aurait répondu à coup sûr, mais, en l'occurrence, un silence assourdissant s'installe. Kate regarde la chaise vide qu'il occupait autrefois, remisée tristement à présent dans un coin de la pièce. À cette pensée, elle sent son cœur se tordre littéralement de douleur.

Cela fera bientôt un an qu'il est décédé, et pourtant Kate peut encore l'entendre, le voir à cette table. Pendant six mois, sa chaise était restée là, personne ne s'étant senti capable de l'enlever d'effacer la place qu'il occupait lors de toutes les réunions familiales, jusqu'à ce qu'ils finissent par se rapprocher un peu d'un côté, de l'autre… et qu'on la déplace et la mette dans un coin où elle prenait désormais la poussière. Depuis, Kate vient à la maison à contrecœur : elle a du mal à accepter que l'homme qu'elle adorait soit lentement retiré du tableau. Elle se rappelle les réunions de famille autrefois, combien elle était impatiente d'entendre son père raconter sa semaine de travail, savourait les débats animés entre lui et Matt. Les repas d'aujourd'hui sont devenus une corvée. Sans son allié, la dynamique a changé, et la joyeuse paire bien assortie qu'ils formaient, son père et elle, a laissé place au couple constitué désormais par sa mère et Lauren. Et les débats tournent toujours en faveur de sa sœur.

Chaque fois que Kate rend visite à sa mère, Lauren n'est jamais très loin, et quand elle se rend, rarement il est vrai, chez celle-ci pour voir les enfants, Rose y est en général aussi, en général dans la cuisine en train de préparer les repas. Peut-être en a-t-il toujours été ainsi, mais, maintenant que son père ne vient plus chez elle pour faire du bricolage, sans doute Kate remarque-t-elle davantage l'aide que sa mère apporte à sa sœur.

Elle ne sait plus combien de tasses de thé elle lui préparait le samedi matin quand Matt travaillait et que Harry venait réparer une fuite dans la baignoire, son gendre lui laissant si gentiment la place en son absence… Kate trouvait toujours une porte grinçante qui avait besoin d'être huilée, ou une étagère à installer, même si elle était parfaitement capable de le faire elle-même. Mais tous les deux étaient très forts pour trouver des prétextes afin de passer du temps ensemble.

— Je me suis dit que j'allais échapper aux griffes de ta mère un peu plus longtemps, déclarait-il quand il surgissait sur son seuil en revenant de voir Chelsea jouer à Stamford Bridge.

Lorsque Matt rentrait, tous se ressemblaient devant la télévision et regardaient le dernier coup d'envoi.

— Envisagez-vous un jour d'avoir des enfants, tous les deux? avait une fois demandé son père de ce ton si désinvolte qui était le sien.

Elle avait échangé un coup d'œil avec Matt: devaient-ils lui confier leur combat désespéré pour en avoir un? Si un membre de la famille méritait d'être au courant, c'était bien lui. Mais ensuite Kate avait anticipé la tristesse qui aurait assombri ses traits en imaginant sa fille sans enfant. Elle avait donc discrètement secoué la tête et répondu à la place:

— Nous les adorerons quand ils seront là.

— Vous pouvez être certains que je ferai tout, quand cela arrivera, pour qu'il soit un fan des Blues, avait-il dit en souriant. Il saura dire le mot «blues» et «football» avant de prononcer «papa».

— Ça, je ne crois pas, avait renchéri Matt en riant, supporteur depuis toujours du club Arsenal. Je suis d'accord pour que son premier mot ne soit pas «papa», mais, en ce qui concerne les Blues, nous devrons demander une injonction d'éloignement te concernant!

Tous avaient éclaté de rire, cependant que Kate osait imaginer son père tenant la main de son petit-fils, tous deux affublés d'écharpes bleu et blanc en se dirigeant vers les gradins. À cette seule pensée, elle en aurait presque pleuré, à l'époque, redoutant que cela ne se produise jamais. Et maintenant, l'impossibilité d'un tel scénario menaçait de la terrasser.

Kate emporte son assiette dans la cuisine, incapable de supporter une bouchée de plus, et écœurée par la conversation. Elle se plante devant les placards, mains plaquées sur le plan de travail, bras écartés. *Compte jusqu'à dix*, entend-elle Matt lui murmurer.

Putain, ce serait bien plus facile si tu étais là!

Elle l'imagine dans la haute tour de *L'Écho*, en train de faire les cent pas dans son bureau, de se passer la main dans les cheveux comme il en a l'habitude, nerveux de l'exclusivité qui doit faire la une du journal demain. Leur informateur au gouvernement lui donnera-t-il les noms en temps voulu? La prostituée réclamera-t-elle plus d'argent, maintenant que, selon la rumeur, le Real Madrid souhaite acheter son coup d'un soir?

Bien que tous deux exercent cette profession depuis plus de dix ans, la pression ne redescend jamais, et les sources les plus fiables le sont de moins en moins. C'est pour cette raison que Kate avait décidé de rester où elle était, à la rubrique people de la *Gazette*, au lieu de chercher à prendre du galon et de travailler sur des enjeux bien plus importants et engendrant dix fois plus de stress. Elle préférait en réalité s'aveugler, car la vraie raison qui refrénait ses envies de promotion était qu'elle ne comptait pas rester très longtemps ici. Mais c'était quatre ans auparavant, lorsqu'elle pensait qu'elle ne pourrait pas assurer la couverture des Oscars car elle en serait à un stade trop avancé de sa grossesse pour s'envoler à Los Angeles. Elle ne s'était réellement pas attendue à continuer de traquer les faux pas des actrices hollywoodiennes en matière de mode. Or voilà trois ans qu'elle se livre à cette activité et que son ventre reste absolument plat.

— Tout va bien, ma chérie? demande Rose en entrant dans la cuisine pour chercher un peu plus de sauce. Tu es bien pâle.

L'espace d'un court instant, Kate hésite à se confier à elle, à lui expliquer pourquoi elle est à cran et qu'elle a l'impression que tout le monde est contre elle. Mais non! Matt et elle ont pris la décision de ne parler à personne de leur PMA, et, de toute façon, Rose a déjà disparu derrière la porte coulissante pour aller au garage.

—Je n'aime pas les légumes, déclare Noah.

Et au moment où Kate rentre dans la salle à manger, il recrache sa bouchée de rutabaga bien mastiquée.

—Allez, mon chéri, juste une ou deux encore, pour faire plaisir à maman, dit patiemment Lauren.

—Non! Les légumes, c'est dégueu.

Lauren lance alors un coup d'œil à Kate qui semble vouloir dire: «Comme tu as de la chance de ne pas être à ma place.»

Tu es exactement à celle que je veux occuper, répond-elle en son for intérieur.

Avec les années, elle est tombée dans le piège de jauger le bonheur des gens et la bonne image qu'ils avaient d'eux-mêmes en fonction de leur statut de parent ou non. Leur capacité à avoir des enfants est devenue pour elle une sorte de capital qui les rend riches au-delà de leurs rêves les plus fous. Aussi, à ses yeux, Lauren est-elle une multimillionnaire. Même si, quand elle regarde d'un peu plus près la vie de sa sœur, elle en perçoit des détails un peu éloignés du rêve. Par exemple, le fait que son mari ait presque terminé son assiette, alors qu'elle n'a pas encore commencé, parce qu'elle est trop occupée à couper les carottes d'Emmy qui a dix-huit mois, à ramasser les pois que Noah envoie d'une chiquenaude sur la table et à maintenir sur son sein la bouche de son bébé affamé.

La juxtaposition de cette scène avec ses pensées égoïstes la fait soudain réagir.

—Attends, dit-elle en contournant la table pour venir derrière la chaise haute d'Emmy. Laisse-moi le faire.

Reconnaissante, Lauren donne à sa sœur le couteau et la fourchette en plastique de sa fille, tout en lançant un regard oblique à son mari qui feint de ne pas voir ce qui se passe.

—Merci, dit Lauren quand, après avoir coupé les légumes d'Emmy, Kate se met à genoux pour ramasser les petits pois errants.

Finalement, c'est plus facile d'être sous la table qu'autour, pense cette dernière. Ici, on est à l'abri de tout ce qui se dit et de tout ce qui est tu. Kate les entend se forcer à faire la conversation, à changer de sujet pour qu'il ne donne lieu à aucune controverse, afin que personne ne monte sur ses grands chevaux et ne menace de nouveau l'équilibre.

Elle est encore sous la table quand la sonnette retentit. Rose pousse un soupir avant de reposer son couteau et sa fourchette.

—Qui cela peut-il bien être, un dimanche après-midi? Simon, tu veux bien avoir la gentillesse d'aller voir, s'il te plaît?

Kate suit Simon du regard quand il sort de la pièce et attend d'entendre sa voix à la porte. La conversation est étouffée, aussi tend-elle l'oreille…

Bien fait, il a l'air gêné! se dit-elle.

Sans doute est-ce un témoin de Jéhovah qui lui vante les mérites de sa secte, ou un paysagiste qui vient juste de terminer un jardin au bas de la rue et qui a quelques pergolas ou statues en trop.

Emmy donne des coups sur la tête de Kate avec son bol en plastique, attendant que des pois tombent sur ses cheveux comme une pluie verte.

—Eh, petite canaille! dit Kate en riant.

Et elle attrape le pied nu d'Emmy. Au simple contact de sa peau toute douce dans sa paume, Kate sent sa poitrine se serrer. Et ravale les larmes qui menacent de la submerger.

— C'est quelqu'un qui demande Harry, dit Simon en rentrant dans le salon, une jeune femme blonde sur les talons.

— *Quoi ?* s'écrie Rose d'un ton abrupt en regardant tour à tour la femme et Simon.

Kate, toujours agenouillée, surveille la scène par-dessus la table.

— Oui, c'est bien Harry que je cherche, dit la femme. Harry Alexander. Est-il ici ?

Le sang de Kate se fige dans ses veines, tandis que son cerveau tente de comprendre ce que cette inconnue peut bien vouloir. Mais, quelle que soit la façon dont elle tourne la situation, rechercher un homme presque un an après sa mort n'est jamais synonyme de bonne nouvelle.

— Désolée, en quoi puis-je vous aider ? demande-t-elle en se redressant de toute sa hauteur.

La femme regarde alors le bout de ses pieds, bascule le poids de son corps d'une jambe à l'autre.

— C'est probablement mieux si je parle d'abord à Harry, dit-elle.

— Il n'est pas ici, dit Kate d'une voix tendue.

Et elle sent au fond de sa gorge comme une espèce de ressort prêt à sauter.

— Qu'est-ce que vous lui voulez ?

— Vous êtes Lauren ?

Kate sent sa mère s'agiter derrière elle, mais Lauren, note-t-elle, demeure figée. Elle a même arrêté de bercer son bébé, alors qu'elle tentait de le réconforter.

— Désolée, mais qui êtes-vous ? rétorque Kate.

— Jess, dit la femme.

Puis elle toussote.

— Et que voulez-vous à Harry ? demande Rose d'une voix tremblante.

Jess la jauge d'un œil circonspect.

— J'ai besoin de lui parler. C'est vraiment important.

Kate regarde Rose, puis répond :

— Je lui indiquerai que vous êtes passée.

À ces mots, sa mère et sa sœur tournent la tête en même temps dans sa direction.

— C'est à quel sujet ? poursuit-elle sans prêter attention à leurs expressions perplexes.

De nouveau, la femme baisse les yeux, comme si elle rassemblait le courage nécessaire pour parler.

— Je suis sa fille, finit-elle par dire. Dites-lui que sa fille est venue le voir.

3

KATE

— Quoi ? s'exclame Kate.

La pièce se met à tourner autour d'elle. Elle regarde sa mère : celle-ci est bouche bée, figée, comme si le temps venait de s'arrêter.

— Mais… Mais ce n'est pas possible, balbutie-t-elle d'une voix étranglée.

— Je crois qu'il vaut mieux que vous partiez. (Tels sont les premiers mots que prononce Rose.) Je ne sais pas qui vous êtes ni ce que vous voulez, mais vous n'avez rien à faire ici.

— Je m'appelle Jess, et je veux juste voir mon père. Rien de plus.

— Eh bien, il n'est pas là ! dit Kate, le sentant pourtant plus présent que jamais. Vous n'êtes pas au bon endroit. Vous vous trompez de personne.

— Je suis désolée… Je voulais juste…

— Fichez le camp ! Tout de suite ! s'écrie Rose.

Jamais Kate ne l'a entendue s'exprimer sur ce ton.

— Pouvons-nous au moins parler ?

— Il n'y a rien à dire, répond Rose entre ses dents. Comme le dit ma fille, vous n'êtes pas au bon endroit.

Jess glisse alors la main dans le sac qu'elle porte à l'épaule, en sort un bout de papier froissé et le lit.

— Vous êtes Rose, c'est bien ça ? dit-elle en tendant la main.

Mais Rose ne bronche pas.

— Et vous devez être Kate, ou alors Lauren ?

L'inconnue s'efforce de sourire.

Kate demeure inébranlable, mâchoires serrées, yeux rivés à la femme qui vient de jeter une bombe dans son monde.

— Écoutez, je vois que ceci est un énorme choc pour vous, dit Jess. Je suis vraiment navrée, j'ignorais que vous n'étiez pas au courant. Sinon, jamais je ne serais…

Rose se met à trembler. Lauren vient se placer près d'elle et l'enlace fermement par les épaules.

— Vous devez partir tout de suite, dit Kate d'un ton qui masque la panique qu'elle sent monter en elle.

— Mais si seulement je pouvais…

— Pour l'amour du ciel, il est…, commence Rose.

Mais Kate lui saisit le poignet pour l'arrêter dans sa lancée.

— … pas l'homme que vous cherchez, termine Kate.

Et il lui semble manquer d'oxygène.

— Je veux juste savoir…

— Partez ! hurle Rose.

Emmy sursaute et éclate en sanglots, apeurée.

— Vraiment, je suis navré, mais, maintenant, vous devez vous en aller, intervient Simon.

Et il s'avance vers elle en lui désignant l'entrée.

— Je suis désolée, dit Jess en pleurs quand Simon l'entraîne dans le vestibule. Je croyais que vous saviez…

— Sortez d'ici ! crie de nouveau Rose.

Quelques instants plus tard, la porte se referme, et tout le monde reprend sa respiration, personne ne souhaitant être le premier à parler.

Lorsque Simon revient, il brise le sortilège quasi hypnotique que la visiteuse semble avoir jeté.

— Mais, bon sang, ça veut dire quoi ? demande-t-il avec un sourire narquois.

Et il réprime un rire.

Ça, on peut toujours compter sur lui pour aggraver n'importe quelle situation.

Kate se rassied, elle a l'impression de manquer d'air. Elle pense à l'embryon en elle et s'efforce de respirer avec calme, profondément. Elle inspire en comptant jusqu'à trois, puis expire en comptant jusqu'à quatre. Mais sa poitrine se resserre, comme si le peu d'air qui entre y reste prisonnier. Elle s'imagine alors en train de souffler dans un sac en papier kraft et ferme les yeux tandis que, derrière ses paupières, elle le voit se gonfler et s'aplatir.

— Ma… Maman ? Tout va bien ? balbutie Lauren.

Si Kate est complètement abasourdie par la nouvelle que cette intruse vient d'annoncer, elle n'ose imaginer l'état de sa mère. Elle tourne la tête vers elle. Les yeux de Rose sont comme vitrifiés.

— Oui, oui, je vais bien, finit-elle par murmurer.

Elle tousse pour s'éclaircir la voix.

— Donc tu ne sais pas qui c'est ? questionne Lauren.

Rose secoue la tête, l'air hébété.

— Selon moi, dit Simon, il y a anguille sous roche. On ne débarque pas à un déjeuner de famille, un dimanche, pour lancer une telle bombe.

— Je n'ai pas la moindre idée de ce qu'elle voulait dire, déclare Rose. Cela n'a aucun sens. Rien de ce qu'elle dit n'a de sens.

Kate s'enfouit la tête dans les mains tout en pensant à ce qui vient de se passer, consciente que, si elle dit quelque chose qui ne convient pas ou pose la mauvaise question, elle ne sera pas en mesure de se rétracter.

— Maman, ce ne serait pas… ? commence Lauren.

Mais Rose braque sur elle un regard d'acier.

Kate considère tour à tour les deux femmes, leurs expressions se reflétant mutuellement. Toutes deux ont les yeux écarquillés de peur et de confusion, la bouche pincée comme si elles retenaient les mots qui menacent de sortir.

— Ce ne serait pas quoi ? demande Kate.

— Rien, tranche Rose. Elle délire. C'est aussi simple que cela. Il n'y a aucune autre explication.

De qui parle sa mère, au juste ? se demande Kate. De Lauren ou de cette Jess qui vient d'entrer en affirmant être la fille de son père. *La fille de son père.* Ces simples mots suffisent à lui nouer la gorge tandis qu'elle lutte contre les larmes qui lui piquent les yeux.

Pour une fois dans sa vie, elle est d'accord avec sa mère – ce n'est tout simplement pas possible. Harry était dévoué à sa famille et à elle, Kate. Elle était la petite fille de son papa, et ils se ressemblaient en tout, sauf physiquement. Alors que Kate a hérité de la chevelure auburn de sa mère et de sa peau claire, qui se constelle de taches de rousseur dès qu'elle tourne la tête vers le soleil, on voit Harry dans les yeux écartés de Lauren, dans son nez droit et étroit et dans sa fossette, sur une seule joue.

La chevelure blonde qu'ils avaient autrefois en commun était devenue plus cendrée chez Harry dans ses dernières années, mais il était toujours aussi distingué. Et si la réalité avait été autre ? S'il s'était distingué d'une tout autre façon ? S'il était marqué par la honte d'une autre famille, qu'il aurait gardée secrète ?

Elle tente d'évaluer l'année de naissance de Jess. Elle lui a semblé assez jeune, elle doit avoir la vingtaine. Kate n'aurait alors même pas été adolescente. Elle se rappelait qu'à cette époque, pendant les vacances scolaires, elle accompagnait souvent son père à son cabinet d'avocats. Elle voulait suivre ses pas, convaincue que sa vocation était aussi de défendre ceux qui avaient subi des injustices.

— Tu es un super-héros de la vraie vie, lui avait-elle dit un jour.

Elle avait en effet assisté le matin même à l'une de ses plaidoiries en faveur d'une mère qui voulait obtenir la garde complète de son enfant. Et, l'après-midi, il avait négocié un divorce équitable pour un mari qui avait été trompé.

Il lui avait adressé un sourire modeste, yeux plissés, et elle avait compris que son compliment était important pour lui. Comme tous ceux provenant de gens dont la vie croisait la sienne. Il n'incarnait en rien le cliché de l'avocat qui cherche des proies vulnérables. C'était un citoyen respectable, qui traitait chaque client comme un ami. Il avait toujours été un super-héros aux yeux de Kate.

Et voilà que, soudain, le doute s'insinuait en elle. Était-il possible qu'il ait été tout le contraire ?

— Pourquoi est-ce que tu ne lui as pas dit qu'il était mort ? demande Lauren d'un ton accusateur.

Au bout de quelques secondes, Kate se rend compte que la question lui est adressée à elle.

— Parce que ce ne sont pas ses oignons ! répond-elle sèchement. Mais je suppose que, s'il n'en avait tenu qu'à toi, tu l'aurais invitée à s'asseoir, à prendre un thé avec nous et à nous raconter toute son histoire.

— Que veux-tu dire, au juste ?

— Que cela t'arrangerait, non ? (Kate foudroie Lauren du regard.) Tu adorerais que l'on bafoue la mémoire de papa !

— Mais enfin, pourquoi je voudrais une chose pareille ? réplique Lauren en dardant sur sa sœur un regard d'une terrible froideur.

— Parce que tu te sentirais justifiée de l'avoir traité de façon si méprisante pendant toutes ces années.

— Les filles, les filles, s'il vous plaît ! dit Rose encore toute secouée.

Elle se tord les mains.

— Cela ne va pas nous aider.

— Bon, alors qu'est-ce qu'on va faire ? demande Lauren.

— Rien, dit Kate.

— Tu ne crois pas qu'elle mérite tout de même qu'on l'écoute ? protesta Lauren, perplexe. On ne peut pas faire comme si rien ne s'était passé.

— Oh que si ! dit Rose, d'un ton glacé.

Et elle décoche un regard dur à ses filles.

4

LAUREN

—Alors, t'en penses quoi ? demande Simon en lui adressant un sourire narquois.

Elle vient à peine de prendre place à côté de lui dans la voiture après avoir attaché tous les enfants à l'arrière.

Elle pousse un soupir, expirant l'air qu'elle a l'impression de retenir depuis une éternité. Elle n'a pas envie d'en parler, mais doute que son mari lui laisse le choix.

—Tu crois qu'il y a du vrai, là-dedans ? insiste Simon en démarrant.

Lauren tourne la tête vers la vitre et regarde le trottoir s'éloigner. La subite apparition de Jess est suffisamment difficile à gérer pour elle sans avoir à subir un interrogatoire de la part de son mari.

—Qui sait ? dit-elle d'un ton calme.

—Qui aurait cru ça, quand même ? (Simon s'esclaffe.) L'homme qui a passé sa vie à gérer les infidélités d'autrui était effectivement un expert en la matière.

—Ce n'est peut-être pas ce dont cela a l'air, dit-elle. Ne tirons pas de conclusions hâtives tant que nous ne connaissons pas les faits.

Simon émet un grognement sceptique. Elle sait qu'il se délecte! Il adore les polémiques, surtout s'il est aux premières loges.

— Quand je repense à toutes ces fois où il m'a traité comme un moins que rien, où il insinuait que tu étais trop bien pour moi...

Lauren se mord la langue pour ne pas dire : « C'est le cas. »

— Alors que, de sa tour d'ivoire, il cachait le fruit de ses amours secrètes.

Lauren inspire profondément. C'est une chose d'avoir ses propres opinions et réactions, c'en est une autre de les entendre exprimées à haute voix par Simon. Jamais elle ne se permettrait de lui dire ce qu'elle pense de sa famille dysfonctionnelle, aussi attend-elle la même réserve de sa part en retour. Elle sent bien qu'il est prêt à en découdre, mais elle n'a pas assez d'énergie pour passer la soirée à se disputer avec lui et dormir sur le sofa.

Même si, à la réflexion, elle préférerait dormir seule – même sur un canapé d'occasion, où, quelle que soit sa position, un ressort s'enfonce toujours dans son dos – que de passer la nuit à côté de son mari. Cette constatation la remplit de tristesse, mais, depuis quelques mois, elle avait l'impression de passer ses soirées en zone de guerre, où elle devait se déplacer en évitant judicieusement les grenades que lui lançait Simon.

— Qu'est-ce que tu fiches de tes journées, au juste ? lui a-t-il demandé il y a peu en rentrant du travail.

Il venait de trouver un Lego sur le tapis du salon et une pile de linge sale sur le palier.

Une question qu'elle se posait d'ailleurs elle-même, surtout à l'époque où elle n'avait à s'occuper que d'un bébé : le lever, le changer, le nourrir et le remettre au lit pour la sieste.

Certains jours, pourtant, elle n'avait même pas le temps de prendre une douche, ni de préparer le dîner avant que Simon rentre.

Paradoxalement, plus ils ont eu d'enfants, plus Lauren a amélioré sa gestion du temps et de l'argent de Simon, repoussant les limites toujours plus loin. Au début, en tout cas. Elle maîtrisait l'art du multitâche tout en étant une consommatrice modérée, dénichant toujours les meilleurs prix pour la viande, les légumes, et confectionnant toujours deux repas avec des quantités prévues pour un.

Quand Simon avait du travail, la pression était moindre, car Lauren n'avait pas à s'inquiéter autant de la prochaine rentrée d'argent. Mais, quand il était inoccupé, ce qui, en tant qu'ouvrier du bâtiment, lui arrivait souvent, les cordons du porte-monnaie *et* l'humeur de Simon étaient plus difficiles à gérer.

— Je suis vraiment impatient de connaître la suite, dit-il, un sourire aux lèvres, les yeux rivés à la route. C'est presque dommage qu'il ne soit plus là pour expier ses péchés. Je me demande bien comment il s'en serait sorti, cette fois.

Lauren sent sa poitrine se serrer. Elle ne va pas répondre, même si elle est certaine que cela ne va pas empêcher Simon de continuer sur sa lancée.

— Tu imagines ta mère ? Putain, elle va vraiment péter les plombs si tout ça est vrai.

— Surveille ton langage devant les enfants, lui conseille Lauren.

Même si elle rêverait de lui dire : « Je t'interdis de parler ainsi de ma famille, comme si on était juste un spectacle destiné à te divertir. »

— Les enfants dorment, répond-il sèchement, sans vérifier.

Une voiture démarre subitement devant eux.

—Attention ! s'écrie Lauren en écrasant violemment la main sur le tableau de bord, dans l'espoir de faire diversion et de dissiper la tension qui ne cesse de monter entre eux.

Simon klaxonne inutilement, mais il ne dévie pas de ses pensées pour autant.

—Cela dit, je pense qu'on devrait en profiter pour faire une pause.

—Mais encore ?

—Eh bien, dit Simon en se tournant vers elle, l'air pas très à l'aise, je pense qu'on devrait profiter de l'occasion pour se mettre un peu en retrait.

—En retrait de quoi ?

Lauren sent sa patience s'amenuiser.

—De ta famille ! s'exclame-t-il. Avec tout ce qui se passe, on n'est vraiment pas obligés de se retrouver tous les dimanches. Nous devrions attendre que ça se calme.

Lauren n'en croit pas ses oreilles.

—Tu es sérieux ?

—Absolument ! On se livre chaque semaine à cette comédie pour ta mère. Pour qu'elle puisse jouer les grands-mères gâteuses et dévouées avec ses petits-enfants. Mais on dirait qu'il y a un ou deux fruits pourris dans votre famille. Et, jusqu'à ce qu'on trouve lesquels, autant tenir les enfants à l'écart de ces histoires.

—Je ne vois pas le rapport avec les enfants, répond Lauren d'un ton sec.

Il est tout à fait probable qu'il cherche juste à la provoquer. Si seulement elle était plus forte et parvenait à ne pas entrer dans son jeu !

—Je ne veux pas qu'ils grandissent dans un environnement toxique !

Malgré elle, elle pousse une exclamation interloquée. Mais est-ce qu'il s'entend? Croit-il vraiment que se retrouver en famille chaque dimanche est plus dommageable pour les enfants que l'énorme nuage menaçant qui flotte au-dessus du mariage de leurs parents?

— C'est ridicule, réplique-t-elle vaillamment. Les enfants adorent ces repas, et il est important de leur donner le sens de la famille.

Elle se retient d'ajouter qu'entre son père alcoolique et le passe-temps de sa mère, à savoir correspondre avec des prisonniers, sa famille à lui est bien plus dysfonctionnelle que la sienne. Même après l'apparition impromptue de Jess.

Il émet un grognement moqueur.

— Tu rigoles, j'imagine? Kate et toi êtes à couteaux tirés! Tu crois que c'est un bon exemple à donner aux enfants?

— Mais…, commence-t-elle, sur la défensive.

— Je ne vois pas pourquoi tu prends cela tant à cœur, dit-il en lui coupant la parole. On ne peut pas dire que ce soit le grand amour, entre vous, si?

Ces paroles sont blessantes, c'est certain, mais, finalement, n'a-t-il pas raison? Pourquoi Kate et elle continuent-elles de faire semblant? De feindre d'avoir des choses en commun?

— C'est ma sœur, dit-elle pourtant.

— Eh bien, maintenant, tu en as une deuxième, réplique Simon d'un ton narquois. Peut-être que tu t'entendras mieux avec la nouvelle.

Lauren sent son estomac se contracter quand elle repense à ce qui s'est passé une heure plus tôt. Lorsque Jess est entrée dans le salon de ses parents, elle a instantanément compris qui elle était. Il lui a suffi de croiser son regard : elle a cru voir ses propres yeux! Et elle a manqué d'air en voyant la pauvre

Jess, tel un lapin pris dans les phares d'une voiture, se tordre les mains, luttant contre une évidente nervosité. Elle aussi a ce tic !

Elle aurait tant aimé aller vers elle, lui raconter la vérité, au lieu de la laisser dans le brouillard, à chercher un homme qui n'existe plus. Mais Kate est intervenue, et, comme d'habitude, elle a pris les rênes.

Pour la première fois, Lauren pense à sa mère : cette visite intempestive a dû réellement l'affecter. Elle semblait très choquée, comme si les propos de Jess étaient si éloignés de la réalité qu'ils étaient forcément faux. Mais elle ne peut tout de même pas être naïve à ce point. Il est impossible de vivre de si nombreuses années avec une personne et ne pas la connaître. À cet instant, elle s'efforce d'ignorer la petite voix qui résonne dans sa tête : « N'est-ce pas précisément ton cas ? »

Quand ils se garent devant leur maison mitoyenne, Lauren fait descendre Emmy et détache agilement Jude de son siège, tandis que Simon porte Noah qui s'est endormi. Elle le regarde disparaître à l'étage dans l'étroite cage d'escalier, ses épaules frôlant la peinture écaillée dont des bouts tombent sur le tapis usé. Sur une impulsion, elle monte quatre marches pour les ramasser. Quand il sera de meilleure humeur, elle lui demandera s'il veut bien repeindre. Pour la quatrième fois ! Chaque fois, elle a reçu la même réponse catégorique : « Quand j'aurai le temps. » Mais les morceaux de peinture sont coupants, et elle a peur qu'un enfant ne finisse par se blesser avec ou en avaler un. Surtout Noah qui adore descendre les marches sur le ventre.

— Bien, je vais au pub, annonce Simon en dégringolant l'escalier, quelques instants plus tard.

— Quoi, maintenant ? s'étonne Lauren.

Assise sur le canapé, elle donne à Jude sa dernière tétée avant de le mettre au lit.

Il pose les yeux sur elle.

— J'espère que cela ne te pose pas problème.

C'est davantage une affirmation qu'une question. Avant d'avoir les enfants, ils fonctionnaient ainsi : chacun sortait sans demander la permission, mais prévenait l'autre par simple courtoisie. Aujourd'hui, lors des rares occasions où *elle* veut sortir, elle doit s'organiser avec lui des semaines à l'avance. Et, le jour J, elle prévoit tout avec la plus grande minutie – le repas des enfants, le bain, l'heure du coucher –, afin que Simon n'ait rien à faire. Et pourtant, il lui arrive de l'appeler trois fois dans la soirée pour lui poser des questions dont n'importe quel homme adulte est censé connaître les réponses, si bien que Lauren rentre à la maison plus tôt que prévu et sans avoir fait d'excès d'alcool, se demandant toujours s'il valait vraiment la peine de sortir, et si Simon ne le fait pas exprès.

De sa place, elle le voit à présent ouvrir la porte du réfrigérateur, dans la cuisine, et boire du lait directement à la bouteille. Bon sang, ce qu'elle déteste quand il fait ça ! Ne peut-il donc pas prendre un verre, comme tout le monde ? Il s'essuie ensuite la bouche du dos de la main.

— Bon, j'y vais, la prévient-il en revenant au salon avec ses clés de voiture.

Lauren se fait alors violence pour dire :

— Pourquoi prends-tu ta voiture ? Appelle un taxi, tu as déjà bu deux verres.

— Je ne savais pas que tu les comptais, maintenant.

— Je dis juste que…

Subitement, il se penche vers elle, plaque une main sur l'accoudoir du canapé et l'autre derrière la nuque de Lauren.

Quand elle sent le souffle chaud de Simon sur son visage, d'instinct, elle serre plus étroitement Jude contre elle.

— Et toi, pourquoi tu t'occupes pas de tes affaires de femmes au lieu de te mêler de celles des hommes ? dit-il dans un murmure.

Elle pourrait voir dans ce commentaire, bien que très machiste, une volonté de son mari d'attribuer ses responsabilités à chacun. Il y a quelques années, c'est ainsi qu'elle l'aurait pris. Mais les choses ont changé, et Lauren a bien conscience des intentions de Simon, quand il prononce de telles paroles. Il cherche à l'intimider.

Elle se souvient d'une scène dix-huit mois plus tôt, quand il avait hurlé :

— C'est moi, l'homme de cette maison !

Et il l'avait plaquée contre la porte avant de donner un coup de poing dedans, juste au-dessus de sa tête. Des copeaux de bois avaient volé, et ses jambes avaient failli se dérober.

— C'est moi qui rapporte l'argent, c'est mon *job*, pas celui de ton putain de père.

De façon naïve, elle avait cru que Simon se réjouirait du fait que son père avait déposé en toute discrétion cinq mille livres sur leur compte joint. Il savait manifestement qu'ils avaient du mal à joindre les deux bouts après que Simon était resté deux mois sans mission. Elle, en tout cas, lui en avait été reconnaissante. Cela signifiait qu'elle pourrait faire les courses sans avoir à étudier attentivement les prix, ni devoir constamment justifier le fait qu'elle prenait la voiture au lieu de marcher. Mais Simon ne l'avait pas entendu de cette oreille, estimant que le geste de Harry était destiné à saper son autorité de mâle alpha, à le blesser dans son ego, qu'il avait fragile.

— Si je voulais que tes parents nous prêtent de l'argent, je leur aurais demandé, avait-il poursuivi sur le même ton.

Et son visage était devenu rouge écarlate.

—Mais, encore une fois, ton père a trouvé judicieux de nous imposer sa toute-puissance.

—Il essaie juste de nous aider, avait-elle osé dire, cherchant désespérément à tempérer l'hostilité dans laquelle elle s'était retrouvée plongée.

—Donc tu lui as demandé de l'argent? avait-il repris d'un ton accusateur. Tu es allée faire l'aumône chez tes parents?

Il en bavait presque de rage, les poings si serrés que ses mains étaient aussi rouges que ses joues.

—Non!

Mais son cri avait davantage ressemblé à un glapissement qu'à une dénégation.

—Jamais je ne leur demanderais de l'argent.

—Donc c'est lui qui a pris l'initiative? avait insisté Simon, son visage tout près du sien. Il a décidé par pure générosité de nous aider, sans le dire à personne?

Lauren avait hoché la tête avec véhémence.

—Mais oui. Je te jure que j'ignorais qu'il nous avait fait un virement!

De nouveau, Simon avait frappé la porte du plat de la main, puis lui avait tourné le dos. Si le mur n'avait pas été là, Lauren se serait effondrée au sol, vidée de toute énergie.

—Ce n'est pas une mauvaise chose, avait-elle tenté une ou deux minutes après. Tu auras moins de pression, enfin, *nous* aurons moins de pression.

Simon avait ri en secouant la tête, moqueur.

—Tu crois franchement qu'il a fait ça dans ce but?

—Mais oui, avait-elle dit, déconcertée. Pourquoi sinon…

—Ce n'est pas pour nous aider! Il cherche à me ridiculiser. À montrer que je ne suis pas un vrai homme.

—Mais…

—Tu ne le vois pas? avait-il repris en la saisissant par les bras.

Elle avait tressailli, car une curieuse lueur s'était allumée dans le regard de Simon. Ces yeux-là n'avaient plus rien à voir avec ceux dont elle était tombée amoureuse, des années plus tôt.

D'un ton plus calme, il avait poursuivi:

—C'est sa façon de procéder. Il te fait croire que c'est une faveur! Mais, en réalité, c'est pour nous montrer sa supériorité.

Au fond, peut-être… Lauren avait repensé à l'homme auprès de qui elle avait grandi et n'avait pu s'empêcher de se demander si Simon n'avait pas raison, finalement. Le besoin incessant de son père d'aider quiconque croisant son chemin, de soutenir systématiquement les plus faibles n'était-il pas une imposture? Elle s'était aussi rappelé le temps où il avait prétendu l'aider.

—Tu as raison, avait-elle dit, on va lui rendre l'argent. On lui dira qu'on n'en a pas besoin.

Elle s'était détestée d'avoir cédé, mais, ce soir-là, elle s'était dit que si c'était le prix à payer pour vivre en paix dans son foyer avec ses enfants, alors elle acceptait. Finalement, ce n'était pas un si grand sacrifice…

—Je ne rentrerai pas trop tard, dit à présent Simon en se penchant pour l'embrasser.

Cette capacité qu'il a de passer du docteur Jekyll à Mr Hyde lui répugne.

—Entendu.

Elle a tellement envie qu'il s'en aille!

Dès qu'elle entend la porte d'entrée se refermer, elle voûte les épaules et se laisse submerger par toute la tension et la nervosité qu'elle a refoulées. Comment en sont-ils arrivés là ? Depuis quand leur mariage se conjugue-t-il à ce point avec l'angoisse ?

Lauren repense à leur rencontre, huit ans plus tôt, dans un bar près de King's College Hospital, où elle travaillait comme sage-femme. Simon avait une mission tout près, à Lordship Lane, et de toute évidence il était le plaisantin de son petit groupe. Il était charmant et l'avait fait rire, ce qui lui avait paru une bouffée d'air frais, après tous les abrutis avec qui elle était sortie. Il s'était donc trouvé au bon endroit au bon moment, puisqu'elle avait fêté son trentième anniversaire, et que le tic-tac de son horloge biologique commençait à résonner bruyamment en elle.

Elle avait cru l'aimer, ou du moins pensé pouvoir s'en convaincre. Et puis, au fil des années, son attitude ambivalente envers elle avait fini par la rendre folle. Un jour, elle était tout pour lui, et le lendemain on aurait dit qu'elle n'existait plus à ses yeux. C'était le fait d'ignorer *quel* Simon franchirait, le soir, le seuil de leur maison qui la rendait le plus anxieuse. Et bien qu'ils soient maintenant ensemble depuis toutes ces années, elle ne sait toujours pas ce qui le fait basculer d'un côté ou d'un autre. À la pensée qu'elle ignore ce qui énerve son mari, et pire, comment éviter les scènes, elle se sent honteuse.

5

Lauren

Hésitante, Lauren laisse sa main planer au-dessus du téléphone. Elle doit pourtant appeler sa mère pour vérifier qu'elle va bien, mais, alors qu'elle s'apprête à appuyer sur «Maman» dans sa liste de contacts, la sonnette retentit. Instinctivement, Lauren regarde l'heure sur l'écran de son portable et se détend : il n'est pas aussi tard qu'elle le pensait.

Elle imagine le moment de gêne qu'il va y avoir entre Kate et elle, puisqu'elle est certaine que c'est sa sœur qui se trouve de l'autre côté de la porte. Elles vont se jauger avec méfiance, évaluer leur humeur mutuelle, tenter de devancer la réaction de l'autre concernant la bombe qui vient de tomber sur leur famille. Puis Lauren l'invitera à entrer, Kate regardera ostensiblement sa montre, puis lâchera : « OK, juste une minute, alors. » Comme si elle était la seule qui courait constamment après le temps !

—Jess ! s'écrie brusquement Lauren en ouvrant la porte.

—Lauren, dit Jess d'une voix douce. À moins que tu ne sois Kate ?

—Que… Enfin, comment sais-tu que j'habite ici ?

—Je vous ai suivis quand vous êtes partis de chez Rose, dit Jess d'un ton détaché, comme si c'était tout à fait normal. Je peux entrer ?

—Euh… Je ne sais pas si c'est vraiment une bonne idée…, commence Lauren. Et si… et si quelqu'un nous voit ?

—Ta mère ou ta sœur, tu veux dire ?

Lauren hoche la tête, sentant sa bouche s'assécher. Elle déglutit afin de retrouver la capacité de s'exprimer.

—Alors ? Je peux entrer ?

Encore une fois, Lauren acquiesce, hébétée, et s'écarte pour la laisser passer. Avant de refermer la porte, elle jette un coup d'œil à droite et à gauche dans la rue.

—Eh bien… Qu'est-ce que tu veux ? demande-t-elle à Jess.

—Des réponses, dit cette dernière en détaillant le petit salon.

Une onde de chaleur submerge alors Lauren. Il lui semble que tous les globules rouges qui circulent dans son corps sont en feu. Elle se laisse tomber sur le canapé, plus par nécessité que par choix, et indique en silence à Jess de prendre place sur le fauteuil en face.

Si seulement Kate était là, se dit-elle, avant de se redresser, surprise de ce qu'elle vient de s'avouer.

—Que veux-tu savoir ?

Elle-même se débat avec mille et une questions qui lui traversent l'esprit.

—Tout, dit Jess en s'asseyant.

Lauren a le souffle coupé à l'idée de ce tête-à-tête avec Jess. Leur ressemblance est troublante, et leur actuelle proximité physique, alors qu'elles sont en réalité si éloignées l'une de l'autre, la fait frissonner malgré elle.

—Tu n'as pas paru vraiment surprise de me voir, dit Jess. Du moins pas autant que ta sœur ou ta mère.

Lauren ne parvient pas à détacher les yeux de Jess, fascinée par le moindre de ses mouvements, médusée par l'incongruité de sa présence chez elle.

—Je ne sais pas ce que tu veux que je te dise, finit-elle par répondre quand elle retrouve la parole.

—Je veux savoir où se trouve mon père. Parce que j'ai l'impression que vous me cachez quelque chose.

Lauren tousse, s'éclaircit la voix.

—Je... Je regrette, mais mon père...

Jess la regarde avec insistance, de ses yeux bleus si semblables aux siens, écarquillés et pleins d'espoir.

—Mon père... est décédé.

Jess en reste bouche bée.

—Mais... Mais...

Elle est au bord des larmes. Puis elle baisse la tête lorsqu'elles roulent en silence sur ses joues.

Lauren se sent fléchir et doit lutter contre l'envie de se lever pour la consoler.

—Je suis désolée, dit-elle à Jess.

Celle-ci demande d'une voix étranglée.

—Qu... Quand?

Lauren regarde les mains tremblantes de Jess.

—Il y a dix mois, répond-elle calmement. Il a eu une crise cardiaque. Cela a été très soudain.

—Il était à la maison? Il y avait quelqu'un avec lui? A-t-il dit quelque chose à la personne qui était avec lui?

Lauren la regarde, stupéfaite.

—Non... Non, je ne crois pas. Il était en rendez-vous.

—Avec qui? Tu le sais?

—Une cliente qui l'avait chargé de son divorce, répond Lauren, étonnée par l'interrogatoire. Et je ne me souviens pas de son nom. C'était juste une cliente.

—Il faut que je lui parle, dit subitement Jess. J'ai besoin de savoir qui c'est.

—Pour quelle raison ? demande Lauren, tout à coup sur la défensive.

—Lui a-t-il dit quelque chose avant de mourir ?

Elle a l'air désespérée.

—À quel propos ?

—A-t-il parlé de moi ?

Lauren émet un rire moqueur.

—Tu crois vraiment que ton nom aurait été celui qui aurait franchi ses lèvres au moment de sa mort ? Avant celui de sa femme et des deux filles qu'il avait élevées ?

Jess se mord la lèvre, et Lauren regrette immédiatement ses propos.

—Je suis désolée, lui dit-elle, je ne voulais pas dire que…

—Je sais ce que tu voulais dire, réplique Jess en larmes. J'ai juste pensé que c'était le moment ou jamais pour lui de dire la vérité. Qu'il avait peut-être eu envie de se racheter et d'avouer le secret qu'il vous cachait depuis vingt-deux ans.

—Je suis désolée, tout s'est passé très vite et il n'a jamais repris conscience. Si cela peut te consoler, aucune de nous n'a pu lui dire au revoir.

Jess renifle, se prend la tête entre les mains.

—Tu me ressembles, déclare tout à coup Lauren.

Les mots sont sortis malgré elle de sa bouche.

—Je sais, dit Jess en levant les yeux vers elle, un léger sourire aux lèvres.

—Tu l'as rencontré ? Est-ce que tu as un souvenir de lui ?

Jess se lève et se dirige vers la fenêtre qui donne sur la rue. La lumière décline et le lampadaire éclaire la rue d'une lumière orange peu éclatante.

—Non.

À ces mots, un soulagement très égoïste la submerge, noyant sur son passage les débordements de son imagination. Elle redoutait que Jess n'ait des souvenirs avec son père, qui lui auraient été insoutenables à entendre. L'idée que son père aurait pu la faire sauter sur ses genoux ou l'emmener au zoo avec une autre femme lui était insupportable.

—J'ai du mal à croire qu'il est mort, dit Jess.

Et une autre larme roule sur sa joue.

—Il y a tant de questions que j'aurais voulu lui poser. Tant de choses que j'aurais aimé lui dire.

Lauren se force à rester à sa place, même si toutes les fibres de son corps vibrent d'un seul élan, celui de prendre cette jeune fille en larmes dans ses bras.

—Ta mère ne t'a rien raconté ? demande Lauren. Elle pourrait peut-être t'aider à comprendre ton histoire.

Jess se redresse et prend une grande inspiration.

—Sans doute. Mais, pour cela, il aurait fallu que je sache qui elle est. J'ai été adoptée à ma naissance.

Une énorme chape s'abat sur les épaules de Lauren à la pensée de ce que cette jeune femme a enduré.

—Je suis désolée.

—Oh, tu n'y es pour rien ! répond Jess, rire creux à l'appui. C'est sûrement ce qui m'est arrivé de mieux. Pour une raison que j'ignore, mes parents biologiques ont estimé qu'ils n'étaient pas en mesure de s'occuper de moi et ont confié la tâche à d'autres. Et je leur en suis reconnaissante. J'ai été heureuse chez mes parents adoptifs, ils m'ont sans doute plus donné que ce que mes géniteurs auraient pu m'apporter. Ils étaient formidables. Je n'aurais pas pu rêver d'un meilleur départ dans la vie. Ils ont toujours voulu ce qu'il y avait de mieux pour moi.

Lauren sourit, réconfortée par l'image d'un bébé bercé dans les bras de parents qui l'aimaient vraiment et la désiraient. Un couple qui avait mené un long et difficile combat, avec un courage et une détermination dont la plupart des parents sont dépourvus, car ce qu'ils désirent vient naturellement à eux. Des gens comme son père, qui concevaient un enfant dans un moment d'abandon bien téméraire et qui étaient ensuite trop lâches pour en assumer la responsabilité.

La honte menace de la submerger : comment son père a-t-il pu laisser la chair de sa chair subir le traumatisme de l'adoption, juste parce qu'il n'avait pas eu le courage de dire à sa femme ce qui s'était passé ? Peut-être que Jess aurait pu grandir au sein de leur foyer, elles auraient été trois sœurs, et la famille ne serait pas aujourd'hui sous le choc de cette découverte, vingt-deux ans plus tard.

— Je suis si heureuse pour toi, finit par dire Lauren.

— Si seulement je l'avais retrouvé plus tôt, dit Jess en se mouchant. J'avais tant de choses à lui demander. Maintenant, je n'en aurai plus jamais l'occasion.

— Tu peux me les poser à moi, dit Lauren, émue par la détresse de Jess. Je n'aurai peut-être pas toutes les réponses, mais cela t'aidera sans doute à te faire une meilleure idée de l'homme qu'il était.

Cependant, en prononçant ces paroles, elle se demande si, au fond, elle connaissait bien son père. Ses souvenirs d'enfance détonnent violemment avec ceux de l'âge adulte.

Lauren se souvient d'une femme qui s'était présentée un soir à leur porte et qui hurlait pour le voir. Sa mère avait tout fait pour la calmer, allant jusqu'à lui offrir une tasse de thé. Mais cette première refusait de croire que son mari n'était pas à la maison.

— Il faut impérativement que je lui parle! hurlait-elle. Je n'arrête pas de lui téléphoner, mais il ne prend pas mes appels.

Dans son infinie sagesse, qui était peut-être de la naïveté, Rose avait tenté de convaincre l'inconnue qu'il était accaparé par son travail. Que des centaines d'épouses en détresse avaient besoin de ses conseils d'expert et de son temps, mais ç'avait été un dialogue de sourds.

— Elle est toujours là, maman, lui avait dit Lauren qui surveillait la rue de derrière les rideaux de sa chambre, à l'étage.

— Éloigne-toi de cette fenêtre, avait rétorqué Rose. Ton père s'occupera de ça quand il rentrera.

Harry avait-il évoqué avec Rose cette cliente névrosée? L'avait-il prévenue qu'elle était capable de venir chez eux? En avaient-ils ri ensemble, quand Rose se délectait des histoires que son mari lui racontait, le soir? Ou bien sa mère s'était-elle assise au bas des marches, seule avec ses pensées, à se demander s'il ne fallait pas voir autre chose dans cette visite qu'une plaignante en mal de conseils dans le cas d'un divorce?

— Tu crois qu'il a su que j'existais? demande Jess en regardant Lauren droit dans les yeux.

Celle-ci sent son estomac se retourner. De vagues images déformées lui reviennent alors, des bribes à peine audibles de conversations, réminiscences d'une époque qu'elle s'est toujours appliquée à oublier. Elle avait perçu que le ton montait parfois, tout comme elle avait senti une impression de déception et de trahison presque palpable autour de Harry et de Rose. À moins que tout cela ne soit le fruit de son imagination. À vrai dire, elle ne sait plus.

— Oui, je crois qu'il était au courant de ton existence, répond-elle prudemment.

— Et toi ? Tu le savais aussi ?

Des larmes lui piquent alors les yeux.

— Oui, dit-elle, la gorge nouée. J'attendais juste que tu te manifestes.

6

KATE

—Waouh! s'exclame Matt, le lendemain matin. Tu crois vraiment qu'il y a anguille sous roche?

Il est en train de siroter son café, appuyé au plan de travail, dans la cuisine.

Kate le regarde comme s'il était devenu fou et émet un rire forcé.

—Non, pas du tout! Toi si?

—Donc, tu ne penses pas que ton père…

À cet instant, elle règle le blender à son niveau maximal afin d'étouffer les propos absurdes de Matt. Elle n'a pourtant aucune envie de boire ce smoothie au céleri, chou kale et épinards qui est en train de tournoyer dans le bol en verre. Mais si cela empêche Matt de poursuivre ses théories insensées, elle en avalera volontiers un litre!

Elle a eu beau s'efforcer de ne plus penser à la fameuse Jess, son visage semble gravé derrière ses paupières. Dès qu'elle les a fermées, la veille au soir, une fois au lit, elle était là, à la provoquer.

En outre, elle est frappée de se souvenir si bien de son rêve de cette nuit, alors que son subconscient s'emploie toujours à les enfouir profondément. Comment les rêves peuvent-ils avoir un tel pouvoir ? Comment une pensée ou un geste idiot le lendemain peut-il les faire ressurgir, sous forme d'images si réalistes qu'on a l'impression d'être de nouveau plongé dedans ?

Kate revoit clairement le visage pincé de Jess, dans son rêve. Elle est en train de se moquer d'elle au loin, tout en tapotant sa montre du doigt, véritable bombe à retardement. Elles sont à une fête, le soixantième anniversaire de son père, même s'il est mort à cinquante-neuf ans. Elle le regarde danser, entouré de sa famille et ses collègues, et passer un des meilleurs moments de sa vie. Kate tient à immortaliser cette scène dans sa mémoire, car elle sait qu'elle va bientôt devoir monter sur l'estrade et annoncer une vérité sur cet homme tant aimé, vérité qui va plonger la joyeuse assemblée dans le silence.

En se dirigeant vers le microphone, elle supplie Jess en silence de ne pas l'obliger à le faire. Mais, juste avant, Jess lui a souri en tapotant de nouveau sa montre, ne laissant aucun doute sur le fait que si Kate ne prend pas la parole, elle s'en chargera.

—Hum, hum, dit-elle dans le micro devant une salle ressemblant soudain au Dôme du Millénaire, à Londres. Excusez-moi.

La musique s'arrête, les lumières se rallument et inondent le moindre recoin de la salle. Kate jette un coup d'œil à sa mère et à son père, tendrement enlacés. Il lève les yeux vers elle et lui adresse un sourire radieux. Elle s'éclaircit la voix, tente de parler, mais impossible. Elle titube alors vers le bord de l'estrade, souhaitant désespérément atteindre ses parents avant qu'ils ne comprennent ce qui est en train de se passer. Elle se sent alors tomber… L'instant d'après, elle se souvient d'être dans les bras de Matt.

— Tu as fait un sacré cauchemar, la nuit dernière, lui dit-il une fois que le blender cesse de broyer ses légumes.

— Ah bon ?

Et, subitement, Kate a l'impression que le souvenir de ce rêve décuple son chagrin. Elle se rappelle si nettement son père – il est là, il lui sourit, l'encourage : comment est-il possible qu'il ne soit plus dans la vie réelle ? Elle a envie de replonger dans sa vision nocturne afin de le voir, le toucher, le sentir. Constater que cela n'arrivera plus jamais lui fait l'effet d'une corde qu'on resserre autour de son cou.

Matt pose son mug dans l'évier, la prend dans ses bras et l'étreint étroitement. Elle aimerait tant qu'ils restent ainsi la journée entière ! Elle serait protégée du monde, leur futur bébé à l'abri.

Quelle ironie ! pense-t-elle. *Alors que mon vœu le plus cher est que mon embryon se développe, je suis déjà effrayée à l'idée de ne pas pouvoir le protéger de ce que la vie lui réserve.*

— Ça va aller ? demande Matt, comme s'il pouvait lire les pensées éreintantes qui se bousculent dans son esprit.

Il la connaît si bien que ce n'est pas exclu.

Elle hoche la tête contre son torse.

— Tu voudras qu'on en parle quand tu seras prête ?

Elle lève les yeux vers lui, un sourire reconnaissant aux lèvres.

— Merci.

— Prends soin de toi, lui dit-il. À ce soir !

Elle n'a pas envie qu'il s'en aille, parce que, une fois qu'il sera parti, elle sera obligée d'affronter la journée et les problèmes indéniables suscités par l'apparition de Jess dans leurs vies.

Elle prend d'abord sa douche et se maquille avant de passer son appel. Curieusement, elle se sent revigorée par un coup de mascara et un peu de rouge à lèvres. Quand le téléphone de

Lauren sonne, elle est toujours en train de s'inspecter dans le miroir, s'en rapprochant pour ôter un résidu visqueux du coin d'un œil.

— Salut, c'est moi, dit-elle d'un ton un peu trop enjoué.

— Salut.

Lauren semble circonspecte. Difficile de l'en blâmer !

— Bon, je suis désolée pour la façon dont j'ai réagi hier. J'ai dit des choses injustes que je ne pensais vraiment pas.

— Sur le fait que cela m'arrangeait de voir Jess débouler dans nos vies ? questionne Lauren.

— Hum, oui ! Je ne sais pas ce qui m'a pris.

— Et comment te sens-tu, aujourd'hui ?

— Tu veux la vérité ? Très mal. J'ai fait un rêve, cette nuit, et, quand je me suis réveillée, je croyais dur comme fer que papa était encore vivant. Cette fille était un des personnages du pire cauchemar de ma vie.

— J'ai passé moi aussi une très mauvaise nuit, admet Lauren.

— Tu as parlé à maman ?

— Pas encore. Et toi ?

— Non, je crois que ce serait mieux que tu discutes avec elle en premier, pour voir comme elle se sent.

Elle est bien obligée d'admettre que la dynamique naturelle qui s'est installée entre elles trois la chagrine. Et que celle-ci s'est renforcée depuis les grossesses de Lauren. Elle se dit que c'est ce qui arrive quand une fille a ses propres enfants. Rose et Lauren se sentent instinctivement unies, comme si elles appartenaient à un club select dont seules les mères pouvaient être membres.

Kate se caresse alors le ventre, espérant presque y tâter un léger renflement. Malgré elle, elle est déçue d'en constater l'absence.

— Oui, tu as raison, dit Lauren. J'irai faire un tour là-bas dès que j'aurai déposé Noah à l'école.

— OK. Tu me diras comment ça s'est passé ?

— Mais tu ne comptes pas lui parler, toi aussi ?

— Si, mais plus tard. Je travaille toute la journée, et puis, de toute façon, on a toutes eu le temps d'y réfléchir, et on sait que cette femme est un imposteur.

— Donc tu ne la crois pas ? demande Lauren.

Kate sent ses poils se hérisser. Il est inimaginable que sa sœur éprouve le besoin de lui poser cette question !

— Mais bien sûr que non ! Pourquoi ? Tu la crois, toi ?

La réponse ne fuse pas immédiatement, et ces quelques secondes d'attente sont suffisantes pour qu'elle comprenne ce que Lauren va lui dire.

— Je… Je crois qu'on devrait écouter ce qu'elle a à nous dire, dit celle-ci d'un ton hésitant.

À présent, c'est Kate qui demeure silencieuse. Qu'est-ce que Lauren suggère, au juste ?

— Je pense seulement qu'on devrait accepter de l'écouter, insiste Lauren. On ne sait jamais, il se peut qu'elle ait des preuves irréfutables de ce qu'elle avance.

— Et c'est la façon dont tu vas aborder le sujet avec maman, n'est-ce pas ? finit par demander Kate.

— Je verrai, j'improviserai.

— Je peux te faire une suggestion ?

Kate a du mal à contenir son agacement.

— Bien sûr.

— Cette femme…

— Jess, corrige Lauren.

— Cette *femme*, répète Kate sans tenir compte de sa rectification, a surgi de nulle part, chez nous, en affirmant qu'elle était la fille de notre père.

— Exact.

— Et toi, ta première pensée, c'est qu'elle dit la vérité ?

— Eh bien, oui ! Pas toi ?

— Non ! s'écrie Kate. Et c'est précisément le cœur du sujet. Il ne me viendrait jamais à l'esprit de le croire, alors que toi, bien que tu aies eu la nuit pour y réfléchir, eh bien, tu estimes qu'il n'est pas exclu que ce soit vrai ! C'est toute la différence entre nous deux, Lauren. Moi, j'ai toujours eu confiance en papa, une confiance inébranlable, et je continuerai jusqu'au jour de ma mort. Peu importe ce que raconte cette femme, ou ce que toi, tu en penses.

— Dans ce cas, ta confiance t'aveugle, dit Lauren dans un souffle.

— Fais-moi une faveur, poursuit Kate en s'efforçant de ne pas répondre à la provocation. Ne confie pas à maman ce que tu penses *vraiment* de toute cette affaire. L'homme qu'elle a aimé et avec qui elle a vécu pendant quarante années de sa vie lui a été subitement pris par le destin. Nous pensons pouvoir nous mettre à sa place – il était notre père, après tout –, et pourtant je ne crois pas que nous puissions imaginer ce que c'est de perdre l'homme avec qui on a partagé sa vie, aux côtés de qui on s'est réveillée tous les matins, la personne à qui on a confié ses pensées les plus intimes…

— Mais…

— Elle ne te remerciera pas de lui dire ce que tu penses, poursuit Kate. Et il se peut aussi qu'elle ne te le pardonne jamais.

— Donc tu crois qu'on doit lui mentir ? Juste pour préserver la mémoire de papa ?

— En ce qui me concerne, je n'aurai pas à mentir, dit sèchement Kate. Parce que le père dont je me souviens est celui que j'ai eu. Et ni toi ni personne n'y changera rien.

— On ne peut pas faire comme si Jess n'avait rien dit. Si ce qu'elle affirme est vrai, cela rendra la disparition de papa peut-être un peu plus facile à encaisser.

— Donc, tu es prête à la croire parce que tu penses que tu en seras moins malheureuse ? s'écrie Kate, incrédule.

— Je dis simplement que cela nous permettra de prendre un peu de recul, surtout pour maman, qui n'est plus elle-même depuis son décès. Or, si elle se rend compte qu'il n'est pas l'homme qu'elle croyait, il se peut que sa perte l'affecte un peu moins.

— On se demande bien qui s'aveugle ! marmonne Lauren.

— Écoute, on ne sait pas ce que le futur nous réserve. La présence de Jess pourrait même nous rapprocher.

— Il faudra me marcher sur le corps !

— Espérons que nous n'en arriverons pas là, dit Lauren avant de raccrocher.

7

LAUREN

Lauren avait l'intention de confier à Kate qu'elle avait vu
Jess, mais leur conversation n'avait pas pris le tour espéré. Elle
ignore pourquoi Kate refuse aussi catégoriquement d'envisager la
possibilité que leur père n'ait pas été l'homme qu'elles croyaient.
Elle espère – naïvement – que sa mère ne sera pas aussi opposée
à cette idée.

—Salut, c'est moi, dit-elle.

Subitement, elle a du mal à se comporter de façon naturelle
en entrant dans la maison mitoyenne de ses parents. Une
chaleur familière l'enveloppe pourtant, une odeur de gâteau, à
laquelle se mêlent les notes suaves de l'émission «PopMaster»
sur la BBC Radio 2, où Ken Bruce soumet un participant à
un quiz. C'est un havre de paix pour Lauren, même si elle doit
bien reconnaître qu'il ne l'est plus autant depuis la disparition
de son père. Théoriquement, cela ne devrait pas changer grand-
chose, d'autant qu'elle ne s'est jamais confiée à lui au sujet de sa
relation avec Simon. Et pourtant, si elle était honnête avec elle-
même, elle reconnaîtrait que, si cela avait vraiment dégénéré
entre eux, son père aurait été le premier à intervenir pour la
protéger.

— Je suis là, répond Rose en passant la tête par la porte de la cuisine.

Lauren pose doucement le siège auto par terre, Jude s'étant tranquillement endormi dedans. Puis elle cale Emmy sur sa hanche, laquelle agite ses petites jambes, tout excitée, en s'approchant de sa mamie.

— Bonjour, ma précieuse enfant, dit Rose.

Elle ôte ses maniques et la prend dans ses bras. Lauren la considère d'un air dubitatif. Rien n'a changé en elle. Elle est exactement la même qu'hier, avant que surgisse cette jeune fille qui a proclamé être l'enfant d'une liaison que son père aurait eue.

— Tu vas bien ? questionne-t-elle d'un ton hésitant.

— Absolument, dit Rose.

À son intonation, Lauren comprend tout de suite qu'elle donne le change. Elle est loin d'aller bien.

— Bon, je voulais juste parler de Jess et de ce qui s'est passé, dit Lauren. Je n'ose même pas imaginer ce que tu ressens.

— Je vais bien, vraiment, insiste Rose. Et maintenant, que voudra notre adorable fillette pour son petit déjeuner ?

Elle chatouille Emmy qui se tortille de plaisir dans ses bras.

Lauren pourrait partir. Elle a même l'impression qu'elle *devrait* s'en aller afin qu'elles puissent revenir en arrière et faire comme si elles étaient une famille comme les autres. Mais il ne s'agit pas juste d'elles, il faut aussi tenir compte de Jess. Lauren est consciente que celle-ci a déclenché un processus qu'elle ne peut plus stopper.

— Il faut qu'on parle, maman, dit-elle d'un ton plus déterminé.

— Franchement, ma chérie, c'est tout à fait inutile. Je vais parfaitement bien.

Lauren déglutit avec difficulté et fait mine d'enlever une peluche sur son pantalon.

—Maman, il ne s'agit pas juste de toi ou de nous, dit-elle sans lever les yeux. Il y a aussi cette jeune fille qui pense que...

Rose s'approche alors d'elle et prend son visage dans ses mains. Emmy se met à rire et tente elle aussi de toucher le visage de sa mère. Les deux femmes ne peuvent s'empêcher de sourire.

—Ton père était un homme bien, dit Rose avec le plus grand sérieux. Ne laissons pas une étrangère détruire la foi que nous avions en lui.

—Mais ce n'est pas une étrangère, dit Lauren en s'écartant de Rose. Je peux comprendre que tu n'aies pas envie d'avoir affaire à elle. En ce qui me concerne, je souhaite saisir l'occasion qu'elle nous donne de la connaître. Je voudrais aussi la présenter aux enfants.

Rose retire sa main. On dirait qu'elle vient de se brûler.

—Tu n'es pas sérieuse, allons!

Et elle regarde sa fille, comme si celle-ci était folle à lier, avant de poursuivre :

—Tu ne sais absolument rien d'elle. Elle surgit de nulle part, affirme être l'enfant de mon défunt mari, et toi, tu la crois sans remettre en doute ce qu'elle dit? Tu vas accepter qu'elle salisse la mémoire de ton père? J'ignore qui elle est, mais je sais qui elle n'est pas...

Lauren hausse les sourcils, attendant la suite.

—Elle n'est pas ta sœur.

—Mais, maman, je...

Rose lève la main pour l'arrêter.

—Assez!

C'est ainsi que sa mère a toujours réagi quand elle ne veut pas entendre ce qui ne lui plaît pas.

Et peut-être est-ce pour cette raison que nous sommes dans cette situation délicate, pense Lauren.

— Tu ne peux pas me faire taire de cette façon, dit-elle d'un ton plus confiant qu'elle ne l'est.

Elle a beau avoir trente-huit ans, elle sera toujours la fille de sa mère – il suffit que Rose la regarde d'une certaine façon pour qu'elle ait de nouveau l'impression d'en avoir cinq.

La bouche pincée, Rose emmène Emmy vers le four pour lui montrer la génoise qui est en train de gonfler.

— Miam, dit-elle pendant qu'Emmy gigote et fait des bruits avec sa bouche.

Lauren sent sa poitrine se serrer, mais se tient bien droite, espérant qu'elle donnera l'impression d'être plus assurée qu'elle ne l'est en réalité. Puis elle se lance :

— Une femme est venue une fois chez nous.

Rose lui décoche un bref coup d'œil, et l'estomac de Lauren se contracte violemment. Elle refuse toutefois de se laisser impressionner.

— Tu t'en souviens ? insiste-t-elle avec douceur.

Rose hausse les épaules.

— Elle demandait à voir papa, poursuit Lauren, essayant de raviver la mémoire de sa mère.

Et elle se maudit de devoir réveiller en elle des choses sans doute soigneusement enfouies depuis des années.

— Elle avait dit qu'elle l'avait appelé, mais qu'il l'évitait.

— Il évitait de nombreuses femmes, dit Rose. Parce que toutes pensaient qu'elles détenaient le monopole de son temps. C'est l'impression qu'il donnait à sa clientèle. C'est pour ça qu'il était si bon dans sa partie, mais ce fut aussi sa perte.

— Celle-ci ne ressemblait pas à une de ses clientes.

Rose se met à rire.

—Aucune n'en avait l'air. Je me rappelle qu'une fois nous assistions à un gala de charité dans un grand hôtel londonien, et une femme s'est avancée jusqu'à notre table d'un pas décontracté. En me regardant droit dans les yeux, elle avait murmuré quelques mots à ton père. Il s'en était presque étranglé avec son poulet. Il était devenu tout rouge, et j'ai hésité entre lui appliquer la méthode de Heimlich ou lui jeter un seau d'eau glacée au visage.

Malgré elle, Lauren sourit.

—Et as-tu finalement su ce qu'elle lui avait dit ?

—Ton père n'a pas osé me le répéter, mais cette femme était une cliente récemment divorcée qui avait sans doute cru voir des appels du pied là où il n'y en avait pas. Tu sais, ses nombreuses clientes étaient pour la plupart seules et prêtes à tout pour être de nouveau aimées et désirées.

—Y compris à coucher avec leur avocat marié ?

—Si ton père avait été un homme de ce genre-là, oui, dit-elle. Seulement, ce n'était pas le cas, donc…

—Mais…

—Cesse cet interrogatoire, Lauren, maintenant, avant que cela ne dégénère entre nous.

Et sur ces mots, Rose repose Emmy par terre.

—Mais enfin, quelque chose s'est forcément passé ! insiste Lauren, consciente qu'elle tient sa seule et unique chance d'en savoir plus.

Elle n'aura pas le courage d'aborder ce sujet avec sa mère une autre fois.

—Tu dois oublier ces sottises qui n'ont aucun sens !

—Je sais que cela doit être douloureux pour toi, et je suis désolée, vraiment désolée, mais je ne peux empêcher une jeune fille de connaître ses origines juste parce que papa a commis une erreur il y a vingt-deux ans.

— Ce n'est pas la fille de ton père, dit Rose, mâchoires serrées.

— Maman, s'il te plaît…

— Je te répète que ce n'est *pas* la fille de ton père.

— Mais maman, je *sais* que si.

Rose la regarde alors, stupéfaite.

— Et comment pourrais-tu savoir une chose pareille?

Lauren bascule le poids de son corps d'un pied à l'autre, incapable de soutenir le regard de sa mère.

— Parce que son ADN le dit.

8

KATE

Kate doit faire appel à toute la force de sa volonté pour ne pas s'endormir pendant la conférence. La voix monotone du rédacteur en chef pénètre dans son cerveau, puis s'estompe. Il parle d'une star américaine qui sort avec un électricien de Croydon, mais Kate a du mal à se concentrer. À un moment, sa tête tombe malgré elle sur sa poitrine. Elle se redresse en sursaut quand elle reçoit un coup de coude dans les côtes, et lance un regard à Amy, assise à côté d'elle. Elle est à la fois confuse et reconnaissante.

— La nuit a été difficile ? demande sa collègue quand elles sortent de la salle de réunion.

— Oui, on peut dire ça, répond Kate avec un sourire.

— Tu es affreusement pâle, dit Amy. Tu es certaine que tout va bien ?

Maintenant qu'on lui pose la question, Kate se rend compte qu'elle ne se sent finalement pas très bien. D'instinct, elle pose la main sur son ventre. Son esprit a été si accaparé par les événements de la veille qu'elle n'a même pas pensé à l'éventuel futur bébé.

Subitement, elle s'affole, se rappelant le protocole des trois dernières FIV. Comment a-t-elle pu oublier que le septième jour, c'est-à-dire *aujourd'hui*, est en général celui où elle a des pertes et découvre qu'elle n'est pas enceinte.

Elle ressent tout de suite un tiraillement dans le bas-ventre, comme si un poids l'attirait vers le bas. Si c'était son premier essai, elle penserait de manière optimiste que c'est psychosomatique, que sa volonté d'être enceinte est anxiogène. Mais, comme il s'agit du quatrième, elle sait que c'est le moment d'aller aux toilettes pour vérifier, et que cela va lui briser le cœur.

En s'y rendant, elle se sent assaillie par la culpabilité. Comment a-t-elle pu accorder à Jess et son apparition impromptue le monopole de ses pensées ? Mais, à bien y réfléchir, n'est-ce pas un soulagement, un autre sujet de préoccupation ? Depuis trois ans, elle n'a cessé d'être accaparée par l'attente, l'excitation, puis l'ultime déception quand elle découvre qu'elle n'est pas enceinte. C'est un cycle sans fin d'espoir et de désespoir, et les deux semaines qui suivent l'implantation de l'embryon et précèdent le test de grossesse sont toujours les pires. Sans doute parce qu'elle n'a rien d'autre à faire que d'attendre, ce qui, après des mois d'injections, de rendez-vous et d'échographies, lui semble une période interminable.

Elle pousse un profond soupir de soulagement quand elle se rend compte, une fois aux toilettes, que tout va apparemment bien. De retour à son box, elle appelle Matt, mue par un besoin urgent d'entendre sa voix.

— Salut ! Tu vas bien ?

À son ton, quand il décroche, elle le sent nerveux. Peut-être se souvient-il que c'est ce fameux septième jour, lui aussi.

— Oui, juste fatiguée.

Il expire bruyamment.

— C'est une bonne chose, non ?

— J'imagine, dit-elle. Sauf que tu n'es pas à ma place. Et sinon, comment se passe ta journée ?

— Jusque-là, j'ai reçu cinq candidats pour un poste dont, seulement après une poignée de main, je sais qu'il ne va pas leur être attribué.

— Ah, c'est compliqué ?

— Franchement, je n'en sais rien, dit Matt en riant. Sur le papier, ils ont tous les qualifications requises, mais si on les place devant un être humain, ils ne sont pas capables de le regarder dans les yeux.

— C'est parce qu'ils sont bien plus à l'aise devant un écran d'ordinateur ou de téléphone ! Ils ne peuvent pas communiquer dans des conditions sociales normales. C'est la nouvelle façon d'être.

— Et c'est dans ce monde que nous nous apprêtons à élever un enfant.

Elle ne peut pas lui avouer que de telles pensées la maintiennent parfois éveillée, la nuit. Ont-ils raison de faire des FIV ? se demande-t-elle.

— Tu as encore combien d'entretiens, cet après-midi ?

— Juste trois, heureusement ! J'aimerais au moins avoir la sensation de ne pas avoir tout à fait perdu ma journée. Cela dit, je n'y crois pas trop.

— Eh bien, bonne chance !

— Merci, je vais en avoir besoin. Et toi, comment te sens-tu après ce qui s'est passé, hier ? Tu as pu parler à Lauren ou ta mère ?

— J'ai appelé Lauren de bonne heure. Elle allait voir maman, ce matin. Plus j'y pense, plus je trouve cette histoire ridicule. Enfin, jamais papa n'aurait... Non, cela ne lui correspond pas du tout.

— Et Lauren, quelle est sa position ? Est-ce qu'elle partage tes certitudes ?

— Ah, tu la connais ! dit Kate avec prudence. Papa et elle ne voyaient pas vraiment la vie de la même façon, et je suis sûre qu'elle va s'ingénier à exploiter cette situation autant qu'elle le pourra. Mais, franchement, c'est la chose la plus ridicule que j'aie jamais entendue. C'est difficile à expliquer.

— Mais si, je comprends, je connaissais ton père…

— Exactement !

Kate est soulagée de ne pas avoir à se justifier plus longtemps.

— Je me charge du dîner, ce soir, déclare Matt, changeant de sujet. Quelque chose de léger.

— Génial ! Je t'aime !

— Moi aussi, je t'aime.

Si elle appuyait la tête juste quelques minutes contre le mur, elle est certaine qu'elle pourrait s'endormir…

— Kate ? Tu es là ? s'écrie Daisy, la nouvelle stagiaire, depuis le centre de l'open space.

Elle a dû s'assoupir, car elle se redresse en sursautant. Tout le sang lui monte à la tête, et une sensation de vertige la saisit alors.

— Euh, oui, j'arrive tout de suite.

— Pas de panique. Il y a juste quelqu'un qui t'attend en bas.

— J'y vais.

Quelques minutes plus tard, lorsque les portes de l'ascenseur s'ouvrent, au niveau du hall d'entrée, Kate prend une profonde inspiration.

Le seul problème lié à la signature qu'elle appose au bas de ses articles sur le show-biz, ce sont les écrivaillons qui débarquent pour colporter leurs histoires sur la première femme du chanteur d'un groupe de rock des années 1970, qui résiderait à présent dans leur village. Il n'est pas non plus inhabituel qu'un homme arrive à la réception en prétendant être le fantôme d'Elvis Presley. En général, Kate les renvoie au service scientifique, sous prétexte qu'ils représentent un phénomène surnaturel.

Chloe, la réceptionniste, lui désigne du menton une femme qui leur tourne le dos. Elle a les yeux rivés sur la banque d'écrans qui affichent les chaînes que le groupe médiatique possède aussi. Kate est soulagée de constater qu'elle est habillée correctement ; c'est le signe qu'elle n'est pas *trop* excentrique. Elle espère que, quel que soit l'objet de sa visite, celle-ci sera courte.

— Bonjour, dit-elle d'un ton aussi enjoué que possible. Je suis Kate Walker, en quoi puis-je vous être utile ?

Quand la femme se retourne, Kate vacille légèrement, mais parvient au prix d'un gros effort à garder l'équilibre.

— Bonjour, dit Jess en lui tendant la main.

Paniquée, Kate jette un coup d'œil en direction de Chloe, et est soulagée de constater que celle-ci est bien trop occupée à répondre à un appel pour remarquer le rouge qui a, à coup sûr, inondé ses joues.

Elle demande, dents serrées :

— Qu'est-ce que tu fiches ici, toi ?

Jess qui, ainsi que Kate le constate à présent, est un peu plus âgée qu'elle ne le pensait initialement, incline la tête de côté et lui sourit avec douceur. Elle lui trouve un air expérimenté qu'elle n'avait pas la veille. Dans son jean déchiré et son tee-shirt, elle avait l'air d'une étudiante, inscrite dans une université prestigieuse. Aujourd'hui, vêtue d'un élégant tailleur-pantalon noir assorti à un chemisier d'un blanc immaculé, elle semble avoir quelques années de plus, et être déjà dans le monde du travail.

— Je peux te parler un instant ?

—Je croyais que nous avions été très claires, hier. Les informations que tu détiens sont fausses. Tu n'as rien à voir avec nous, tu ne fais *pas* partie de notre famille.

—Je ne suis pas venue ici pour créer des ennuis, dit Jess.

—Eh bien, qu'est-ce que tu veux?

Et Kate retient son souffle en attendant la réponse.

—Juste dire que j'étais désolée. Je ne serais jamais passée à l'improviste chez vous si j'avais su ce que je sais maintenant.

—C'est-à-dire? questionne Kate d'un ton hésitant.

Jess baisse les yeux.

—Eh bien… que mon père est mort.

—Co… Comment as-tu appris ça?

Kate en bredouille, sachant parfaitement qu'ils ne lui ont rien dit la veille.

—Par ta sœur.

—Lauren?

Kate a parlé plus fort que voulu. Elle balaie le vaste hall du regard. Plusieurs têtes se tournent dans sa direction. Soudain, elle regrette de n'avoir pas eu affaire au fantôme d'Elvis.

—Si j'avais su qu'il n'était pas… pas là, je n'aurais jamais déboulé chez vous comme ça.

Jess semble prête à pleurer.

—C'est *lui* que j'espérais voir.

Kate a l'impression qu'une ceinture se resserre autour de son ventre. Elle s'enjoint de rester calme à tout prix. Si elle ne le fait pas pour elle, au moins pour le bébé qu'elle essaie de concevoir. Prenant fermement Jess par le bras, elle l'entraîne vers la porte et sort dans la rue avec elle.

—Comment ça? Lauren t'a dit qu'il était mort? Quand? Où?

Jess la regarde comme si elle semblait surprise de ses questions.

—Hier soir, quand nous nous sommes vues.

—Pardon ?

Kate ne parvient même pas à assimiler ces propos.

—Quand ?

—Chez elle.

—Quoi ? Tu es allée chez elle ? Après être venue chez nos parents ?

Elle a l'impression de manquer d'air.

Jess hoche la tête et détourne les yeux, comme si elle comprenait enfin qu'elle a commis une bourde.

D'une main, Kate s'appuie à la façade réfléchissante de l'extérieur du bâtiment. Elle regarde autour d'elle, et rien ne lui semble à sa place. C'est comme si elle venait d'atterrir dans un autre univers. Elle a l'impression d'être enfermée dans une bouteille d'où elle voit le visage déformé de Jess, l'entend rire et la narguer.

—Je suis désolée, elle ne te l'avait pas dit ? s'étonne Jess. Je pensais que vous auriez parlé ce matin.

—Il faut que j'y aille, dit Kate.

Le souffle coupé, elle tourne les talons pour rentrer dans les locaux du journal. L'air frais qui l'accueille alors lui fait le plus grand bien et la revigore, mais pas pour longtemps. Elle a l'impression d'être Bambi à la patinoire quand elle traverse le sol en marbre bien lisse du vestibule. Elle doit lutter pour continuer d'avancer, ne pas s'écrouler.

Elle se précipite vers l'ascenseur qui l'emmène à l'étage, au service Dépêches et Actualités. Dieu merci, son bureau est un peu à l'écart de la mêlée, dans un angle qui surplombe Cabot Square, douze étages plus bas. Prenant son téléphone et son sac à main, elle déclare à la cantonade :

—Je suis sur une piste, j'ai rendez-vous avec une source.

Des murmures d'approbation s'ensuivent, et Daisy la gratifie d'un regard empli de respect.

Kate se rend à la station de métro. Mais, alors qu'elle s'apprête à s'engouffrer dans les entrailles de Londres, elle s'arrête pour appeler Lauren, qui décroche à la première sonnerie.

—Allô ? dit sa sœur avec hésitation.

En entendant sa voix, Kate a envie de se jeter sur elle et de l'étrangler.

—Putain, mais qu'est-ce que tu fiches ? demande-t-elle en hurlant littéralement. Dis-moi, je t'en conjure, que tu n'en sais pas plus que le reste d'entre nous sur cette Jess.

Un silence assourdissant s'installe à l'autre bout du fil.

—Lauren !

—Je suis avec maman, lui répond sa sœur d'un ton calme. Et tu ferais bien de nous rejoindre.

9

LAUREN

Lauren sursaute en entendant la clé de Kate dans la serrure. Les yeux écarquillés, elle se met à ronger les petites peaux autour de son pouce.

Rose est assise en face d'elle, de l'autre côté de la table, le teint gris et le regard fixe.

Lauren attend que la porte d'entrée se referme, sachant très bien que la façon dont Kate la claquera fournira une indication sur son état... Elle frissonne en entendant le vacarme. Cela va être pire que ce qu'elle avait imaginé!

— Tu as intérêt à parler, dit Kate, tout à trac, en jetant son sac sur la table. Et il vaut mieux que ça se tienne, parce que je te jure que sinon...

Lauren regarde tour à tour sa sœur et sa mère, puis de nouveau Kate.

— J'étais juste en train d'expliquer à maman... (Elle se maudit de parler d'une voix si peu affirmée, ne s'expliquant pas sa nervosité. Après tout, elle n'a rien fait de mal.) Donc, je vais commencer depuis le début, poursuit-elle en se rasseyant, mains déployées sur la table.

Et elle prie en silence pour que Jude se réveille et réclame sa tétée, ou bien qu'Emmy se lasse des jouets colorés répandus par terre. Tout prétexte serait bon pour créer une diversion, pour lui permettre de respirer un peu, car l'intensité du moment est telle qu'elle frôle la claustrophobie. Elle défait les premiers boutons de son haut. Les oreilles lui chauffent, et son cerveau lui semble en ébullition. *Tu n'as rien fait de mal*, se répète-t-elle, même si elle n'en est pas tout à fait convaincue.

— Depuis la mort de papa, j'ai l'impression qu'on s'est éloignées les unes des autres, toutes les trois.

Elle jette un coup d'œil à Kate qui, mâchoires serrées et lèvres pincées, lui rend un regard noir. Rose, tête baissée, regarde fixement la table, l'œil vide, mais Lauren espère malgré tout qu'elle écoute.

— On dirait qu'il y a maintenant un énorme gouffre entre nous, une sorte de vortex qui cherche à nous aspirer.

— C'est ce qu'on appelle le chagrin, répond sèchement Kate, de toute évidence incapable de tempérer son agressivité. C'est ce qui arrive quand un être cher meurt. Mais je dois dire que je suis surprise que la disparition de papa t'affecte à ce point.

Lauren ne relève pas la pique, refusant qu'elle l'atteigne. Cela dit, d'une certaine façon, Kate n'a pas tort. Elle ne peut pas prétendre que le décès de leur père l'a autant touchée que sa sœur. Sa relation avec Harry était complexe. C'était la conséquence de son statut d'aînée, élevée à la dure par un père ayant reçu la même éducation et n'en connaissant pas d'autre. On dit que l'ignorance est une bénédiction, en l'occurrence, elle en avait payé le prix fort.

— C'était aussi *mon* père.

Kate relève les commissures des lèvres d'un air dédaigneux.

—Donc, je me suis demandé comment refermer cette fissure qui semble nous séparer. Soyons honnêtes. Nos repas du dimanche sont devenus extrêmement tendus, et on a l'impression que plus personne n'a envie d'être là. Malgré tout, ce n'est pas parce que papa n'est plus avec nous que nous devons renoncer à ce que nous aimions autrefois.

Kate hausse les épaules.

—Je pensais que nous avions des choses en commun, des intérêts partagés, et que c'est ce qui nous rassemble, poursuit Lauren.

—Quel rapport avec cette fille? demande Kate avec impatience.

—Il m'a semblé une bonne idée de nous intéresser à notre héritage et d'en apprendre davantage sur qui nous étions vraiment. Et quelle ironie, franchement, d'être obligée de réaliser ce travail après avoir perdu la seule personne qui aurait pu répondre à toutes nos questions!

—N'est-ce pas? lance sèchement Kate.

—Bref, je me suis inscrite sur un site Web spécialisé dans les recherches généalogiques, l'identification des membres éloignés d'une famille et…

Kate se tient de plus en plus droite sur sa chaise, pendant que Rose semble au contraire s'affaisser peu à peu.

—Donc, tu as tenté maladroitement de reconstituer notre famille et tu es tombée sur une femme qui prétend en faire partie.

Sur ces mots, Kate émet un long soupir, visiblement soulagée.

—Il y a de nombreuses personnes seules au monde en quête d'une famille. Cette femme a dû penser qu'elle avait trouvé une mine d'or en tombant sur toi.

Lauren lui décoche un sourire tendu.

— Désolée, mais ce n'est pas aussi simple.

— Pourquoi ? Nous savons tous qu'il est exclu que papa ait eu une liaison, et encore moins qu'un enfant en serait né.

Elle regarde alors Rose et émet un rire, que Lauren trouve bien creux.

— N'est-ce pas, maman ? insiste-t-elle.

Rose sursaute, puis regarde autour d'elle, comme si elle découvrait la scène.

— Il est impossible que papa ait eu une liaison, n'est-ce pas ? insiste Kate. C'est la chose la plus ridicule que j'aie jamais entendue.

Les mains de Rose se mettent alors à trembler si violemment que Lauren les couvre de la sienne.

— Dans ce cas, comment expliques-tu la situation ? demande Lauren.

— Il n'y a rien à expliquer, dit Kate. C'est un exemple classique de la façon dont ces sites sont mal gérés. Ce sont juste des noms dans un chapeau que n'importe qui peut tirer pour essayer d'en tirer profit. Je n'arrive pas à croire que tu sois tombée dans le panneau.

Sur ces mots, elle foudroie Lauren du regard.

Celle-ci déglutit avec difficulté, se demandant ce que sa sœur ne comprend pas, au juste.

— Ce ne sont pas simplement des noms, dit-elle d'un ton brusque. Ce sont des sites de généalogies génétiques. C'est scientifique, il s'agit d'ADN.

Kate lui lance alors un regard vide, bouche entrouverte.

— Ici, il n'y a pas d'usurpation d'identité erronée, poursuit Lauren. Pas de personnes peu scrupuleuses qui tentent leur chance en s'infiltrant dans une famille au hasard. J'ai donné mon profil génétique.

Kate se lève, s'accroche au rebord de la table entre Rose et Lauren, puis, les surplombant de toute sa hauteur, demande :

— Ce qui veut dire ?

Elle a formulé la question lentement, ses yeux passant rapidement de l'une à l'autre.

— Ce qui veut dire que Jess a aussi renseigné son profil génétique et que nos ADN correspondent.

Rose laisse échapper un sanglot involontaire et plaque un mouchoir sur sa bouche pour l'étouffer. Mais la petite Emmy l'a perçu. Elle regarde sa grand-mère, perplexe, avant de se mettre debout et d'avancer jusqu'à elle, comme si elle avait compris que quelque chose clochait. Face à cette réaction innocence, les larmes de Rose redoublent.

— Donc tu *savais* qu'elle allait venir ! assène Kate.

— Non, protesta Lauren, la gorge serrée. Je savais juste qu'on avait le même ADN depuis qu'elle m'avait envoyé un e-mail.

— Où elle te disait quoi ?

Le visage de Kate est déformé par la colère.

— Elle a juste écrit quelques lignes pour me dire qui elle était et qu'elle recherchait son père depuis longtemps.

— Et toi, tu lui as répondu quoi ?

— Eh bien, je lui ai dit que j'étais sous le choc de la nouvelle, mais heureuse d'apprendre son existence, et je lui ai donné notre nom. C'est tout. Et puis elle a débarqué ici.

— Donc, tu ne lui as pas donné notre adresse ?

Lauren lui lance un regard outré.

— Bien sûr que non ! J'avais l'intention de vous mettre toutes les deux au courant, j'attendais juste que l'occasion se présente.

— Donc, c'est aussi simple que ça ? On est censées croire qu'elle est la fille de papa ?

Lauren réprime sa surprise face à la réticence de Kate devant les preuves scientifiques. Sa sœur est pourtant une femme intelligente, qui ne manque jamais une occasion de l'humilier avec sa réussite professionnelle. Que trouve-t-elle donc de si difficile à comprendre ?

Tandis que Lauren travaillait douze heures d'affilée pour un salaire presque minimum, Kate se délectait régulièrement de sauts à l'autre bout de la Terre pour rencontrer des stars. Quand elle n'était pas à Los Angeles pour interviewer des célébrités, elle suivait la tournée de groupes pop. Lauren ne compte plus le nombre de fois elle a foulé le tapis rouge pour les Oscars, vêtue d'une robe haute couture prêtée pour l'occasion. Lauren n'a même pas une robe dans ses placards, à part son uniforme de sage-femme, Simon préférant qu'elle porte des pantalons.

— La vie de Kate a juste *l'air* plus excitante, lui avait dit Rose.

Elle cherchait alors à stopper la spirale de dévalorisation à laquelle Lauren était en proie quand elle était enceinte de huit mois de son troisième enfant.

— Ce que tu fais a bien plus de valeur, avait ajouté Rose.

Peut-être, mais ce n'était pas l'impression qu'elle avait quand, à 2 heures du matin, alors que ses enfants malades ou affamés ne l'avaient pas laissée dormir, elle recevait une photo de Kate vêtue d'une magnifique robe rouge, une bouteille de champagne dans une main et ce qui ressemblait à un trophée dans l'autre.

Coucou ! Devinez qui est la journaliste du show-biz de l'année ?

Bien sûr, c'était leur père qui répondait toujours le premier.

C'est ma fille !

À présent, Lauren regarde Kate et combat ce complexe d'infériorité qui s'empare d'elle chaque fois que sa sœur se trouve dans la même pièce qu'elle.

— C'est comme ça, déclare-t-elle.

Aussitôt, elle regrette son ton détaché.

— C'est comme ça ? répète Kate irritée.

— Je ne voulais pas paraître désinvolte, dit Lauren. Mais chacun a le droit de faire des choix.

— Et quels sont les tiens ?

Lauren s'éclaircit la voix.

— J'aimerais mieux la connaître, et je souhaiterais aussi que tu fasses plus ample connaissance avec elle.

Kate émet un sifflement méprisant. Rose regarde ses filles l'une après l'autre.

— Vous ne pouvez tout de même pas me demander d'accueillir chez moi l'enfant que votre père a eue avec une autre femme.

— Et encore faudra-t-il qu'elle le prouve !

— Mais, bon sang, vous vous entendez, toutes les deux ? explose Lauren. Nous parlons d'une jeune femme qui essaie de trouver qui elle est, ses racines. Est-ce que vous vous imaginez le traumatisme que ce doit être de chercher son père pendant des années pour apprendre finalement qu'on arrive dix mois trop tard ?

— Sa place n'est pas chez nous, dit Rose sur le ton du défi. Je ne laisserai pas une intruse s'incruster dans ma famille et la détruire.

—Bien sûr, je ne peux pas imaginer combien cette découverte doit être difficile pour toi, maman, dit Lauren en se blottissant contre Rose. Mais cela ne signifie pas que tout doive changer. Nous sommes toujours là les unes pour les autres, et tu as raison, personne ne peut détruire ce qui nous unit. Mais apprendre à connaître Jess et l'accueillir au sein de notre famille pourrait nous faire le plus grand bien.

—Ce sera sans moi, dit Kate d'un ton acerbe.

Rose se lève et repousse Lauren.

—Je n'arrive pas à croire que tu aies fait ça, déclare-t-elle à son tour. Pourquoi n'as-tu pas laissé les choses en l'état ? Tu n'avais pas le droit !

—Jess a le droit de connaître sa famille, réplique Lauren, furieuse. De savoir d'où elle vient. Comptez-vous vraiment le lui refuser ?

Kate se met alors à hurler :

—Elle n'est pas de cette maison, pas de ma famille, et ne le sera jamais !

Lauren refuse de céder aux larmes devant elle. Pourquoi tout le monde conspire-t-il contre elle, alors que tout ce qu'elle voulait, c'était réunir sa famille ?

10

KATE

Dans le train qui la ramène à Canary Wharf, Kate fulmine toujours, incapable de croire à la réticence de sa mère à soutenir leur père, ni à la naïveté de Lauren. L'homme assis en face d'elle la regarde bizarrement, et elle lui rend un regard noir, plein de défi. Soudain, elle se rend compte qu'elle bouge les lèvres. Elle espère ne pas avoir exprimé trop fort sa colère. Elle se demande alors ce qui a pu le plus faire douter de sa santé mentale : sa fureur ou le fait de parler seule.

— Bon sang ! dit-elle à voix haute quand le train arrive à North Greenwich.

Elle sait bien qu'au bureau une tonne de travail l'attend, tout comme elle est consciente qu'elle ne va pas être capable de résister à l'appel de son appartement et de ce qui y est caché.

Elle n'avait aucune envie de fouiller dans les placards des combles pour la trouver, et elle ne pensait pas y être un jour obligée. Mais, maintenant que Jess a fait irruption dans leur vie, elle n'a pas le choix.

Elle sait où elle se trouve. Dans le coin le plus sombre et le plus reculé. Elle rampe derrière le mur de leur chambre d'amis, s'éclairant avec la torche de son téléphone.

Cette boîte appartient à Kate Alexander.
Top secret - Ne pas ouvrir

Les mots sont écrits au marqueur noir sur le couvercle, et l'encre est un peu passée. Elle ne se rappelle pas quand elle l'a ouverte pour la dernière fois – en tout cas pas depuis qu'elle l'a scellée, c'est-à-dire quand ils ont quitté Harrogate pour s'installer à Londres, vingt ans plus tôt. L'adhésif marron est facile à retirer, sa face interne ayant perdu depuis longtemps son collant. Une odeur typique de renfermé et de nostalgie pénètre dans ses poumons lorsqu'elle soulève le couvercle – la vue de son journal Polly Pocket manque de la faire pleurer. Il la transporte immédiatement dans un lieu et un endroit qu'elle avait oubliés depuis longtemps. Tous les souvenirs refont surface : « Waterfalls » de TLC, sur son lecteur CD, l'odeur du dîner que sa mère prépare dans la cuisine, et elle se revoit pleurer dans son oreiller parce que Freddie Harris l'a laissée tomber. Ce qui autrefois lui semblait le comble du désespoir n'était vraiment rien en comparaison avec les déceptions de l'âge adulte.

Elle ressort l'ours qu'elle avait surnommé Bert et sans lequel elle refusait d'aller au lit, jusqu'à ce que Lauren la traite de petit bébé. Elle balaie d'un regard tendre les cartes que le susnommé Freddie lui avait écrites, quand il avait onze ans et qu'il était encore amoureux d'elle. Elle aimerait s'y attarder et retrouver l'intensité de ce premier amour, mais ce n'est pas l'objet de ses recherches. Elle le fera une autre fois.

Elle aperçoit tout à coup la petite boîte blanche convoitée, sous une plume de calligraphie démesurée, que son père affirmait avoir trouvée au fond d'un vieux placard de son cabinet d'avocats, à Londres.

—Cette plume devait appartenir à l'un des avocats qui occupaient les lieux au xve siècle, lui avait-il dit d'un ton enthousiaste.

—Je doute que ce genre de plume sophistiquée existait à cette époque, avait déclaré Lauren avec hauteur, en passant.

—Bien sûr que si, avait assuré leur père en riant.

—En tout cas, ce ne sont pas les avocats qui les ont inventées, avait-elle répliqué, toujours prête à en découdre, surtout avec leur père.

Pourquoi y avait-il tant d'animosité entre eux ?

Kate s'empare doucement de la petite boîte et la pose sur la moquette, comme pour se préparer mentalement à l'ouvrir. Elle sait ce qu'elle contient, mais ne se souvient pas des détails. Elle prend une grande inspiration, ne sachant trop si elle veut que cette boîte lui donne raison ou pas.

La barboteuse est aussi rose que dans son souvenir, mais elle avait oublié les lapins blancs brodés dessus, qui semblent bondir au niveau du buste. Elle saisit la peluche en velours doux nichée dans un coin et la porte instinctivement à sa joue. L'ourson contient-il la clé qui déverrouillera le secret familial ?

Et, tout à coup, un souvenir très vif lui revient et l'envahit tout entière… Elle se tient sur le palier, au bas de l'escalier du grenier, écoutant son père fouillant et soupirant, en haut.

—Alors, tu les as trouvées ? lui avait-elle demandé.

—Non! (En raison de l'isolation du grenier, sa voix résonnait comme dans une boîte.) Je te répète qu'elles ne sont pas là. Appelle ta mère, s'il te plaît.

—Maman! avait crié Kate en se penchant par-dessus la rampe. Papa dit que les décorations de Noël ne sont pas dans le grenier.

—Mais bien sûr qu'elles y sont! avait répondu Rose d'un ton chantonnant.

Elle avait interrompu, pour répondre, son duo avec Bing Crosby, dans la cuisine.

—Elles sont tout au fond. Il y a deux sacs et trois boîtes remplies de boules rouges et vertes.

—Maman dit qu'il y a des boules rouges et vertes au fond, avait répété Kate à son père.

—Et moi, je te dis que non, avait-il répondu d'un ton exaspéré.

—Je peux monter? Pour t'aider à regarder?

—Allez, viens, avait-il dit en surgissant de la trappe, bras tendus.

Elle avait monté très prudemment les marches de l'escalier escamotable, se rappelant toutes les années de son enfance où son père refusait qu'elle aille sans lui dans le grenier.

—Si tu tombes entre les marches, tu atterriras dans la cuisine, sur les genoux de ta mère, disait-il d'un ton sombre.

Kate était certaine qu'il exagérait, mais, en l'occurrence, elle était montée avec lenteur.

Pendant que Harry continuait de s'affairer en quête des décorations, elle avait commencé à ouvrir quelques caisses et avait regardé à l'intérieur d'un œil inquisiteur. La plume à écrire se trouvait sur une pile de vieux livres poussiéreux.

—Je peux la prendre? avait-elle demandé.

—Oui, avait répondu Harry distraitement, sans même regarder ce dont il s'agissait.

Elle avait ensuite sorti un sac qu'elle avait repéré, coincé entre deux caisses, et y avait glissé la plume. Tiens, il y avait déjà une petite boîte, dedans.

—Alors, vous avez trouvé? avait demandé Rose.

Sa voix avait semblé plus proche que tout à l'heure.

—Les seules boules que je vois sont argentées et violettes, avait répondu Harry.

Un long silence s'était ensuivi. Kate et Harry avaient échangé un regard complice, s'attendant à ce qui allait suivre. Ils s'étaient alors efforcés de ne pas éclater de rire.

—Oui, c'est ça! s'était-elle exclamée, imperturbable. J'en ai acheté des argentées et des violettes, l'an dernier, je m'en souviens, maintenant.

Hilare, Kate avait enfoui bien vite son visage dans ses mains, tandis que son père gonflait les joues.

Tard ce soir-là, quand son père fut parti jouer au golf, elle s'était rappelé la boîte dans le sac qu'elle avait descendu du grenier et l'avait ouverte.

—Qu'est-ce que c'est? avait-elle innocemment demandé à sa mère.

Rose avait jeté un vague coup d'œil.

—Je n'en ai pas la moindre idée.

Kate avait ouvert la boîte et en avait sorti alors une barboteuse, si minuscule qu'elle aurait pu aller à l'une des poupées dont elle s'était débarrassée il y avait peu.

Rose s'était subitement jetée sur elle, comme un oiseau fondant sur sa proie, et la lui avait arrachée des mains.

—Où as-tu pris ça? avait-elle questionné d'une voix à peine audible.

—C'était dans le grenier. Elle était à moi?

—Non, non, avait répondu Rose, se saisissant brutalement de la boîte, qui lui échappa des mains.

Se baissant précipitamment pour ramasser l'ours en peluche tombé à côté, Rose n'avait pas remarqué la petite étiquette en plastique qui avait glissé sous le four.

—C'était à Lauren, avait-elle dit, le souffle court, en remettant vivement l'ourson et la grenouillère dans la boîte.

—Et ça?

Kate avait alors brandi l'étiquette qui, elle le voit maintenant, était un bracelet de naissance servant à identifier les bébés.

—Rien! avait sèchement répondu Rose.

Et elle la lui avait promptement prise des mains, avant de ranger le tout dans le placard des casseroles.

—Et maintenant, va-t'en! avait-elle ajouté en lui tournant le dos. Va jouer, je t'appellerai pour le dîner.

Kate avait ensuite vu, par l'entrebâillement de la porte, sa mère en sanglots ressortir la boîte du placard à casseroles pour la jeter à la poubelle.

Quand elle avait été certaine que la voie était libre, Kate avait discrètement récupéré la boîte et son contenu, puis caché le tout sous son lit. Et si Jess n'avait pas surgi dimanche, il est fort probable que la boîte serait restée dans son propre grenier jusqu'à ce qu'un jour elle ait peut-être envie de la montrer à ses éventuels enfants, parmi d'autres souvenirs. Mais, à présent, l'étiquette déclenche en elle des alarmes qui ne veulent pas s'arrêter.

Elle est attachée au pied de l'ours en peluche, le numéro qui figure dessus est pour l'instant caché à sa vue. L'importance de ces chiffres et de ce qu'ils pourraient impliquer fait tomber une chape sur sa poitrine. Elle doit être certaine qu'elle est en mesure d'assumer les conséquences de ce qu'ils peuvent révéler.

Elle tourne la minuscule étiquette. Les chiffres se brouillent, elle plisse les yeux. Elle est consciente que, une fois qu'elle les aura lus, elle ne pourra plus jamais les oublier. Est-elle prête à subir une telle épreuve? Et si elle lisait la date de droite à gauche? Mais déjà son regard est tombé sur les deux derniers chiffres – l'année. Elle aimerait tant que ce soit la date de naissance de Lauren. Cela ne résoudrait en rien la situation délicate soulevée par Jess, mais voudrait toutefois dire que sa famille, du moins pour l'essentiel, est bien celle qu'elle pensait être. Celle qu'elle veut désespérément qu'elle soit!

Mais les chiffres s'impriment de façon indélébile dans son cerveau, comme ceux d'une carte de fidélité.

15/09/96

Ce n'est pas celle de Lauren. Ni la sienne. C'est forcément celle de Jess.

11

LAUREN

Lauren se dirige vers South Circular, maudissant tous les feux rouges qui l'empêchent d'atteindre son objectif, à savoir endormir Jude. Il s'est réveillé chez Rose au milieu des éclats de voix et, bien qu'elle l'ait nourri, changé et bercé, cela fait une heure qu'il pleure sans répit. Avant, elle cherchait toujours la raison du désarroi des enfants, mais, depuis que sa mère lui a assuré que « parfois les enfants pleurent parce que c'est tout ce qu'ils peuvent faire », leurs cris la stressent un peu moins. Même si, en l'occurrence, c'est difficile, les hurlements de Jude lui perçant les tympans. De son côté, la petite Emmy répète en boucle le mot « caca ».

N'en pouvant plus, elle s'arrête à une station-service, même si son réservoir est presque plein, sort de la voiture et claque la portière derrière elle.

Le silence qui s'ensuit lui fait presque monter les larmes aux yeux, mais le répit est temporaire. Dès que le vacarme des enfants est étouffé, ses pensées la ramènent vers Jess, Kate et sa mère.

Lauren savait depuis le début qu'il ne serait pas aisé d'intégrer Jess dans le giron familial. Elle avait pourtant espéré que sa mère et sa sœur se montreraient un peu plus réceptives. Bien sûr, elle-même a eu trois mois entre le mail de Jess et son apparition au déjeuner dominical pour assimiler l'idée. Kate et sa mère n'ont pas eu le temps de reprendre leur souffle.

Lauren était consciente d'ouvrir une boîte de Pandore en incitant sur le Net toute personne susceptible d'avoir un lien familial ténu à se manifester. Elle avait cru au mieux y gagner un cousin au troisième degré. C'est pourquoi tomber sur Jess avait été un choc, et elle digérait encore la nouvelle quand celle-ci a débarqué au domicile de ses parents. Jess en était-elle consciente ? A-t-elle voulu lui forcer la main ? Comme Lauren regrette son initiative ! Son apparition n'a fait que semer le chaos dans la famille, confrontée à une nouvelle difficilement assimilable.

— Je voudrais une boîte de paracétamol, s'il vous plaît, dit-elle d'un air absent à l'homme derrière le comptoir.

Il en prend une sur l'étagère derrière lui et la lui tend.

— Autre chose ? demande-t-il avec froideur.

Lauren contemple alors les minuscules bouteilles de gin alignées sur un présentoir et se demande si cela ne l'aiderait pas à faire passer sa terrible migraine.

— Euh… Non merci, ce sera tout.

Aussitôt, elle le regrette.

Le caissier lui rend la monnaie sur son billet de cinq livres. En se retournant, elle se heurte pratiquement à l'homme qui attend son tour derrière elle.

— Lauren ? dit-il, stupéfait.

Elle le regarde, puis recule comme si elle tentait de rapetisser. Elle aimerait revenir en arrière, redevenir anonyme, car rien dans cette rencontre fortuite ne se produit comme elle l'a imaginé pendant toutes ces années.

— Justin !

Elle a compris en une seconde qu'elle ne pourrait pas y échapper. Machinalement, elle se passe une main dans les cheveux, comme si elle espérait que, par miracle, leurs pointes fourchues se soient transformées en des boucles parfaites. Ses joues portent-elles encore les traces de son mascara qui a coulé quand elle a pleuré dans la voiture, tout à l'heure, aux feux rouges ? Et son nez, n'est-il pas tout rouge, comme celui d'un clown ? Mais, au fait, s'est-elle maquillée, ce matin ? Elle n'est plus sûre de rien.

— Ça alors ! Lauren ! C'est incroyable. Comment… Enfin… Comment vas-tu ?

Elle laisse retomber ses cheveux, espérant naïvement qu'ils dissimuleront en partie ses joues empourprées.

— Bien, merci ! Waouh, ça fait un bail ! J'ai entendu dire que tu étais parti à Chicago.

Il approuve vigoureusement d'un hochement de tête.

— Exact. C'était il y a vingt ans. Peu après qu'on… Enfin, tu sais, quoi.

Elle regarde le bout de ses pieds, priant pour que le sol s'ouvre et l'engloutisse.

— Je suis de retour depuis quelques mois, maintenant.

Elle a envie de lui poser toutes les questions qui l'assaillent depuis deux décennies. S'est-il marié ? A-t-il des enfants ? Pourquoi est-il parti au moment où elle avait le plus besoin de lui ? La seule question à laquelle elle peut répondre, c'est que son apparence s'est largement améliorée, depuis ses dix-huit ans. Quelques cheveux gris ornent ses tempes, et ses mâchoires ne sont plus aussi carrées, mais ses yeux ont conservé toute leur douceur.

Elle sent la sueur lui couler sous les bras. Elle aurait envie que ce moment dure toujours, mais son pragmatisme lui hurle intérieurement de prononcer les paroles de rigueur et de s'éclipser.

— Et donc, qu'est-ce que tu fais, maintenant ? demande-t-elle une fois qu'elle a retrouvé la voix.

— Eh bien, j'ai divorcé il y a un an, à peu près.

Malgré elle, elle sent son cœur faire un petit bond de joie.

— Aussi, lorsque ma société m'a demandé si cela m'intéresserait de gérer notre filiale basée au Royaume-Uni, j'ai pensé que c'était le bon moment pour rentrer à la maison.

La deuxième question qui lui brûle les lèvres l'oppresse, car elle aura des répercussions explosives sur elle. Pourtant, c'est plus fort qu'elle :

— Tu as des enfants ?

Il détourne les yeux, et son regard se pose sur les pompes à essence. Le temps semble subitement suspendu, et elle le voit déglutir avec difficulté. Elle connaît d'avance sa réponse.

— Euh… oui. Deux.

Puis il se racle la gorge.

Elle se mord la lèvre pour ne pas fondre en larmes.

— Et toi ? enchaîne-t-il d'une voix enrouée. Tu es mariée ? Tu as des enfants ?

Pourquoi est-il si compliqué de répondre à des questions aussi simples ? Elle jette un coup d'œil vers sa voiture où, sans aucun doute, on rejoue *Armageddon*. C'est alors que, sans comprendre, elle secoue la tête.

— Non, marmonne-t-elle.

Et elle a l'impression de perdre le contrôle de ses émotions, ne peut maîtriser la bataille que sa raison lui livre. N'a-t-elle finalement pas hoché la tête ?

— Ça alors ! dit Justin en inclinant le visage d'un côté, puis de l'autre. J'ai toujours cru que…

—Eh bien, non! reprend-elle d'un ton plus assuré. Ça ne s'est pas fait.

—Ça alors! répète-t-il avant d'émettre un rire nerveux. Je suis si heureux de te voir.

Soudain, Lauren se sent déçue. Pour ce qu'elle a dit et la tête qu'elle a aujourd'hui. Mais aussi parce qu'elle sent bien que la conversation va naturellement prendre fin.

Pas un jour ne s'est écoulé, depuis que Justin lui a annoncé que c'était fini entre eux, sans qu'elle ait pensé à lui. Elle n'a cessé de se demander pourquoi leur relation si parfaite avait brutalement pris fin…

—Comment peux-tu me dire ça? s'était-elle écriée au téléphone, la veille de ses dix-sept ans.

—C'est ainsi, avait-il dit d'un ton catégorique.

—Mais, il y a deux jours encore, tu m'aimais. Tu me promettais qu'on resterait ensemble toute notre vie. Qu'est-ce qui a changé?

—*Toi!* Tu n'es pas celle que je croyais.

Ce qu'il lui disait n'avait aucun sens.

—Mais bien sûr que si! Je suis la même qu'avant.

—Je suis désolé, mais je ne t'aime plus.

Et sur ces mots, il avait raccroché.

Elle avait eu beau le rappeler des centaines de fois, supplier la mère de Justin de la laisser entrer chez eux, il ne lui avait jamais reparlé. En un claquement de doigts, il avait détruit un amour de deux ans et demi, un amour si intense qu'elle avait cru ne jamais s'en remettre.

Pourquoi, pourquoi, pourquoi? a-t-elle envie de hurler maintenant, tandis qu'il la prend maladroitement dans ses bras. Elle ferme les yeux, pose son menton sur son épaule. Son odeur familière la transporte tout de suite des années en arrière, au cœur de son adolescence douloureuse. En dépit de ses souvenirs éprouvants, elle voudrait rester pour toujours dans ses bras, parce que, quoi qu'il se soit passé, elle s'est toujours sentie en sécurité avec lui. Jamais il ne l'a traitée comme Simon.

—Moi aussi, je suis heureuse de te revoir.

Et elle se détache de lui.

Elle se demande déjà si elle aura assez de temps pour regagner sa voiture et filer avant qu'il n'ait payé son carburant. Pourquoi lui a-t-elle menti? En tout cas, elle ne peut plus prendre le risque qu'il la voie avec deux nourrissons aux joues écarlates hurlant à l'arrière de sa voiture.

—Prends soin de toi, dit-elle en ouvrant la porte du magasin pour sortir.

Un sourire triste aux lèvres, il lui fait au revoir de la main.

Tournant les talons, elle fonce vers sa voiture. Au moment où elle va saisir la poignée de la portière, elle entend qu'on l'appelle.

—Lauren, attends.

—Et merde! murmure-t-elle.

Puis elle se retourne et revient quasiment vers lui au pas de course.

Il rit nerveusement.

—Écoute, je sais que ça peut te paraître complètement dingue, mais tu ne voudrais pas qu'on sorte ensemble, un soir?

De toute évidence, il n'ose pas croiser son regard quand il ajoute:

—Pour rattraper le temps perdu.

Sa bouche est soudain toute sèche et un énorme nœud lui entrave la gorge.

—Non, tu as raison, reprend-il sans attendre sa réponse. C'est probablement plus sage de...

— Oh oui, avec plaisir! dit-elle spontanément.

Avant de se maudire!

Justin lui sourit.

— C'est vrai? Formidable! Je te donne mon numéro, alors?

Ses pensées tournent à toute vitesse dans sa tête. Comment a-t-elle pu se mettre dans une telle situation? Et, surtout, comme s'en extirper, tout en sachant qu'elle n'en a aucune envie?

— Ou alors je prends le tien, si tu préfères.

Elle secoue la tête, pensant à Simon et à sa réaction s'il découvrait qu'elle a donné son numéro à un autre homme. Il serait déjà en rage s'il s'agissait d'un inconnu, mais en l'occurrence… Karen n'ose même pas imaginer ce qu'il ferait s'il apprenait que c'est le garçon qu'elle a aimé plus que tout, autrefois.

— Non, je t'appellerai, dit-elle bien vite.

Et elle se rend compte, paniquée, que son téléphone est dans la voiture. Elle danse d'un pied sur l'autre, réfléchissant à une solution. Si elle va le chercher, il va probablement la suivre, et alors que pensera-t-il d'elle?

C'est alors qu'elle fait un pari fou et croise les doigts pour ne pas se tromper.

— Attends, je suis navrée, mais j'ai un rendez-vous urgent. Voilà ce qu'on va faire: je te donne mon numéro, tu m'appelles tout de suite, comme ça, j'aurai aussi le tien. Je te téléphonerai dans un jour ou deux.

Justin tape avec une détermination tranquille les chiffres qu'elle lui récite.

— Si je n'entends pas parler de toi, je t'appelle.

— Non! s'écrie-t-elle d'un ton un peu trop abrupt. Je te téléphonerai.

— Tu me le promets ?

Alors c'est plus fort qu'elle, elle s'approche de lui et l'embrasse sur la joue.

— Je te le promets, dit-elle.

Et elle s'éloigne en pensant qu'elle va sortir de cette station-service avec encore plus de problèmes que lorsqu'elle y est arrivée.

12

KATE

— Salut ! dit Matt, sourire aux lèvres.

Émergeant de la porte tambour, il enlace Kate par la taille et l'embrasse sur la joue.

— Tout va bien ?

Elle pourrait être honnête et dire : « Non, ma mère et ma sœur se sont montrées sous leur pire jour, aujourd'hui, et Jess est peut-être ma sœur. »

Mais elle se contente de sourire et de hocher la tête.

Il lui prend la main, et ils se mettent à marcher.

— Que me vaut ce plaisir ? C'est rare que tu viennes me chercher au travail.

Les locaux de son journal sont en réalité à quelques pâtés de maisons du sien, mais plus éloignés de la station de métro ; aussi, les rares fois où ils rentrent ensemble, c'est lui qui passe par le bureau de Kate.

— J'avais besoin de prendre l'air, dit-elle.

Ce qui n'est pas un mensonge. Après avoir eu confirmation de ce qu'elle suspectait, elle n'a plus été en mesure de se concentrer. Cependant, elle n'est pas certaine de vouloir partager avec lui les pensées qui la tourmentent. Du moins pas tant qu'elle n'y verra pas plus clair.

—Et comme c'était un après-midi plutôt tranquille, poursuit-elle, j'ai rédigé mes articles pour demain et je suis sortie.

—Mais tu vas bien ? redemande-t-il.

Puis il s'arrête et se tourne vers elle pour lui faire face.

Les passants autour d'eux expriment leur agacement, car ils créent un bouchon sur le trottoir, aussi se mettent-ils sur le côté.

D'instinct, Kate porte la main à son ventre et acquiesce.

—Il ne s'est rien passé de particulier ? insiste-t-il.

Elle secoue la tête.

—Je suis juste fatiguée.

—C'est tout ?

Il insiste comme s'il pensait qu'elle lui cache quelque chose.

—Oui, répond-elle avec un sourire destiné à chasser ses doutes. C'est tout.

Elle passe son bras sous le sien, l'encourageant à reprendre leur marche.

—Mouais, marmonne-t-il.

Et il tourne vers elle des yeux plissés, comme s'il n'était toujours pas convaincu.

—Bon, et comment s'est passée ta journée à toi ? demande-t-elle, désireuse de changer de sujet. Les entretiens, ça a été ? Tu as trouvé la personne idéale ?

Matt pousse un grognement.

—Sur tous ceux de la matinée, on n'a pu en retenir aucun, mais deux candidats de l'après-midi semblent plus prometteurs.

—C'est peut-être parce que les bières que tu as bues au déjeuner les ont rendus plus attirants, non ? dit-elle en riant.

Par jeu, Matt lui donna un coup de coude.

—Je n'ai pas bu de la journée, figure-toi. Merci beaucoup!

—Cela ne te ressemble pas, le taquine-t-elle. Surtout un lundi.

Il lui sourit et ouvre la porte de la station, laissant sortir une belle femme au compagnon canin.

—Oh, adorable! dit-il, une fois qu'elle s'est éloignée.

Kate hausse un sourcil:

—Qui? Le chien ou la femme?

Matt roule des yeux.

—Donc, il y avait deux candidats qui sortaient du lot, cet après-midi, mais avec des profils très différents. L'une sort juste de l'université et a un diplôme de journaliste en poche. L'autre a arrêté l'école à dix-huit ans, a commencé à travailler dans un journal local qu'elle n'a finalement jamais quitté. Comme son salaire est insuffisant, elle travaille aussi dans un bar le soir et le week-end.

—Bien…

—Tu me conseilles laquelle?

—Celle qui travaille déjà, répond Kate sans la moindre hésitation.

—Ah bon?

—Absolument! Elle a vraiment envie de ce poste. Le journalisme, c'est sa vocation, puisqu'elle accepte un job sous-payé. Elle publie déjà des articles, j'imagine?

—Oui, mais dans un journal local.

—Quelle importance, puisque tu vas la former. Non? Tu lui enseigneras ta méthode. Et il est bien plus facile de former quelqu'un qui veut vraiment apprendre qu'une personne qui vient de passer les trois dernières années de sa vie dans des salles de cours et qui pense déjà tout savoir.

—Tu parles par expérience, c'est ça?

Et il lui sourit.

—Le fait est que je connaissais déjà *tout* quand tu m'as embauchée!

Matt lève les yeux au ciel, faussement exaspéré.

—C'est ce que tu croyais.

—Je pense que c'est moi qui t'ai appris des choses, réplique-t-elle, l'œil malicieux. Pas l'inverse.

Matt se met à rire.

—Donc, tu ne te retiendrais pas, comme candidate? Tu préférerais la travailleuse à la fainéante?

—Dis donc! Ce n'est pas parce que je suis allée à la fac que je suis une fainéante.

Et elle lui lâche le bras parce qu'ils arrivent aux portillons.

—J'ai étudié comme une malade, à la fac.

—Malgré tout, tu choisirais la candidate expérimentée plutôt que la diplômée? insiste Matt quand ils prennent l'escalator.

—Si c'est la seule chose qui les différencie, oui.

—Très bien, le sort en est jeté, dit Matt. Sinon, des nouvelles de ta mère ou de Lauren?

Kate lui raconte alors sa matinée, la correspondance des profils génétiques que Lauren prétend avoir trouvés. Rien qu'à l'idée que sa sœur ait mis leurs données personnelles en ligne, elle sent son cœur se serrer. Comment a-t-elle pu être aussi stupide?

—Oui, Lauren n'a pas été franchement inspirée, le jour où elle a fait ça, reconnaît-il. Mais cela ne veut pas dire pour autant que cette fille est bien celle qu'elle prétend être.

—Comment ça?

Et Kate est pendue à ses lèvres. Elle aimerait tant un autre scénario que celui qui tourne dans sa tête et qui menace de la rendre folle!

—Il se peut que les ADN se ressemblent, surtout si on utilise un site pour retrouver ses ancêtres, mais cela ne signifie pas pour autant que les utilisateurs ont respecté les règles du jeu.

Elle lui lance un regard confus.

—Tu veux dire qu'il y a une marge d'erreur?

—Ce n'est pas exclu. Cependant, les sites de généalogie connus n'ont justement pas la réputation d'en commettre, sinon, on serait tous en train de se demander si notre mère n'est pas notre sœur et si nos enfants sont vraiment les nôtres!

Kate ne peut s'empêcher de rire. Formulé ainsi…

—Par conséquent, on peut raisonnablement dire que, si tu charges ton profil génétique, seuls les membres de ta famille vont s'afficher, poursuit-il.

—D'accord…, dit-elle, hésitante.

Elle ne voit pas très bien où il veut en venir, mais elle est ouverte à toutes les suggestions.

—Donc, l'ADN entre Lauren et cette fille correspondait. Mais – ce n'est qu'une hypothèse –, aussi incroyable que cela puisse paraître, la fille pourrait avoir trafiqué les résultats.

—De quelle façon?

Kate s'est figée sur le quai.

—Je ne sais pas.

Matt hausse les épaules.

—Elle a pu utiliser ton ADN, par exemple.

—Quoi?! s'écrie Kate.

L'idée lui semble si farfelue qu'elle ne peut la prendre au sérieux.

—C'est juste une suggestion, dit Matt. Elle peut avoir tout manigancé à ton insu.

—Mais pourquoi quelqu'un ferait-il une chose pareille? demande Kate.

Et son esprit investigateur commence à mouliner à toute vitesse.

— Non, ce n'est pas possible, tranche alors Matt d'un ton ferme, comme s'il sentait le train fou dans lequel elle vient de s'embarquer en pensées. Et on ne viserait certainement pas une famille comme la vôtre. Vous n'êtes pas exactement une fascinante dynastie. Personne ne serait prêt à frauder pour en faire partie.

Kate lui donne alors une petite tape sur le bras.

— Je dis seulement que c'est une éventualité, poursuit Matt. Rien de plus. Il ne faut pas croire cette fille sur parole.

Qu'il se rassure, elle n'en a aucune intention.

— Mais, dis-moi, depuis quand es-tu un expert en généalogie, toi ? le taquine Kate pour détendre l'atmosphère.

— Ah, ah ! dit-il en se tapotant le nez d'un air de conspirateur. Figure-toi qu'un free-lance m'a fait aujourd'hui un papier là-dessus.

— Si tu daignes m'en parler, c'est que ce ne doit pas être très intéressant, fit-elle remarquer d'un ton sarcastique.

Matt sourit.

— Eh bien, c'était un article sur les forces de police qui téléchargent des profils génétiques sur des sites de généalogie pour résoudre des crimes non élucidés, dans l'espoir de trouver des ADN qui correspondent.

— Tiens, tiens. Continue.

— Eh bien, je me suis dit que je devrais effectuer quelques recherches au cas où vous seriez dans un cas pareil.

Kate lui lance un regard interrogateur.

— Cela a déjà permis de résoudre des affaires restées non élucidées pendant des décennies aux États-Unis.

Elle secoue la tête.

—Comment?

—Parce que, malgré l'ADN laissé sur presque chaque scène de crime, à moins que le suspect ne figure déjà dans les fichiers de la police, il n'y avait aucune façon de l'identifier. Maintenant, grâce à ces sites, la police peut retrouver des parents du suspect et le traquer en travaillant sur son arbre généalogique.

—Waouh! s'écrie Kate. Donc, à partir de millions de suspects, on peut maintenant rétrécir le champ à une famille.

—Ouaip. Et certains criminels ont déjà été inculpés grâce à cette méthode et sont en attente de procès!

Matt affiche une expression aussi triomphante que s'il avait lui-même procédé aux arrestations.

—Cela veut donc dire que n'importe quelle personne, morte ou vivante, peut être identifiée, dit Kate.

—Exactement! Ce qui change la donne.

En effet, pense-t-elle.

—Et maintenant que Lauren a mis ses informations géné-tiques en ligne et obtenu une correspondance, qu'est-ce qu'elle attend, selon toi? poursuit Matt.

—Elle semble vraiment faire une fixation sur cette fille qui prétend être notre sœur, parce que cela l'arrangerait de salir l'image de papa.

Matt prend un air dubitatif.

—Je sais que ton père et elle n'étaient pas très proches, mais quand même… C'est un peu tiré par les cheveux, non? Pourquoi voudrait-elle une chose pareille?

—Parce qu'elle sait que cela me blessera, et qu'il n'est plus là pour me défendre.

Matt fronce les sourcils.

—Ça n'a pas vraiment de sens. Je sais que vous n'êtes pas toujours d'accord, toutes les deux, mais c'est la même chose pour mon frère et moi. Et c'est le cas dans de nombreuses fratries! On s'aime, mais pas forcément tout le temps.

— Je pense qu'elle n'imagine même pas les conséquences de ce qu'elle a peut-être déclenché, dit Kate d'un air amer.

— Du calme, n'exagérons rien!

Matt lève les mains et poursuit:

— Cette fille peut parfaitement dire la vérité, et, dans ce cas, il ne faut pas être un grand scientifique pour en apporter les preuves.

Kate se mord la lèvre. Si c'était aussi simple que cela! Matt ajoute:

— Mais, encore une fois, peut-être que Lauren est au courant de choses que nous ignorons, toi et moi.

Kate sent l'irritation la gagner.

— Comme quoi?

— J'ai l'impression qu'elle en sait plus qu'elle ne le montre. Sur ton père, je veux dire.

Kate a passé sa vie à prendre la défense de son père face à Lauren. Elle n'imaginait pas devoir le faire aussi vis-à-vis de Matt, qui se rangeait toujours du côté de Harry chaque fois qu'une discussion familiale dégénérait. Ils étaient tous les deux issus de la classe moyenne, modérément à droite sur le spectre politique, et partageaient la même passion pour le football, que leur amour commun pour elle éclipsait.

Au foyer des Alexander, quand il était question de politique dans la conversation, personne ne prenait de gants pour exprimer son opinion. Un observateur extérieur aurait pu croire que tous tiraient à boulets rouges sur Simon, mais, au sein du clan familial, il s'agissait juste de plaisanteries. Sauf pour Lauren, qui finissait souvent en pleurs dans la cuisine, devant les Yorkshire puddings.

— Pourquoi papa fait-il toujours ça? avait-elle sangloté, un dimanche. Il s'en prend à Simon juste pour m'atteindre.

— Ne sois pas ridicule! avait répliqué Kate, venant à la rescousse de son père. Pourquoi penses-tu toujours que tout tourne autour de toi?

— Parce que c'est le cas! Pour lui, je fais tout de travers, et maintenant il utilise Simon pour me dévaloriser.

— Franchement, Lauren, tu t'entends? Tu as presque quarante ans. Tu ne crois pas que, à ton âge, tu pourrais oublier tes vieilles rancœurs?

— Laisse-la, Kate, était intervenue leur mère. Bon, auriez-vous l'obligeance de vous comporter de façon civilisée, maintenant? Je ne demande quand même pas l'impossible!

Après quoi, l'air renfrogné, les sœurs avaient chacune emporté un plat de légumes dans la salle à manger, où la conversation portait désormais sur le gagnant de l'émission de divertissement «X Factor». Cette fois, les trois hommes étaient d'accord.

Kate n'avait alors pas pu résister à l'envie de décocher un regard à Lauren qui voulait dire: «Tu vois, tu n'es pas le centre du monde.»

Or voici qu'à présent Matt suggère le contraire…

— Qu'est-ce que tu insinues au juste? Que Lauren saurait des choses sur papa que j'ignorerais?

Elle sent une vague de chaleur inonder son cou et un sifflement parasiter ses oreilles.

Matt lève les deux mains.

— Je pense que tu ne dois pas te braquer, c'est tout.

Kate le regarde. Ses pensées partent dans tous les sens, elle est incapable d'en tirer le moindre raisonnement logique.

— Il est possible que Lauren ne soit pas aussi surprise qu'elle le laisse paraître par la subite apparition de Jess, dit Matt prudemment. Elle connaissait peut-être déjà son existence. Je trouve étrange qu'elle ait accepté cette inconnue comme sa sœur aussi facilement.

— Mais ce n'est pas la fille de mon père! dit sèchement Kate.

— Bien. Il va falloir que l'on trouve sur quoi cette Jess base son argumentation. Car la génétique ne ment pas.

— Oh, ne t'inquiète pas! J'ai bien l'intention de connaître le fin mot de cette histoire.

— Très bien. Mais si tu commences à fouiller, fais attention.

— À quoi?

— Tu pourrais découvrir des choses que tu n'as pas envie de savoir.

13

Lauren

— Tu sens la cigarette, dit Simon en embrassant Lauren sur la joue quand elle rentre.

Il y a des années qu'elle n'a pas fumé. La dernière fois, elle avait dix-neuf ans. Mais il est vrai que, durant tout ce temps, elle n'avait pas vu Justin non plus. Bien qu'elle ait honte de l'avouer, une cigarette était ce dont elle avait le plus besoin pour se calmer.

Heureusement, les deux enfants étaient endormis quand elle a regagné sa voiture et fait le tour du pâté de maisons avant de revenir à la même station-service pour s'acheter un paquet de dix Marlboro. Mais quand l'homme derrière le comptoir lui a dit que les paquets de dix n'existaient plus depuis 2007, elle a émis un toussotement gêné, puis demandé un paquet de vingt ainsi que des chewing-gums. Elle s'est ensuite ruée vers la porte, craignant presque qu'il ne la poursuive. Elle a eu la sensation d'être de nouveau une adolescente quand elle a inhalé sa première bouffée profondément pour se calmer. Son cœur lui a alors semblé pomper son sang plus vite, et son souffle s'est comme bloqué dans sa poitrine. On aurait dit que son corps redoutait ce qui allait se passer quand elle expirerait. Elle n'a pas eu envie de se l'avouer, mais pour inconfortable qu'ait été la sensation, elle s'est sentie plus vivante. L'impression s'est envolée dès qu'elle a vu la voiture de Simon garée devant la maison.

—Ah bon ? lui répond-elle en s'écartant de lui.

—Tu étais où ?

À son ton, on dirait que sa réponse n'aura pas grande importance pour lui. Pourtant, tout dans son comportement laisse supposer le contraire. De cette réponse dépendra l'atmosphère de la journée.

—Juste chez maman, dit-elle d'un ton aussi étonné que possible.

Puis elle soulève sa chemise jusqu'à son nez et renifle le tissu.

—Ah, je sais ! Je me suis arrêtée pour prendre de l'essence et il y avait un type qui fumait.

Elle se mord la langue. Ce qu'elle vient de dire est vraiment stupide.

Si elle avait le cran de le regarder, elle noterait qu'il a plissé les yeux.

—Il fumait dans une station-service ?

—Non, s'empresse-t-elle de corriger. Il était au lave-auto, juste à côté.

—Tu as fait laver la voiture ?

On dirait qu'elle est dans le box des témoins, face à un juge et des jurés.

—Euh… En fait, non. On a attendu dans la queue, mais, finalement, j'ai renoncé car l'attente était trop longue.

—Tu ne devrais pas emmener les enfants au lave-auto.

Elle s'enfonce dans son mensonge, et des pulsations sourdes résonnent dans son crâne alors qu'elle cherche une issue.

—En général, on reste à l'intérieur de la voiture, dit-elle, mais je voulais aussi faire nettoyer l'intérieur, donc on est allés dans la salle d'attente.

—Écoute, je ne veux pas que les enfants traînent dans ce genre d'endroit, c'est sale et ça pue. La preuve : tu sens le cendrier plein.

Si elle perd contenance au premier interrogatoire, alors qu'elle n'a rien fait de mal, comme va-t-elle s'en tirer quand ce sera le cas ? À la pensée de revoir Justin, elle est prise de vertige. Et détourne bien vite les yeux de Simon pour ne pas se trahir.

—Et toi, renchérit-elle, pourquoi es-tu revenu si tôt à la maison ?

Il faut bien sûr que ça tombe aujourd'hui !

—À ton avis ?

Elle sent son cœur flancher. Elle le suit du regard pendant qu'il se glisse dans leur minuscule cuisine tout en longueur pour prendre une bière dans le réfrigérateur.

—Tu as été licencié ?

Ouf, elle est parvenue à ne pas dire « encore » !

—Ouais !

—Comment on va faire ?

—J'ai demandé autour de moi. Bill m'a dit qu'il aurait peut-être quelque chose pour moi vers la fin de la semaine. Là, je vais aller au pub pour voir si quelqu'un aurait une proposition à me faire.

—Et si tu ne trouves rien ? demande-t-elle d'un ton prudent.

—Eh bien, je serai plus souvent à la maison que d'habitude, dit-il entre ses dents.

À une époque pas si éloignée, quand elle travaillait encore, elle était tout excitée à la pensée de passer une journée entière avec lui. Ils allaient à Brighton, mangeaient des fish and chips sur la grève. L'odeur du vinaigre mêlé à l'air marin lui rappelait alors les excursions avec ses parents, quand elle était enfant. Elle pensait à sa vie actuelle, puis se blottissait contre l'épaule de ce mari qu'elle aimait pendant qu'ils regardaient l'écume des vagues sur les galets. C'étaient des jours heureux. Ils vivaient bien et rapportaient tous les deux de l'argent à la maison. Maintenant, Lauren se demande si, depuis qu'elle n'a plus de salaire, il la respecte encore.

Dents serrées, elle s'exclame :

— Génial ! Dans ce cas, tu pourrais donner leur bain aux enfants ? Noah adore quand c'est toi.

— Ouais.

Et son expression s'adoucit. Lauren se rappelle alors, ce qui est rare, pourquoi elle est tombée amoureuse de lui, au début.

À cet instant, la sonnerie de son téléphone retentit. Elle regarde Simon, espérant que, si elle fait mine de ne pas l'entendre, il l'ignorera aussi.

— Tu réponds pas ?

Son sang se glace dans ses veines. Simon est là, dressé de toute sa hauteur devant elle, pendant qu'elle plonge lentement la main dans son sac, espérant que ce soit sa mère, ou même Kate, l'autre éventualité étant tout simplement impensable. Mais un numéro inconnu s'affiche sur l'écran. Elle a immédiatement envie de vomir. Elle s'efforce de demeurer impassible, mais elle sent sa lèvre inférieure trembler.

Simon ne la lâche pas des yeux, de sorte qu'elle n'a pas d'autre choix que de répondre. Elle se recroqueville presque, attendant que la personne au bout du fil parle la première. Si c'est une voix d'homme, il va falloir qu'elle trouve la meilleure réponse.

Incapable de supporter plus longtemps le silence qui s'installe, elle finit par dire, hésitante :

—A… Allô ?

—Lauren ?

C'est une voix féminine !

Elle se mord la lèvre pour étouffer une exclamation involontaire de soulagement.

—Lauren, c'est Jess. Tu peux parler ?

—Oui, bien sûr.

Et elle articule en silence à l'intention de Simon : « C'est Jess. »

—Je me demandais si tu avais finalement pu discuter avec Kate. Je suis allée la voir, aujourd'hui, mais elle refuse catégoriquement de m'écouter, et ça m'étonnerait qu'elle change d'avis. Elle a l'air de m'en vouloir, et de t'en vouloir à toi aussi…

Lauren se rend dans la cuisine sans porte, où elle a un peu plus d'intimité.

—Je sais, dit-elle. Il va lui falloir un peu de temps pour s'habituer à la situation. N'oublie pas que nous avons eu ce luxe, toi et moi, pas elle. Donc, il faut être patientes.

—Elle me déteste.

Et la voix de Jess se brise.

—Mais non, elle ne te déteste pas. (L'instinct maternel de Lauren revient au grand galop.) Elle n'a aucune raison de te détester. Il faut juste qu'on lui laisse le temps. (Lauren regarde sa montre.) Écoute, je m'apprête à donner leur bain aux enfants avant de les coucher. Tu veux passer ?

—Oh oui, merci !

Mentalement, Lauren calcule rapidement que Simon s'éclipsera au pub dès qu'il aura posé Noah dans son lit.

—Donne-moi une heure, dit-elle.

Et elle coince son portable sous son menton pour prendre la pile de linge propre qui attend sur le canapé depuis deux jours. Si Jess n'était pas sur le point d'arriver, il y serait sans doute resté un peu plus longtemps.

— Merci, dit Jess. C'est très gentil à toi.

— Pas de problème, dit Lauren en montant l'escalier. À tout à l'heure, alors.

Elle range alors les vêtements des enfants dans les tiroirs de la commode, regrettant le manque de place. Pour l'instant, Noah et Emmy ont chacun leur chambre, mais dès que Jude ne dormira plus dans celle de Simon et elle, l'un des deux devra partager. Elle qui avait rêvé que, un jour, ils seraient en mesure de vivre dans une maison avec quatre chambres…

— N'oublie pas ce que je t'ai dit, Lauren, entend-elle quand elle passe devant la salle de bains.

Simon est en train de souffler des bulles de savon sur Noah et Emmy, ce qui provoque chez eux des cascades de rire. La froideur de son ton contraste avec cette scène plaisante.

— Ne nous mêle pas aux histoires de ta famille, et, si elle vient ici, je veux qu'elle soit partie *avant* mon retour.

— Oui, bien sûr, dit-elle, juste pour avoir la paix.

Elle consulte son téléphone une centaine de fois après le départ de Simon et l'arrivée de Jess, sans trop savoir ce qu'elle attend. Elle a déjà enregistré le numéro de Justin dans ses contacts sous le nom de « Sheila » et lui a inventé, au cas où, l'identité d'une collègue de l'hôpital. Elle a un peu l'impression d'être entrée dans la quatrième dimension.

Elle laisse son pouce flotter au-dessus de ce contact couverture, imaginant les premiers mots qu'elle prononcera si elle est assez courageuse – ou stupide – pour l'appeler. La sonnerie de la porte s'infiltre tout à coup dans ses pensées.

—Salut, dit Jess.

Elle tient un petit bouquet dans une main et une bouteille de vin blanc dans l'autre.

Lauren considère cette version plus jeune et plus mince d'elle-même sur le pas de sa porte, et ressent une immense émotion. Sans réfléchir, elle prend Jess dans ses bras et la serre fort, tout en humant son odeur.

—C'est bon de te revoir, dit-elle après s'être un peu écartée d'elle.

Elle la tient à présent à longueur de bras pour la contempler. Jess sourit.

—Moi aussi, je suis heureuse. Je t'ai apporté ça... (Et elle brandit ses présents.) J'espère que tu aimes le vin blanc et que tu n'es pas allergique aux fleurs...

—Merci, dit Lauren en prenant les cadeaux. Allez, entre!

Elles sirotent un premier verre de vin en parlant de tout et de rien, sans évoquer la raison de la présence de Jess ici.

Celle-ci finit par dire:

—Bon, je suppose que ta mère n'a pas très bien pris non plus ma visite de dimanche.

Lauren secoue la tête.

—Non, effectivement

—Ce n'est pas étonnant. Ce doit être très difficile.

Elle regarde Lauren, hésite, mais ajoute finalement:

—Surtout maintenant que ton père est mort.

Lauren acquiesce.

—Tout le monde est sous le choc.

—Sauf toi, on dirait.

Lauren croise alors le regard de Jess.

—Comme je te l'ai dit, j'ai eu le temps de m'habituer à l'idée.

—Est-ce que je suis celle que tu recherchais?

Lauren déglutit et prend le temps de formuler sa réponse.

—Je ne sais pas qui je recherchais. Je souhaitais juste resserrer les liens au sein de notre famille, et j'ai pensé qu'en élargir le cercle m'y aiderait.

—Pourtant, cela a eu l'effet inverse.

Lauren se racle la gorge. Elle a les larmes aux yeux.

—Je... euh...

Jess bondit de son fauteuil pour la rejoindre sur le canapé. Elle l'enlace par les épaules.

—C'est stupide de ma part, dit Lauren d'une voix étranglée. C'est moi qui devrais te réconforter, pas l'inverse.

—Qu'est-ce qui te bouleverse à ce point?

—C'était juste une époque épouvantable.

—Quelle époque?

—Quand... quand tu es née.

Lauren plaque une main sur sa bouche, consciente d'en avoir déjà trop dit.

—C'est-à-dire? Tu savais que...

Jess se reprend:

—Tu étais au courant de ma naissance?

Lauren se creuse les méninges pour faire machine arrière, se sortir de l'impasse dans laquelle elle est.

—J'étais jeune, et c'était... c'était...

—Que sais-tu?

Lauren se frotte le front, furieuse contre elle-même. Ce n'était pas son objectif initial.

—Comme je viens de te le dire, j'étais jeune et...

Jess laisse retomber son bras des épaules de Lauren.

—C'était vraiment un moment difficile et…

—Et ? insiste Jess.

—J'avais dix-sept ans et, un jour, en revenant de l'école, j'ai vu papa dans la rue.

Elle décoche un regard timide à Jess.

—En fait, ce n'était rien. Je n'aurais pas dû…

—S'il te plaît. J'ai besoin de savoir.

Lauren toussote de nouveau.

—Il était avec une autre femme, une belle femme, et il poussait un landau.

Jess en reste bouche bée.

—Tu l'as vu ? Avec *moi* ?

Sa voix est soudain rauque.

Lauren hoche la tête et une larme roule sur sa joue.

—Je crois.

—Tu as vu ma mère ?

Cette fois, son timbre est extrêmement aigu.

—Comment était-elle ? À quoi ressemblait-elle ?

—Elle était très belle.

Un sanglot échappe à Jess.

—Où étaient-ils ? Tu te rappelles où tu les as vus ?

—Pas très loin de là où nous vivions, à Harrogate. Juste de l'autre côté de la ville.

—Je suis donc née à Harrogate ?

Jess se parle à elle-même, comme en transe.

—Je suis du Yorkshire ?

Lauren ne peut imaginer ce que cela doit être d'apprendre où l'on est né après avoir passé sa vie à se poser cette question.

—Tu saurais retrouver la rue ? demande Jess, s'animant soudain. Tu la reconnaîtrais ? Comme ça, je pourrais poser des questions aux gens du quartier. Quelqu'un doit forcément se souvenir d'elle. Et qui sait ? Elle vit peut-être encore là-bas.

Lauren se sent mitraillée de questions.

— Je ne me souviens pas de l'endroit exact, juste du quartier. Mais toi, tu pensais être d'où ? Que t'ont dit tes parents adoptifs ?

L'excitation de Jess, si tangible quelques secondes auparavant, s'évapore d'un coup.

— Juste que j'étais du Nord, et que l'on m'a placée dans un foyer d'accueil bébé. Ils ne savaient rien de mes parents biologiques, du moins, c'est ce qu'ils m'ont dit.

— Mais ils ont pris soin de toi, et ils t'ont aimée.

— Comme si j'étais leur véritable fille, dit Jess avec un sourire. Ils m'ont donné une formidable éducation, je suis allée dans une très bonne université... Franchement, je n'aurais pas pu espérer mieux.

— Et est-ce que tu avais des frères ou sœurs ?

— Non, j'étais une enfant unique et gâtée.

— Où as-tu grandi ?

Lauren est avide de la moindre information à glaner.

— Sur la côte ouest.

Et Jess affiche un air rêveur, comme happée par un souvenir merveilleux.

— Près de Bournemouth. Nous avions une superbe maison qui donnait sur la mer, et chaque jour, après l'école, j'allais promener mon chien sur la plage, et on marchait pendant des kilomètres.

Lauren sourit.

— Cela semble idyllique. Est-ce que tes parents habitent encore là-bas ?

Jess serre les mâchoires et fronce les sourcils.

—Non, plus maintenant. Malheureusement, ils sont morts tous les deux.

—Oh, je suis désolée…

—C'est pour cette raison que j'ai mis en ligne mon profil génétique. Après leur disparition, je me suis rendu compte que je n'avais plus de vraie famille. Bien sûr, j'ai encore deux tantes et quelques cousins, mais je ne suis pas proche d'eux, et j'ai l'impression de ne plus avoir de racines. J'aurais pu me lancer dans ces recherches quand ils étaient encore vivants. Seulement, je ne voulais pas les blesser, ni qu'ils pensent que tout ce qu'ils avaient fait pour moi avait été une perte de temps. Ils étaient si fiers de moi.

—Et tu dois l'être aussi, renchérit Lauren. En dépit de tout ce que tu as vécu, tu es devenue une merveilleuse jeune femme.

—Merci. Si seulement tout le monde pensait comme toi…

—Kate, tu veux dire ?

Jess hoche la tête et tire sur le mouchoir qu'elle tient dans sa main.

—Donne-lui juste un peu de temps, elle s'y fera, dit Lauren tout en pensant : *Même si un million d'années n'y suffiraient pas !*

14

KATE

Le mouvement du train donne la nausée à Kate, ses oscillations correspondant à son reflet bougeant dans la vitre. Il serait sans doute préférable qu'elle se concentre sur autre chose, quelque chose de stable, mais chaque fois qu'elle plonge les yeux dans son livre, les mots semblent nager sur la page.

Elle ferme les paupières, et, immédiatement, la nausée est moins forte. Mais, soudain, elle se rappelle l'aiguille que l'infirmière n'arrivait pas à planter dans ses veines, les trouvant trop fines. D'instinct, Kate touche le coton maintenu par un pansement, sous le tissu de sa veste.

—Normalement, ce n'est pas si compliqué, a dit l'infirmière en s'efforçant de trouver la veine idéale. C'est sans doute parce que vous êtes très mince.

Kate s'était alors mordu la langue pour ne pas dire qu'un mauvais artisan incriminait en général ses outils. On lui avait fait suffisamment de prises de sang pour qu'elle sache que le problème ne venait pas d'elle.

L'embryon a été transplanté il y a deux semaines à peine, mais elle a l'impression qu'un mois s'est écoulé depuis – même une année, puisqu'elle a passé son temps à se demander si elle est enceinte ou pas. Et voilà que, dans quelques heures, elle sera fixée. Quel que soit le résultat, elle sait que c'est la dernière fois qu'elle vit ce moment. Parce que, enceinte ou pas, elle ne s'infligera pas une nouvelle FIV.

— C'est gentil de te joindre à nous, dit Lee, son rédacteur en chef, quand elle arrive avec vingt minutes de retard dans l'open space. La conférence commence dans cinq minutes.

Elle lève nonchalamment les mains.

— OK, les amis, dit-elle d'une voix sourde à l'adresse des trois journalistes dont les bureaux font face au sien. Qu'est-ce qu'on a, ce matin ?

Son équipe lui expose alors de potentiels sujets, mais rien de bien croustillant : un imprésario qui a été remercié, deux films en avant-première le soir même et une starlette de soap opera photographiée en train de promener son chien. Daisy, la stagiaire, a repéré une interview dans un magazine américain où une célébrité a avoué avoir fait de la chirurgie esthétique.

— Mmm, dit Kate, réactive malgré ses préoccupations. Prenons cet article, réécrivons-le et publions-le avec quelques photos sur plusieurs années, OK ? On en fait une double page avec illustrations.

— Super, dit Daisy, toujours partante.

Et Kate aurait pu l'embrasser pour son enthousiasme.

— Plus que deux minutes ! s'écrie Lee d'un ton sec.

Kate rassemble hâtivement les articles des magazines people étalés sur son bureau et les feuillette tout en se dirigeant vers la salle de conférences. En l'absence d'article phare, elle a une autre idée en tête.

— Alors, Kate, tu proposes quoi ? demande Lee.

Ils viennent de tomber d'accord sur le fait que la déclaration du ministre de l'Intérieur ne suffit pas à faire la une.

—Eh bien, c'est un domaine encore peu connu, mais peut-être que l'équipe technique aura envie de s'en charger : aux États-Unis, la police recourt à une nouvelle tactique pour attraper les criminels.

—Tu parles de la publication de l'ADN de suspects sur des sites de généalogie ? demande Lee.

—Exactement ! répond Kate.

—Le sujet me plaît, mais ça ne suffit pas pour une manchette. Sauf si ton service a une célébrité concernée sous le coude ? Une victime de cette technique à LA ou dans les environs, dernièrement ?

Kate hoche la tête.

—Je peux toujours chercher.

—Génial. Si on trouve une célébrité impliquée d'une façon ou d'une autre, ça pourrait faire sensation. Est-ce qu'on en connaît une qui a *presque* été victime de cette nouvelle méthode ? Ou alors dont un proche connaît un type inculpé grâce à cette méthode ? Ou était ami avec lui ? Peut-être que leurs enfants allaient dans la même école ? Bref, ce genre de choses.

Kate sent son cœur se serrer, pas simplement devant l'énormité de la tâche, mais aussi parce qu'elle a perdu le goût pour ce style de journalisme. Elle veut écrire sur des sujets qui en valent la peine, pas chercher un vague lien entre un éventuel meurtrier et les parents d'un ancien candidat de « The Voice ».

Elle sent comme des petites bulles au fond de son ventre. Elle sourit intérieurement, espérant pouvoir bientôt faire une pause avec tout cela.

—OK, reprend Lee. Bon, Kate, tu recherches une piste pour une célébrité, et, Lara, tu peux peut-être te pencher sur la partie technique et les investigations policières. Ou alors trouver un exemple fort dans la vie réelle, dans le genre M. Machin a retrouvé des membres de sa famille grâce à un de ces sites, une mère perdue depuis longtemps, ou quelque chose du style.

Kate se sent défaillir quand Lara, la rédactrice de l'équipe technique, hoche la tête avec ferveur et griffonne quelques mots sur son bloc-notes.

— Bon, ce sera tout ! dit Lee en se levant. Tout le monde retourne à son poste.

Bien qu'elle ait des tonnes de choses à faire, Kate passe le reste de la journée à rêvasser, incapable de se concentrer sur le moindre sujet. Même quand Karen, son assistante, lui raconte sa dernière rencontre sur Tinder, ce qui d'habitude l'intéresse toujours, elle reste de marbre. Les minutes lui semblent des heures alors que les aiguilles de l'horloge s'approchent lentement de 16 heures, moment où elle pourra appeler la clinique pour ses résultats. Et pourtant, dès que l'heure attendue s'affiche sur son téléphone, elle hésite. Une fois qu'elle aura la réponse, elle ne sera plus dans l'expectative. Et si elle n'obtient pas celle qu'elle souhaite, elle sait qu'elle regrettera cet état d'incertitude, où existe encore la possibilité que sa vie soit sur le point de basculer. Où elle peut imaginer que, dans un an, à la même époque, elle ne sera pas à son bureau, mais s'occupera de ce bébé tant attendu. Et que douze mois supplémentaires la sépareront de la disparition de son père.

Elle est consciente que le chagrin lié à sa perte sera toujours présent en elle, mais, au fil des semaines, elle a l'impression qu'une petite partie d'elle-même commence à guérir. Parfois, il lui arrive de se sentir recousue, comme si une aiguille avait reprisé les brèches laissées par sa mort. Mais voilà que, avec l'apparition de Jess, elle a la sensation qu'elles vont se rouvrir.

Elle finit par saisir son téléphone et cherche un mouchoir dans son sac à main. Quelle que soit l'issue de cet appel, elle en aura sans doute besoin. Elle traverse lentement le bureau, espérant presque que quelqu'un l'arrêtera pour lui parler – prête à tout pour repousser l'inévitable quelques instants encore. Hélas! Même le gardien à l'entrée, normalement si bavard, la laisse passer sans émettre le moindre commentaire.

—Évidemment, putain! dit-elle d'une voix forte.

Et elle passe dans le nuage des fumeurs qui vient s'ajouter à la pollution des rues de Canary Wharf. Retenant son souffle, elle descend du trottoir. Un taxi noir la klaxonne et elle lève une main pour s'excuser. Elle doit de nouveau présenter des excuses quand il s'arrête à sa hauteur, pensant qu'elle l'a hélé.

—Désolée, je n'ai pas besoin d'un taxi… J'étais juste…

Il klaxonne de nouveau et reprend sa place dans la circulation.

Pourvu que, une fois ce coup de fil passé, elle retrouve l'usage de ses neurones!

D'une main tremblante, elle tape les chiffres sur son clavier et attend les options familières que lui propose le serveur vocal:

«Bienvenue au service Santé de la femme de Woolwich Hospital.

Pour prendre un rendez-vous, appuyez sur 1.

Pour des résultats de test, appuyez sur 2.

Pour parler à un médecin, appuyez sur 3.

Pour toute autre demande, appuyez sur 4.»

Kate laisse sa main flotter au-dessus du clavier. Puis, prenant une grande inspiration, elle appuie sur le chiffre 2.

—Santé de la femme, je vous écoute, dit une voix monocorde.

Comment peut-on prendre une telle intonation quand votre travail consiste à annoncer de bonnes nouvelles? Et, soudain, elle se ressaisit: la plupart du temps, c'est une mauvaise nouvelle que cette femme annonce. Kate se demande dans quelles statistiques elle va figurer...

—Oh, bonjour! dit-elle d'un ton enjoué, comme si cela allait avoir un impact sur l'issue de la conversation. J'appelle pour un résultat de test de grossesse.

—Quel nom?

—Kate Walker.

—Date de naissance?

—Le 4 août 1984.

—Ne quittez pas.

On sent qu'elle ne mesure pas l'importance de cet appel.

«Ce que tu vas m'annoncer va déterminer mon futur», a-t-elle envie de hurler au bout du fil. Elle pense soudain à Matt et ressent un petit coup au cœur. «Notre futur.»

Kate se mord la lèvre tout en écoutant une version éculée de Beethoven, les yeux rivés sur les clients du *Costa Coffee* de l'autre côté de la rue, qui mènent leur existence de tous les jours. Aucun ne sait ce qui lui arrive, personne n'a conscience que sa vie est sur le point de changer pour toujours.

Son regard est plus particulièrement attiré par une jeune femme qui travaille sur un ordinateur portable. Elle laisse son imagination inventer un univers autour de cette fille qu'elle baptise Bryony. Elle vient travailler ici sa thèse parce qu'elle ne peut pas supporter le bazar qui règne dans la cuisine qu'elle partage avec Ned, son coloc tire-au-flanc.

Quand elle aura son master en sciences politiques et relations internationales, elle veut travailler pour le gouvernement local parce qu'elle est encore assez naïve pour croire qu'elle pourra changer la donne.

Quelle perte de temps! pense Kate, mettant à l'index de façon cynique les aspirations de la jeune fille avant même qu'elle n'ait commencé.

Celle-ci regarde alors par la fenêtre, dans sa direction. Kate serre plus étroitement sa veste autour de son corps pour se protéger du vent froid qui siffle entre l'ombre des gratte-ciel de Docklands. Leurs regards se croisent l'espace d'une seconde. Kate est frappée par le fait que cette femme l'a également remarquée et se demande, sans aucun doute, quelle peut être sa vie à elle. Elle n'imagine certainement pas le moment incroyable auquel elle va peut-être assister. Kate lui sourit. Visiblement gênée, la jeune femme se concentre de nouveau sur son écran.

Depuis quand est-il devenu plus importun de sourire à une personne inconnue que de l'ignorer royalement? se demande Kate.

Bien sûr, elle ne reverra jamais cette femme, ne lui accordera plus jamais la moindre pensée, et, pendant qu'elle reprendra le cours de sa vie, celle-ci fera de même, inconscientes de la vie de l'autre et de l'importance de celle-ci, du moins pour chacune. Mais un sourire ne nuit jamais…

— Madame Walker? dit sa correspondante, coupant brutalement Beethoven, alors que commençait le crescendo.

— Euh, oui.

Kate a la bouche soudain sèche.

— Votre test est positif.

C'est tout. Pas d'approche en douceur, ni de préparation psychologique.

— Quoi?!

Par peur de s'écrouler, elle prend appui contre le mur.

—Je suis enceinte? Vous êtes sûre?

—Eh bien, c'est ce que disent les résultats, répond la femme complètement indifférente à l'énormité du moment. Vous êtes bien Kate Walker, né le 4 août 1984?

—Oui, c'est moi.

Et sa voix n'est plus qu'un murmure.

—Alors si c'est *vraiment* vous, vous êtes *vraiment* enceinte!

Et la femme émet un petit rire, qui la rend soudain bien plus humaine que la voix de robot d'un serveur vocal.

Kate se plaque une main sur la bouche, et des larmes lui jaillissent des yeux.

—Pour de bon?

Elle a tellement peur que la femme se ravise, lui dise qu'il s'agit d'une erreur.

—Félicitations, lui dit chaleureusement son interlocutrice.

Et Kate aimerait lui sauter au cou.

—Mon Dieu, je suis enceinte! murmure-t-elle en faisant les cent pas sur le trottoir.

Tout en allant et venant sur une longueur de cinq mètres environ, elle s'essuie les yeux, s'immobilise parfois quand elle oublie comment on met un pied devant l'autre. Elle a le sentiment que sa poitrine va éclater de joie lorsqu'elle pense à Matt et à la façon dont elle va le lui annoncer. Et puis, tout à coup, l'image de son père s'impose à elle, lui à qui elle s'était toujours dit qu'elle enverrait une carte postale où elle écrirait «Félicitations, grand-père», accompagnée de la photo de son échographie. Il aurait pleuré, elle le sait, puis l'aurait serrée contre lui, comme s'il ne voulait plus jamais la laisser partir. «Je savais que tu y arriverais, ma chérie», aurait-il dit, lui avouant par là qu'il avait compris d'instinct ce que Matt et elle avaient enduré pendant tout ce temps. Ce qui ne l'aurait pas surprise.

Son père avait toujours été si intuitif avec elle, au point qu'il savait souvent qu'elle était malheureuse avant même qu'elle ne s'en rende compte. Il était toujours à ses côtés, un indéfectible support invisible.

—J'ai besoin de toi, papa, maintenant, dit-elle en pleurant, terrassée par le chagrin inattendu qui la submerge.

Elle avait toujours été consciente qu'il était fier d'elle, il le criait sur tous les toits dès que l'occasion se présentait. Mais ceci… Cette nouvelle lui aurait procuré une joie pure. Sa petite fille obtenait enfin ce à quoi elle aspirait tant pour se sentir un être humain accompli.

Son cœur se brise à l'idée qu'il n'est plus là pour le voir.

—Il ne sera plus jamais là pour le voir, murmure-t-elle en essuyant une larme.

—Excusez-moi, dit une voix, la tirant de ses pensées.

Par réflexe, elle s'écarte, pensant bloquer le passage à un passant. Pour quelle autre raison s'interpellerait-on entre inconnus, à Londres ?

—Euh, excusez-moi, insiste la personne.

Kate renifle et s'essuie les yeux avec un mouchoir en papier.

—Je suis vraiment désolée de m'imposer, mais vous avez l'air bouleversée et je voulais juste m'assurer que vous alliez bien.

Kate lève les yeux. Son regard passe de la place vide derrière la fenêtre du café à la jeune fille qui l'occupait.

—Vous allez bien ?

Sur cette question, la jeune fille lui adresse un sourire sympathique.

—Je suis enceinte, dit Kate.

Et elle se sent enveloppée par une émotion douce, sans trop savoir si cela provient du fait qu'elle attend un bébé et ou de son regain de foi en l'être humain.

—Félicitations, alors?

Le ton de la jeune fille est hésitant, comme si elle attendait la confirmation qu'il s'agit vraiment d'une bonne nouvelle.

Sur une impulsion, Kate la prend dans ses bras et la serre étroitement contre elle.

—Merci, dit-elle.

—De quoi?

—De ne pas avoir peur de montrer que vous vous souciez des autres.

15

LAUREN

Sous prétexte de courses à faire, Lauren a demandé à sa mère de venir garder ses enfants, afin de disposer d'une demi-heure de liberté et de passer son coup de fil. Maintenant, assise dans sa voiture devant sa propre maison, elle fixe son téléphone d'un regard vide, comme si elle lui enjoignait de sonner. Mais elle doute que Justin ait des pouvoirs télépathiques. En outre, tel n'était pas leur accord. C'est elle qui est censée l'appeler. Si elle en a le courage…

Elle a les mains qui tremblent rien qu'en regardant le contact « Sheila », incapable de croire que seuls onze chiffres la séparent d'un passé qu'elle n'imaginait jamais affronter de nouveau. Quand Justin l'avait laissée tomber, ç'avait été le début d'une spirale descendante dont elle avait cru ne jamais pouvoir s'extraire. Après le déménagement de sa famille à Londres, elle avait changé de fréquentations, goûté à certaines drogues. Elle avait perdu tout respect envers elle-même et couchait avec le premier qui lui montrait de l'intérêt, confondant sexe et amour. Une fois à court d'idées pour se punir, elle avait décidé de reprendre le contrôle de sa vie, mais d'une façon bien particulière. C'est-à-dire en se restreignant sur la nourriture. Elle se pensait intelligente et croyait que personne ne s'en apercevrait. Aussi, quand son père l'avait envoyée pour un séjour de deux semaines à l'hôpital, elle l'avait encore plus détesté.

Mais, maintenant, il est parti, se dit-elle.

Son pouce tremble au-dessus de « Sheila ».

Et je suis une adulte.

Mais elle sait que l'âge ne change rien à l'affaire : on reste *toujours* l'enfant de ses parents.

Elle est presque surprise quand elle appuie sur le nom, comme si quelqu'un d'autre l'avait fait pour elle.

— Je ne pensais pas que tu appellerais, dit Justin avant même que Lauren entende sonner.

— Salut, dit-elle.

Et elle ne sait plus trop quoi dire. Alors elle ajoute, sachant que ce n'est pas nécessaire :

— C'est moi.

— Comment vas-tu ?

— Bien. Et toi ?

— Mieux, maintenant. Je n'ai pas arrêté de penser à toi depuis que l'on s'est vus, l'autre jour.

Et moi pendant ces vingt dernières années, pense Lauren.

— Je veux te revoir, dit-il.

Lauren a l'impression de manquer d'air. Comment est-ce possible, après tout ce temps ? Et pourquoi maintenant ? Sans doute est-ce un signe.

— J'aimerais, moi aussi.

Son ton est hésitant.

— Quand ? Ce soir ? enchaîne-t-il.

— Non, ce soir, je ne peux pas.

— Demain, alors ?

Elle se sent soudain claustrophobe, comme s'il l'oppressait à lui demander l'impossible. Et puis elle se rappelle qu'il la croit toujours libre. Aussi est-il logique qu'il suppose qu'elle est disponible ce soir ou demain. Les gens célibataires, n'ayant pas de famille à charge, sortent sans avoir besoin de s'organiser.

— Bon, demain, peut-être, dit-elle.

Pourtant, son cerveau sait déjà que c'est irréalisable. Si Simon travaille, il ira directement au pub après sa journée. S'il n'a pas de mission, il est possible qu'il reste à la maison. Elle sent la panique l'envahir. D'une façon ou d'une autre, elle ne pourra aller nulle part.

— Quand sauras-tu si c'est possible ou non ? demande-t-il.

— Je... euh... Je ne sais pas vraiment. Il faut que je voie comment m'organiser.

Elle s'attend à ce qu'il demande ce qu'il y a à organiser. Si seulement elle pouvait lui répondre qu'elle doit se débarrasser d'un mari autoritaire et demander à sa mère de garder les trois enfants dont elle lui a caché l'existence.

— Je vais faire au mieux, dit-elle. Je te rappelle plus tard.

— OK. Mais, Lauren...

— Oui ?

Les mots restent coincés dans sa gorge...

— Fais au mieux.

Elle repose le téléphone. Le ton pressant de sa voix résonne encore à ses oreilles. Est-ce à cause de cela que son ventre fait des nœuds, ou en raison de toute la nostalgie que charrie la voix de Justin ? Ils étaient si jeunes, *trop* jeunes pour affronter les responsabilités d'un amour adolescent qui prenait le tour d'une relation entre adultes. Si seulement ils s'étaient rencontrés plus tard ! Alors tous deux auraient su qui ils étaient et ce qu'ils voulaient.

— Maman, peux-tu me faire une faveur, demain soir ? dit-elle en entrant chez elle.

Elle pose l'unique sac de courses sur le plan de travail et met machinalement la bouilloire en marche.

— C'est tout ? demande Rose.

Et elle désigne du menton le sac à demi rempli.

Lauren ne se rappelle que vaguement être allée au supermarché, et encore moins ce qu'elle a acheté. Elle hoche la tête et enchaîne :

— Il se peut que je sorte, et, si Simon n'est pas là, je me demandais si tu voudrais bien garder les enfants une heure ou deux.

— Bien sûr ! Qu'est-ce que tu mijotes ?

La question en soi peut sembler accusatrice, mais pas la façon dont elle est prononcée. Malgré tout, Lauren sent le rouge lui monter aux jours. Elle tourne aussitôt le dos à sa mère pour ranger un pot de café dans un placard déjà bien fourni.

— Eh bien… j'aimerais convaincre Kate de passer la soirée avec moi.

C'est la première idée qui lui est venue à l'esprit.

— Oh, ce serait formidable ! répond Rose avec enthousiasme. Cela vous ferait le plus grand bien à toutes les deux de vous retrouver en tête à tête et de mettre à plat vos différends.

— Je suis désolée pour les difficultés que cela a déjà créées.

— Personne n'y peut rien, dit Rose de ce ton chantonnant qu'elle prend quand elle pense l'exact contraire de ce qu'elle affirme. Mais il aurait été plus sage que tu réfléchisses aux conséquences, avant d'agir.

— Je le hais !

Et le fiel que Lauren entend dans sa propre voix la surprend elle-même.

—Ne dis pas une chose pareille!

Rose s'approche furtivement d'elle.

—Cela lui briserait le cœur. Il était ton père, et il t'aimait énormément.

—S'il m'avait aimée, il n'aurait pas agi comme ça! Comment a-t-il pu avoir un bébé avec une autre, quand pendant tout ce temps... il... il...

Ses épaules se mettent à trembler, et un sanglot lui échappe.

—Lauren, dit Rose d'un ton implorant en lui prenant la main. Ne repense plus à ça. Laisse ces choses au passé, c'est leur place. Tu ne peux pas continuer de te punir ainsi.

—Ce n'est pas moi qui aurais dû être punie, mais lui!

Lauren a hurlé.

—Allons, tu ne crois pas que ne pas avoir atteint son soixantième anniversaire est une punition suffisante?

Lauren baisse les yeux, et des larmes roulent sur ses joues.

—Et tu ne penses pas qu'il savait ce qu'il avait fait? ajoute Rose d'un ton adouci. Qu'il était conscient de son tort?

—Pourquoi tu ne l'en as pas empêché?

Lauren est en larmes, mue par un désir incontrôlable de s'en prendre à sa mère, *à n'importe qui*. Elle a besoin de se libérer de ces années de frustration refoulée qui la tourmentent sans relâche.

Rose prend sa fille dans ses bras et la serre très fort. Les pleurs de Lauren redoublent.

—Je ne pouvais rien faire, lui murmure Rose contre l'oreille. J'ai tout essayé, mais j'avais beau dire, il refusait de m'écouter.

—Il devait bien y avoir un moyen de...

—Tu connaissais ton père, ma chérie. Quand il avait une idée en tête, il n'y renonçait jamais. Mais cela ne voulait pas dire qu'il t'aimait moins.

Les larmes de Lauren tombent sur l'épaule de Rose qui lui caresse à présent les cheveux, comme autrefois, quand elle était plus jeune. Lauren a alors la sensation de sortir d'elle-même et de se revoir, vingt-deux ans plus tôt.

Rose s'écarte ensuite de Lauren et la tient par les bras.

— Ça ne te fait pas du bien de revoir Jess, dit-elle. Si tu veux mon avis, tu devrais même éviter de lui parler au téléphone.

— Elle a le droit de connaître la vérité.

Rose secoue la tête avant de s'écrier brutalement :

— Non ! Regarde dans quel état tu es. Ce que tu t'infliges à toi-même.

Et si elle racontait à sa mère que Justin vint de ressurgir après tout ce temps, et que c'est la goutte qui fait déborder le vase ? Non, se ravise-t-elle, il ne vaut mieux pas.

— Je peux gérer, dit-elle à la place.

— Si c'est vraiment ce que tu penses, alors tu es dans le déni. Si tu continues ainsi, c'est toute la famille qui va se déchirer. Regarde déjà ce qui se passe entre Kate et toi. Tu devrais plutôt te concentrer sur cette relation-*là* au lieu de te lancer dans une quête futile, sur la trace de quelqu'un que tu ne connais même pas.

— Je vais discuter avec Kate, dit Lauren. Demain soir.

Ce petit rappel de la personne avec qui Rose croit que Lauren a rendez-vous semble apaiser sa mère. Pour sa part, elle se sent immédiatement coupable.

— Je t'appellerai juste si Simon n'est pas là, poursuit-elle.

Et elle est bien consciente que seule l'absence de Simon lui permettra de réaliser son dessein.

— OK, dit Rose d'un ton tendu. Mais on est bien d'accord que tu vas te réconcilier avec Kate ? Tu sais que l'unité de notre famille est ce qui compte le plus pour moi. Je ne permettrai à personne de la détruire.

16

KATE

—Je ne crois pas que je vais pouvoir commander avant qu'on soit fixé, dit Matt, assis en face de Kate, dans leur restaurant italien préféré, à Soho. À quelle heure ils t'ont dit d'appeler, déjà ?

—Dix-huit heures.

Kate fournit de gros efforts pour contrôler son expression et ne pas se trahir, puisqu'elle a déjà la réponse qui menace l'appétit de Matt. Malgré tout, elle sent les commissures de ses lèvres se relever, et elle est certaine que la lueur qui brille dans ses yeux la trahit.

—Bon, qu'est-ce que tu prends ? demande-t-il sans lever les yeux de la carte des menus.

—Je vais commencer par la burrata.

—Tu crois que tu peux ?

Visiblement, il a peur que son fromage préféré ne soit pas forcément pasteurisé.

—Mmm, peut-être pas, finalement, il vaut mieux rester prudent.

Ce petit jeu lui plaît énormément, mais elle est aussi consciente qu'elle doit cesser assez rapidement de tourmenter le pauvre Matt.

Et elle-même au passage, car elle a du mal à tenir sur son siège, en raison de son excitation refoulée.

—Alors, comment ça s'est passé, aujourd'hui, au travail ? demande-t-elle en s'efforçant de prendre le ton le plus normal possible.

—Eh bien, ça y est ! J'ai choisi la candidate pour le poste de journaliste junior.

—Ah, super ! Alors ?

Matt fait la grimace.

—Mmm, tu ne vas pas être contente.

Kate s'adosse à sa chaise, l'air faussement outragé.

—Ne me dis pas que tu t'es décidé pour la jeune diplômée ?

Matt hoche la tête et lève les mains.

—Pour ma défense, au cours du second entretien, elle a été bien plus convaincante que sa concurrente.

Kate secoue la tête.

—Soit. Ne viens pas te plaindre à moi quand tout ira de travers.

—Oh, femme de peu de foi ! dit Matt en riant.

Incapable de se taire plus longtemps, Kate glisse la main dans son sac et en sort une boîte enveloppée dans un papier cadeau qu'elle pose devant Matt, sur la table.

—C'est en quel honneur ? demande-t-il.

—Faut-il une occasion précise ?

—Normalement, oui.

Et il lui lance un regard suspicieux.

—Allez, ouvre-le, dit-elle, impatiente.

Elle ne le quitte pas des yeux pendant qu'il l'ouvre – bien trop lentement à son goût !

—Accélère !

Il sourit, puis déchire le papier d'un geste fébrile. Il considère alors d'un œil sceptique la boîte en forme de stylo avec laquelle il se retrouve. Au moment où il soulève le couvercle, son visage se décompose…

—Tu es… Tu es vraiment enceinte ? s'écrie-t-il en brandissant le test de grossesse avec ses deux lignes bleues qui s'affichent de manière incontestable.

Kate se contente de hocher la tête par peur que tous les deux n'éclatent en lourds sanglots. Ils se regardent, alternant rires et larmes, incapables de parler.

—Quand l'as-tu su ? demande-t-il, incrédule.

—Il y a une heure environ, dit-elle, un sourire aux lèvres. J'avais une folle envie de t'appeler, mais je ne voulais pas non plus te l'annoncer au téléphone. Je tenais à ce que tu sois en face de moi.

—Bon, eh bien, la burrata, tu peux définitivement faire une croix dessus !

—Je sais ! (Elle rit.) Ça me manque déjà.

—Je… Je ne trouve même pas les mots, reprend Matt. Je ne sais vraiment pas quoi dire. Comment te sens-tu ? Différente ?

Kate a passé l'heure précédente à se poser la même question. À peine revenue au bureau, elle est allée aux toilettes, puis s'est appuyée contre la porte verrouillée, et a inspiré et expiré profondément. Elle a tâté ses seins, pour voir s'ils étaient plus sensibles, s'est demandé si elle devait sortir pour s'acheter des biscuits au gingembre, car une nouvelle nausée la guettait. Elle avait lu suffisamment de numéros de *Mother & Baby* pour tenir toute une vie, donc elle savait ce qu'elle était *censée* ressentir. C'était bien beau d'apprendre qu'elle était enceinte, mais elle douterait de l'être tant qu'elle ne sentirait pas les symptômes de cette grossesse. Même si rester ici en attendant qu'ils se présentent était sans doute un exercice vain.

— Je crois que mes seins sont un peu plus gros, répond-elle.

— Déjà ?

Et Matt hausse les sourcils, surpris.

Kate se met à rire et baisse la tête.

— Oh, je n'y crois pas ! Je vais être comme ces femmes.

Matt la regarde, perplexe.

— Celles qui pensent qu'elles sont les seules au monde à avoir un bébé.

Il éclate de rire à son tour.

— Je n'ose même pas imaginer combien tu vas être exigeante.

— Tu me promets que tu iras au fond d'une mine pour me rapporter du charbon si j'ai une envie en pleine nuit, hein ?

Et elle a du mal à contenir son hilarité.

— Tu auras au mieux une glace à minuit.

— Une Häagen-Dazs, alors ? questionne-t-elle, joueuse. Et au parfum que je voudrais ?

— Dans les limites du raisonnable, répondit-il sur le même ton taquin. Je n'arrive pas à croire qu'on y soit arrivés. Cela semble si irréel. On peut aller chez tes parents, ce soir ?

La question la prend au dépourvu. L'espace d'un bref instant, son esprit lui joue des tours. Elle croit que son père est encore en vie. Et, tout de suite après, elle se sent honteuse de s'apercevoir que sa disparition change tout, pour ce qui est d'aller chez ses parents. D'ailleurs peut-être est-il temps de dire désormais « chez maman » ?

— C'est un peu tôt pour en parler, dit-elle.

— Honnêtement, je ne crois pas que je vais pouvoir garder le secret.

Il a du mal à masquer sa joie.

Pendant de si longues années, Kate ne s'est même pas autorisée en rêve à penser que sa FIV allait aboutir ! Alors se retrouver aujourd'hui enceinte et devoir décider à qui en parler ou pas : elle n'y a vraiment pas pensé.

— On peut peut-être juste le dire à nos mères ? propose Matt.

On dirait un enfant le matin de Noël.

— Ce n'est pas vraiment le timing idéal, dit Kate.

— À cause de cette fille ?

Des larmes lui montent malgré elle aux yeux. Elle les essuie bien vite du revers de la main.

— Hé, dit Matt en lui prenant la main, par-dessus la table. Qu'est-ce qui se passe ?

— Je crois que cette histoire commence vraiment à m'affecter, admet-elle.

— Cette histoire familiale ou ta grossesse ?

— Les deux !

Et elle rit à moitié.

— J'ai l'impression que les hormones sèment le chaos dans mes émotions.

— Tu es enceinte ! On attend un bébé.

Une larme roule sur la joue de Matt.

— Concentrons-nous là-dessus, d'accord ? Je sais que cette affaire avec Lauren et cette fille est difficile, mais, quoi qu'il en advienne, cela ne changera jamais tes sentiments pour ton père.

— Non, c'est vrai, dit-elle en reniflant.

— Donc, tiens-toi à l'écart, ne t'en mêle pas.

Si seulement c'était aussi simple que ça en a l'air en l'écoutant.

— Elle est venue me voir.

Et, sur ces mots, Kate darde les yeux sur lui.

— Qui, Lauren ?

— Non, la fille. Elle est venue me voir au bureau.

141

— Quoi ? Comment a-t-elle su où tu travaillais ?

Kate hausse les épaules, désinvolte, même si elle est loin de l'être.

— Je pense que c'est Lauren qui lui a dit. Toutes les deux se connaissent bien mieux que je le pensais, c'est évident.

— Mais à quoi elles jouent, putain ? demande Matt, agité.

— Honnêtement, je n'en sais rien. J'ai toujours cru qu'on était une famille unie, mais, depuis la mort de papa, on dirait que chacun cache des secrets aux autres. On n'agit pas ainsi, dans les familles normales.

— Je t'arrête. Tu serais surprise de découvrir que peu de familles sont ce qu'elles prétendent être. On dit tous une chose, alors qu'on en pense une autre.

Vraiment ? s'interroge Kate.

— Si tu éprouves le besoin d'affirmer que vous êtes unis, poursuit Matt, c'est précisément parce que c'est tout le contraire.

— Mmm, peut-être…

Kate est songeuse.

— Et quelle est la position de ta mère, dans tout cela ?

— Le déni.

— Qu'est-ce que tu vas faire ?

— J'espérais qu'on n'en arriverait pas là, dit Kate. Mais il va falloir que je démontre à Lauren qu'elle a tort de croire cette fille.

— De quelle façon ?

Elle le regarde droit dans les yeux et, malgré elle, sent sa mâchoire tressaillir.

— En me procurant un échantillon d'ADN qui prouvera que cette fille n'est pas celle qu'elle prétend être.

17

LAUREN

Lauren est si nerveuse qu'elle est déjà allée trois fois aux toilettes. Sa main tremble tandis qu'elle s'applique du mascara, consciente qu'elle devra y retourner une dernière fois avant de partir.

Elle est satisfaite de sa coiffure : ses boucles soyeuses retombent sur ses épaules. Elle se refrène sur le maquillage. Le mieux n'est-il pas l'ennemi du bien ? C'est ce que Kate disait toujours quand elles parlaient de la transformation de Lady Gaga, dans *A Star is Born*.

Elle considère la combinaison pantalon bleu nuit posée sur le lit et lui applique la même théorie. Un legging serait préférable. Il donnerait l'impression qu'elle n'a pas cherché à trop en faire. Elle refuse d'admettre que sa ceinture élastique sera sans doute plus facile à supporter pour son ventre de post-grossesse.

— Maman !

C'est Noah qui l'appelle du rez-de-chaussée.

— Jude a vomi.

— J'arrive, dit-elle.

Elle prend promptement son legging sur le cintre et l'enfile. Puis elle saisit un haut blanc dans lequel elle se sent bien avant de le jeter au fond de son armoire pour prendre à la place une chemise bleu turquoise. Justin la complimentait toujours sur le bleu de ses yeux autrefois. Cette couleur les mettra en valeur. Cependant, elle ne la met pas tout de suite car elle meurt de chaud, et le fait de laver Jude ne fera qu'amplifier le problème.

Son fils gazouille joyeusement, malgré le lait régurgité qui lui coule sur le menton, tout en regardant Noah et Emmy danser joyeusement sur l'air de *Sesame Street*. Lauren le prend dans ses bras. Qu'est-ce qu'elle est en train de faire, bon sang? Comment une femme mariée, mère de trois enfants de moins de cinq ans, peut-elle aller retrouver un homme dont elle était amoureuse vingt ans auparavant? Elle considère ses enfants qu'elle adore, consciente qu'il ne pourra rien ressortir de bon de ce qu'elle s'apprête à faire. Mais elle est incapable d'arrêter le cours des événements.

— Bonjour, mon adorable garçon! s'écrie Rose en ouvrant la grille.

Noah traverse le jardin aussi vite que possible pour s'élancer vers elle.

— Bonjour, mamie!

Et, de ses bras potelés, il l'enlace par le cou.

— Waouh! s'exclame Rose à l'adresse de Lauren.

Celle-ci lui a emboîté le pas, le siège auto dans une main, et Emmy accrochée à l'autre.

— Tu es ravissante! Tu es bien sûre que ce n'est pas un bel homme que tu vas voir, au lieu de ta sœur?

Lauren se sent immédiatement rougir. Il lui faudra être plus maligne si elle ne veut pas se trahir.

— Je pars tout de suite, si ça ne t'ennuie pas. Je n'en ai pas pour longtemps.

— Si cette soirée vous permet, à Kate et toi, d'avoir une discussion approfondie et de tout mettre à plat, que cela prenne le temps qu'il faudra!

Lauren lui adresse un sourire tendu, donne un baiser aux enfants, puis leur fait un signe de la main en s'en allant.

Quand elle arrive au pub *Fox and Hounds*, elle a l'estomac noué et est incapable de se rappeler l'itinéraire qu'elle a suivi pour venir jusqu'ici. Elle baisse le pare-soleil pour s'inspecter une dernière fois dans le miroir. De son doigt orné d'un anneau en or, elle se lisse les sourcils.

— Mon Dieu, marmonne-t-elle.

Elle allait entrer dans le pub avec à l'annulaire la preuve qu'elle est mariée. Elle retire la bague. Justin ne l'a-t-il pas vue la dernière fois, à la station-service? se demande-t-elle alors. Il y a fort à parier que, comme elle, c'est la première chose qu'il aura regardée. Elle la jette sans cérémonie dans le cendrier de la console centrale – consciente de l'ironie de son geste.

Karen pénètre furtivement dans le pub inconnu, incapable de se rappeler la dernière fois qu'elle est entrée toute seule dans un endroit comme celui-ci. Elle croise les doigts pour que Justin soit déjà arrivé et vienne immédiatement à sa rencontre, sentant son peu de confiance en elle diminuer à chaque seconde.

Elle inspecte rapidement la salle au plafond bas, puis d'un œil frénétique les recoins les plus sombres, espérant l'y voir. La peur se resserre sur elle comme un étau à l'idée qu'elle pourrait croiser un visage familier. Pire: que quelqu'un pourrait *la* reconnaître. Un ancien collègue de Simon, par exemple... Il lui en a tant présenté! Que va-t-il se passer s'il la voit ici? Fera-t-elle mine d'attendre une amie et ignorera-t-elle Justin quand il arrivera? Ou bien le présentera-t-elle comme son frère?

Que pensera-t-il d'elle, si elle agit ainsi ? Et comment pourra-t-elle ensuite justifier son comportement ?

Assez ! hurle-t-elle en silence pour que cesse ce cercle infernal de questions, dans sa tête.

— Bonsoir ! Que puis-je vous servir ? demande une jeune fille en souriant derrière le comptoir.

Lauren ne s'était même pas rendu compte qu'elle s'y était accoudée.

— Oh ! Euh… Un gin tonic, s'il vous plaît.

Et elle regarde nerveusement autour d'elle.

— Un double ?

Elle a envie de répondre « oui », car elle sent qu'elle en aurait bien besoin. Seulement, elle doit reprendre le volant et veille à ne jamais dépasser le taux d'alcool permis.

— Non, merci. Un simple suffira.

— Tu es en avance, dit une voix derrière elle. J'espérais arriver le premier.

Elle fait volte-face. Et se heurte au regard de l'homme qu'elle a aimé et perdu vingt ans plus tôt.

— Ah bon ?

C'est tout ce qu'elle parvient à répondre. Elle avait pourtant fait en sorte d'arriver dix minutes après l'heure convenue. Elle est plus nerveuse qu'elle ne le croit !

Justin l'embrasse sur la joue. Sa peau est douce, rasée de près.

— Tu es superbe, dit-il en la dévorant des yeux.

— Quoi ? Dans cette vieille chemise ?

Elle est décidément incapable d'accepter un compliment. Tirant sur le devant de son corsage, elle se rappelle alors les paroles de Kate : « Pourquoi est-ce que tu te dévalorises toujours quand quelqu'un te dit une chose gentille ? » Elle était venue à une soirée chic organisée par sa sœur, et un bel homme l'avait complimentée sur ses « magnifiques cheveux ». Elle avait immédiatement porté la main à sa chevelure et répondu : « Je n'ai l'air de rien, voyons ! »

« Contente-toi de dire merci », lui avait conseillé Kate, tandis que l'homme battait hâtivement en retraite. Lauren est triste de constater qu'elle avait alors si peu confiance en elle. Alors même qu'elle n'avait pas encore d'enfant ! Dommage qu'elle n'ait pas su ce soir-là ce qu'elle sait aujourd'hui !

— Cela met tes yeux en valeur, renchérit Justin.

— Merci, dit-elle.

Et elle baisse les paupières.

Il commande une blonde mousseuse, et une vague de mélancolie la submerge. Elle est soudain transportée à une époque où elle parvenait à entrer illégalement dans la discothèque *Zen*, vêtue d'un crop top et d'une minijupe, estimant qu'imiter le look de Britney Spears était une bonne idée pour paraître plus âgée que la lycéenne qu'elle était alors. Et cela marchait ! Avec Justin qui avait dix-huit ans, ils vidaient gaiement des blondes et des vodkas jusque tard dans la nuit, avant d'aller dormir chez des amis dont les parents étaient absents pour le week-end.

Alors qu'ils s'éloignent du comptoir en emportant leurs boissons, Lauren sent la main de Justin se poser sur ses reins, pour la guider, la rassurer. Si elle était avec Simon, soit il ouvrirait la marche, soit il lui tiendrait le bras de façon possessive, en l'entraînant là où il avait envie de se poser.

— Où est-ce que tu veux qu'on s'installe ? demande Justin.

— Ici, dit-elle en désignant l'angle le plus tranquille et le plus sombre.

Ils s'asseyent et se regardent pendant ce qui semble une éternité, comme s'ils n'arrivaient pas à croire qu'ils sont vraiment ici.

— Tu n'as pas changé, finit par dire Justin.

Lauren pense tout de suite aux vergetures sur son ventre, à ses seins qui s'affaissent alors qu'il se les rappelle si hauts. Legs de ces trois enfants dont elle a pourtant nié l'existence. Mais ce ne sont pas tant les transformations physiques qui choqueront Justin que celles qu'il ne peut voir.

— Beaucoup de choses ont changé depuis, élude-t-elle.

Puis elle avale un long trait d'alcool, misant sur le gin tonic pour se détendre.

— Il ne s'est pas passé une journée sans que je pense à toi, dit Justin. Je me disais, enfin, je voulais me convaincre que nous étions trop jeunes pour que cela marche entre nous, mais, tout au fond de moi, je savais que nous étions faits l'un pour l'autre.

— C'est pourtant toi qui as rompu, dit-elle avec calme.

— Parce que c'était visiblement ce que tu voulais.

— Ce que *je* voulais ? répète-t-elle un peu fort.

— N'en parlons plus, dit Justin en posant la main sur la sienne. Tout cela s'est passé il y a très longtemps, dans une autre vie. Concentrons-nous sur l'avenir.

— Nous ne sommes plus les mêmes, aujourd'hui.

— C'est vrai, mais qui sait ? Peut-être devrions-nous nous réjouir des épreuves que nous avons traversées.

— Nous réjouir ?

— Oui, parce que regarde où nous en sommes aujourd'hui, dit Justin avec enthousiasme. Peut-être avions-nous besoin de passer par tout cela et d'expérimenter une autre vie avant de nous retrouver. C'est comme repartir de zéro… On nous a donné une deuxième chance.

Lauren pense à Simon, Noah, Emmy et Jude.

Si seulement, se dit-elle.

18

KATE

—Kate! s'exclame Rose en ouvrant la porte.

Elle a sa propre clé, mais, étant donné ce qui s'est passé la dernière fois qu'elle est venue, elle préfère frapper.

—Bonsoir, maman, dit Kate d'un ton nerveux. Écoute, je suis désolée...

—Que s'est-il passé? demande Rose d'un ton affolé. C'est Lauren? Elle va bien?

—Lauren? s'étonne Kate, déconcertée.

—Pourquoi me parles-tu de Lauren?

Rose la fait entrer dans le vestibule.

—Vous deviez vous voir, ce soir, pour arranger les choses entre vous. Que s'est-il passé?

Kate secoue la tête.

—Je devais voir Lauren? Depuis quand?

—Eh bien, c'est ce qu'elle m'a dit.

La voix de Rose est plus aiguë. Elle est visiblement en proie à une panique grandissante.

—Elle avait rendez-vous avec toi pour parler de tous les problèmes que cette fille a créés et...

À cet instant, Kate remarque les jouets colorés qui parsèment la moquette et dont la trace mène au salon. Le signe certain que les enfants de Lauren sont ici.

— Et où est Lauren, maintenant ?

— Mais elle est sortie ! Avec toi ! dit Rose d'une voix stridente.

— Enfin, je n'avais pas rendez-vous avec Lauren ce soir ! On ne s'est pas parlé depuis lundi.

Elle avait pensé l'appeler à plusieurs reprises au cours des trois derniers jours, surtout depuis qu'elle avait appris sa grossesse. Mais Matt et elle avaient finalement décidé de garder la nouvelle pour eux pendant quelques semaines – ou du moins jusqu'à ce qu'ils ne puissent plus tenir leur langue.

— Mais où a-t-elle bien pu aller ? demande à présent Rose.

Et elle pince les lèvres, l'air songeur.

Kate hausse nonchalamment les épaules.

— Je ne sais pas, de toute façon, je n'étais pas venue pour te parler de Lauren.

Rose braque sur elle un regard dur.

— Et pourquoi, alors, étais-tu venue ?

Kate sent son estomac se retourner. Par où commencer ? Le courage qui l'a amenée jusqu'ici semble s'évaporer à vue d'œil.

— Je voulais te parler de Jess.

Rose fait la grimace, comme si elle avait un mauvais goût dans la bouche.

— Je n'ai rien à ajouter.

— Mais il faut qu'on en parle ! Parce que si Lauren arrive à ses fins, le sujet va ressurgir.

Subitement, l'expression de Rose change, comme si un souvenir lui revenait.

— Mais c'est là qu'elle est ! dit-elle d'un ton abrupt. Elle a dû aller voir Jess.

Lauren et Kate ne sont pas très proches, mais l'idée que celle-ci aille jouer les sœurs avec une autre la blesse profondément.

— Je me disais bien qu'elle manigançait quelque chose, reprend Rose, amère. Elle était sur son trente et un, comme autrefois. Je ne l'ai jamais vue aussi pomponnée depuis qu'elle a les enfants. (Elle pousse une forte exclamation de désapprobation.) Elle me prend vraiment pour une idiote.

Kate se sent chavirer à l'idée que sa sœur est en train de créer un lien fort avec la fille qu'elle essaie à tout prix de sortir de sa vie.

— Tu le sais bien, que Jess n'est pas la fille de papa, n'est-ce pas, maman ? demande Kate sans la regarder.

Et elle se met à compter en attendant la réponse de sa mère. Quand elle arrive à douze, elle se demande pourquoi elle tarde tant à répondre.

— N'est-ce pas, maman ? répète-t-elle.

— J'espère que non.

C'est tout ce que Rose est visiblement en mesure de répondre.

— Mais il est difficile de ne pas tenir compte de la génétique.

— Tu peux facilement mettre un terme à cette histoire en disant à Lauren qu'elle se trompe depuis le début. Que papa n'aurait jamais fait ce dont elle l'accuse...

Rose hausse les épaules.

— Qu'en savons-nous ? Comment pourrons-nous un jour connaître la vérité ?

— Mais pourquoi ne veux-tu pas étouffer cette histoire dans l'œuf avant que cela n'aille trop loin ?

— Je ne comprends pas ce que tu attends de moi, dit Rose.

Kate considère l'expression douloureuse de sa mère, son teint couleur pêche, sa peau lisse, à part quelques rides d'expression qui montrent qu'elle a eu une vie comblée d'amour et de rires.

Si elle ne veut pas faire ce qui s'impose, alors Kate devra lui forcer la main. Elle n'en a pas envie, mais elle a laissé suffisamment de temps à sa mère pour stopper la machine infernale.

— Est-ce que tu as du paracétamol? demande-t-elle. J'ai un affreux mal de tête.

Kate sait où sont les comprimés. Elle espère juste que sa mère ne va pas en sortir comme par magie de son sac à main et les poser sur le plan de travail, dans la cuisine.

— Oui, dans l'armoire à pharmacie de la salle de bains, dit Rose en se levant.

— Ne te dérange pas, j'y vais.

L'escalier qu'elle a monté et descendu des millions de fois lui semble à présent une scène de crime. D'ailleurs, elle ne veut même pas toucher la rampe, par peur de laisser une trace d'ADN qui se retournerait contre elle.

Elle aimerait s'enfermer dans la salle de bains, mais Rose va forcément trouver cela bizarre. Il y a des toilettes en bas, aussi pourquoi utiliserait-elle celles du haut? En toute autre circonstance, elle ne se serait pas posé la question. Seulement, comme elle va agir de manière sournoise, elle craint d'être suspecte en s'enfermant. Elle ouvre l'armoire de toilette au-dessus du lavabo et laisse courir son regard sur les étagères, ne sachant trop ce qu'elle cherche. Il y a des tubes de pommade partout, pour le moindre bobo. Elle prend le pot de Vicks et se rend compte que sa date d'expiration remonte à cinq ans.

Elle met deux comprimés de paracétamol dans sa poche, puis voit deux brosses à dents dressées fièrement dans un verre. Sachant que leurs poils contiennent toutes les preuves dont elle a besoin, elle les observe attentivement, déçue de ne pouvoir distinguer laquelle est à qui. Cela dit, même si elle en était capable, il lui serait impossible de prendre l'une ou l'autre, puisque Rose se rendrait aussitôt compte de leur absence. Il y a un gant replié dans le porte-savon en chrome et une éponge loofah accrochée au robinet, mais, encore une fois, si elle les subtilisait, Rose s'en apercevrait tout de suite.

Évitant les endroits où le parquet craque, Kate traverse le palier pour gagner la chambre de ses parents. Les rideaux sont à moitié tirés, et la pièce baigne dans la faible lumière du soleil couchant. Kate n'est pas entrée dans cette pièce depuis une éternité, mais les souvenirs qu'elle lui évoque lui font instantanément monter les larmes aux yeux. Sa gorge se noue.

Elle redevient la petite fille de six ans qui entre dans leur chambre sur la pointe des pieds, dans leur ancienne maison à Harrogate, tirant derrière elle une housse d'oreiller difforme remplie de présents. Le visage de son père est enfoui dans son oreiller, il a la bouche ouverte et ronfle.

— Papa, avait-elle chuchoté. Papa, tu dors ?

Il avait murmuré quelques mots, et le cœur de Kate s'était mis à battre la chamade. Puis il s'était de nouveau enfoncé sous la couette et remis à ronfler plus fort. Elle était restée ensuite près de lui, attendant désespérément qu'il se réveille – pendant ce qui lui avait paru une éternité –, mais ne voulant pas non plus être celle qui le tirerait de son sommeil.

— Le père Noël est passé, avait-elle fini par chuchoter assez fort à son oreille.

Il avait ouvert subitement un œil, l'avait regardée droit dans les yeux, et elle s'était figée, trop effrayée pour bouger, jusqu'à ce que son visage se détende et qu'il affiche un grand sourire.

— Et a-t-il apporté des cadeaux à la meilleure petite fille du monde ?

Elle lui avait souri et brandi sa chaussette faite maison.

—Regarde tout ce que j'ai eu!

Son père l'avait alors prise dans son lit jumeau, sur ce couvre-lit Laura Ashley qu'elle contemple à présent, et ils avaient tranquillement partagé un chocolat à l'orange en attendant que Lauren et Rose se réveillent.

Kate essuie une larme. Elle aimerait tant que sa sœur et elle retrouvent leur intimité d'alors! Mais tout porte à croire que l'arrivée de Jess a noyé cet espoir. Et, à cette pensée, elle en déteste encore plus cette dernière.

Elle avance de quelques pas sur la moquette beige, vers la brosse qui se trouve, face en l'air, sur la coiffeuse. Les cheveux blond cendré de son père y sont emmêlés à ceux auburn de sa mère. A-t-elle été laissée ici à dessein? se demande-t-elle. Est-ce que Rose n'a pas eu le courage de la laver et de la ranger, voyant dans cette brosse un ultime signe de son mari en vie? Pétrie de culpabilité, Kate tente d'en détacher juste un cheveu ou deux. Si elle veut démontrer que Jess n'est pas la fille de son père, elle *doit* en apporter la preuve. Elle enveloppe ce qu'elle a réussi à prélever dans un mouchoir en tissu qu'elle met dans sa poche.

Maintenant, elle doit sortir bien vite d'ici, avant que Rose ne se demande ce qu'elle fabrique en haut. Pourtant, elle a envie de jeter un coup d'œil dans les placards intégrés qui occupent tout un pan de la chambre. Elle se dirige vers la dernière porte, laisse ses doigts courir sur les manches des costumes accrochés au cintre, derrière… Un sanglot lui échappe lorsqu'elle porte une manche à son nez et hume l'odeur de son père – une fragrance de musc si typique!

Elle repère soudain la boîte à chapeaux à rayures multicolores dissimulée sous une étagère derrière les vêtements de son père. Elle va jeter un coup d'œil sur le palier avant de la sortir doucement de sa cachette. Le cœur battant très fort, elle l'ouvre… et découvre une dizaine d'enveloppes aux adresses écrites à la main. Certaines sont de l'écriture de sa mère, mais la plupart de son père. C'est leur correspondance. Elle a envie de les prendre, de rentrer bien vite chez elle, puis de s'installer dans l'angle de son canapé en L pour lire chaque ligne avec la plus grande attention. Mais, tout à coup, elle entend un craquement. Elle glisse bien vite la première de la pile dans sa poche.

—Qu'est-ce que tu fais ? demande Rose, sourcils froncés.

Kate est en train de refermer la porte de la chambre.

—Je… je cherchais le paracétamol.

—Je t'ai dit qu'il était dans la salle de bains.

Elle feint l'ignorance :

—Ah bon ? Désolée, j'avais compris qu'il était dans la chambre.

—Depuis quand est-ce que je mets les médicaments dans les placards de la chambre ? demande Rose d'une voix tendue et sèche.

—Je… Je pensais juste que…

—Je vais te le chercher.

Et Rose tourne les talons pour entrer dans la salle de bains. Kate est prise d'une soudaine panique : a-t-elle bien remis la boîte de paracétamol à sa place ? Sinon, sa mère aura la preuve qu'elle l'a déjà trouvée. D'ailleurs, il suffirait d'un petit bout d'aluminium tombé de la plaquette pour la trahir.

Quelques secondes plus tard, Rose revient dans la chambre avec la boîte intacte à la main. Intérieurement, Kate pousse un soupir de soulagement.

—Tu ne veux pas me dire ce qui t'arrive ? demande Rose, yeux plissés.

— Comment ça ? rétorque-t-elle, bien trop sur la défensive.

— Cette migraine, elle ne cache rien d'autre ?

— Je ne comprends pas.

Kate se sent mal à l'aise par le tour que prend la conversation. Elle aurait dû venir une autre fois, en l'absence de sa mère. Mais, comme toujours, elle a été trop impatiente, désespérément en quête de la vérité, s'imaginant qu'elle allait s'enfuir et qu'elle arriverait bien trop tard pour la rattraper.

— Je pense que tout cela a un effet bien plus néfaste sur toi que tu ne veux bien l'admettre, dit Rose.

— Mais encore ?

— Toutes ces histoires autour de cette fille.

Kate s'efforce de contrôler l'anxiété qui lui donne l'air essoufflé, quand elle parle.

— Savoir que Lauren se trouve avec elle en ce moment même et qu'elle nous le cache à toutes les deux n'aide pas.

Rose hoche la tête.

— Essaie de discuter avec elle, d'accord ? Je ne supporte pas de vous voir à couteaux tirés, comme ça. (Sa voix se brise.) J'ai tout fait pour que notre famille reste unie, et depuis que ton père... Eh bien, c'est encore plus difficile. On dirait qu'il était le seul à pouvoir maintenir une entente entre nous. On était si proches, autrefois, et maintenant, j'ai l'impression que tu n'as même plus envie de venir ici.

Kate avoue alors :

— Je me suis rendu compte qu'il m'était difficile d'être dans cette maison en l'absence de papa...

Une larme roule alors sur sa joue. Rose s'avance vers elle et la prend dans ses bras.

— Je sais, je sais, dit-elle d'un ton apaisant. Mais il ne voudrait pas nous voir ainsi, tu ne crois pas ?

Kate imagine alors Jess débarquant ici, en présence de Harry, et elle en frissonne. Quelle aurait été son attitude ? Comment aurait-il réagi en apprenant que ses deux filles avaient une autre sœur ? Kate est bouleversée de constater qu'elle se réjouit qu'il n'ait pas été là pour assister à la scène.

— Parle à Lauren, la supplie Rose. Pour l'unité de notre famille.

— Si tu veux vraiment protéger notre famille, alors il va falloir que tu dises la vérité.

Elle se détache de sa mère et ajoute :

— Car tu es la seule qui puisse le faire.

19

LAUREN

Lauren est au septième ciel quand elle se réveille, et s'aperçoit que les merveilleux rêves qu'elle vient de faire n'étaient que l'extension de sa soirée. Elle sourit, désireuse de retenir encore quelques instants son cocon de bonheur. Mais elle sent soudain un souffle chaud sur son visage. Elle entrouvre un œil, pensant voir Noah à côté d'elle. Elle pousse une forte exclamation quand elle se heurte au regard de Simon. Son visage est seulement à quelques centimètres du sien, et il la scrute de ses yeux écarquillés.

— Qui t'attendais-tu à voir ? demande-t-il.

— Que… Quoi ?

Elle cherche à se redresser.

— Qui t'attendais-tu à voir ?

— Noah. Qui d'autre ?

— Tu parlais dans ton sommeil.

— Ah bon ?

Et elle se tend immédiatement. Elle n'ose pas demander ce qu'elle disait, mais le fait de ne pas savoir la rend presque plus nerveuse.

— Tu donnais l'impression de bien t'amuser.

Il y a une froideur dans sa voix qui lui déplaît.

Elle tend la main pour atteindre sa robe de chambre, posée au bout du lit.

—Avec qui étais-tu ?

Elle sent la sueur sortir par tous ses pores alors qu'elle s'efforce de se rappeler ce qu'elle lui a dit. Ou le prétexte qu'elle a trouvé pour sa mère. Des mots, des noms, des endroits volent dans sa tête pendant que son cerveau mouline à fond. Quelque chose de sensé va forcément finir par sortir ! Tout à coup, l'image de Kate s'impose à elle, et elle se calme instantanément.

—Mais je te l'ai dit, déclare-t-elle comme s'il lui faisait un affront. Je suis sortie avec Kate.

Simon se redresse et s'adosse à la tête du lit.

—Mais pourquoi crois-tu que je parlais d'hier soir ?

—Quoi ?

Elle est fatiguée de ces stupides jeux.

—Je te demandais avec qui tu étais dans ton rêve, dit-il. Parce que tu semblais bien t'amuser !

—Pour l'amour du ciel !

Elle se lève et resserre sa robe de chambre autour de sa taille en faisant un double nœud.

Il la scrute, yeux plissés.

—Mais, maintenant, tu m'as fait repenser à hier soir.

Son cœur a dû faire un saut périlleux dans sa cage thoracique, pense-t-elle en s'efforçant de soutenir son regard.

—Je vais préparer le petit déjeuner, dit-elle.

Dans l'escalier, sa poche s'illumine : elle vient de recevoir un message ! Elle saisit son portable, soudain consciente qu'elle n'a pas du tout l'étoffe d'une femme infidèle.

C'était si bon hier soir – J'ai hâte de te revoir.

Le message est signé « Sheila ».

Elle se sent rougir jusqu'aux oreilles en repensant à la main de Justin posée sur sa nuque, quand il l'a attirée à lui, une fois hors du pub.

— Je ne peux pas, a-t-elle dit.

Et elle a détourné la tête au moment où les lèvres de Simon allaient toucher les siennes.

— Je suis désolé, je ne… Je… Je n'aurais pas dû.

Lauren a pourtant saisi son poignet quand il l'a vivement écarté de sa nuque.

— Ce n'est rien, a-t-elle murmuré.

Elle a alors tenté de retenir le frisson que le geste de Justin lui avait causé, il a pris sa joue dans sa paume… À cet instant, elle a fait appel à toute la force de sa volonté pour ne pas la lui embrasser, tandis que, de son pouce, il suivait le contour de son visage, de ses lèvres.

— Qu'est-ce qu'on va faire ? lui a-t-elle demandé.

Et elle a plongé les yeux dans les siens, d'un si beau bleu pâle, consciente que, si elle n'avait pas été mariée et mère de trois enfants, elle serait allée chez lui sans hésiter.

— Ce que toi, tu veux qu'on fasse.

À ces mots, elle s'est sentie retomber amoureuse de lui.

— C'est compliqué, a-t-elle dit.

— Je sais, mais on va s'y prendre en douceur…

— Il faut que j'y aille, a-t-elle tranché avant de céder à une impulsion qu'elle aurait ensuite regrettée.

— Attends ! Quand est-ce que je pourrai te revoir ?

— Je t'appellerai !

Et elle s'est précipitée vers sa voiture, même si elle ne savait plus où elle était garée. Elle a tout simplement cliqué sur sa clé, puis s'est dirigée vers l'endroit où des lumières clignotaient, tête baissée, refusant de se retourner par crainte de revenir se jeter dans ses bras et de ne plus vouloir en partir.

— Alors, comment ça s'est passé ? lui a demandé Rose d'un ton enthousiaste, quand elle est venue reprendre les enfants.

— Bien, a-t-elle éludé. Vraiment bien.

— Donc il y a eu des avancées ? L'issue est proche ?

Lauren a hoché la tête.

— Parfait ! L'idée que vous soyez brouillées m'est insupportable. Cela me brise le cœur.

Comme si Lauren ne se sentait déjà pas assez mal sans que sa mère ait besoin de lui rajouter une louche de culpabilité !

— Je suis sûre que tout s'arrangera.

En prononçant ces mots, elle a pensé que, le lendemain, à la première heure, elle devrait appeler Kate pour la mettre au courant.

La veille au soir, après avoir bu son gin tonic, revigorée par la poussée d'adrénaline qu'elle n'avait pas ressentie depuis l'adolescence, elle avait eu l'impression qu'il serait facile de justifier ses actes auprès de sa sœur. Mais, maintenant, à la froide lumière du jour, elle se rappelle en se délitant littéralement que le mariage, c'est sacré pour Kate. Il ne va pas être facile de lui avouer qu'elle était avec Justin.

Elle contemple l'eau qui bout furieusement dans la casserole, les yeux perdus dans les bulles, lorsque Simon entre dans la cuisine.

— Tu comptes mettre quelque chose là-dedans ?

Elle sursaute.

— Tu m'as fait peur !

Il affiche alors un petit sourire satisfait.

— Emmy est réveillée, dit-il en levant les yeux au plafond.

Elle est sur le point de répondre : « Dans ce cas, pourquoi tu ne l'as pas descendue ? », mais se ravise. Elle n'a vraiment pas besoin de le contrarier davantage – ce qu'elle semble désormais être en mesure de faire même quand elle dort !

Elle se raidit au moment où il passe derrière elle et qu'il l'enlace pour l'embrasser sur la joue.

—À ce soir, alors, dit-il. Peut-être qu'on pourra revivre ton rêve ensemble.

Elle plonge deux œufs dans la casserole. Elle ne peut imaginer pire que la promesse de Simon. À une époque, elle ne l'aurait pas laissé sortir de la maison sans qu'il lui ait fait l'amour. Mais c'était avant d'avoir les enfants, au temps où elle avait de l'énergie à revendre et aucune inhibition. Mouais ! Si elle peut se convaincre elle-même que c'est la vraie raison, alors elle peut se convaincre de tout.

Dès qu'elle entend la porte se refermer, elle pousse un soupir de soulagement, même si la journée s'annonce chargée. Elle laisse les œufs bouillir trop longtemps, mais espère que Noah et Emmy ne se rendront pas compte que leurs cuillères ont du mal à s'enfoncer dans les jaunes…

—Mon œuf est tout dur, maman ! hurle Noah.

C'est la dernière phrase qu'elle entend avant de refermer la porte de sa chambre.

Elle appelle Kate sur son portable, espérant tomber sur sa messagerie vocale. Consciente aussi qu'elle devra trouver le courage de la rappeler plus tard si c'est le cas. Elle regarde le réveil numérique sur sa table de chevet. Il n'est pas encore 8 heures. Elle imagine Kate et Matt blottis sous leur couette, sans doute en train de faire l'amour non-stop dans leur superbe appartement. Il est probable que, ce matin, Kate ait rendez-vous dans un hôtel branché pour prendre le petit déjeuner avec une célébrité avant de filer au bureau écrire l'article qui fera la une de son journal, le lendemain matin. Quel effet cela doit-il faire de vivre une vie aussi glamour, avec un mari que l'on adore et rien qui ne vous enchaîne ? Elle s'efforce de repousser la jalousie qui bouillonne en elle tandis que le téléphone sonne.

— Allô, dit finalement Kate d'une voix groggy.

Au fond, ils n'étaient peut-être pas en train de faire l'amour.

— C'est moi.

— Tout va bien ? (Sa sœur a l'air légèrement inquiète.) Il est arrivé quelque chose ? insiste-t-elle.

— Non. Pourquoi tu dis ça ?

Kate marque une pause avant de répondre :

— Parce que tu es sortie, hier soir.

Lauren sent ses épaules s'affaisser. De toute évidence, Rose l'a devancée pour l'annonce des nouvelles.

— Et elle t'a dit quelque chose de particulier, à ce sujet ?

— Malheureusement, je suis allée chez elle, hier soir.

— Merde ! dit Lauren entre ses dents.

— Bon, tu ne veux pas me raconter ce qui se passe ?

Lauren a la sensation qu'on vient de lui enfoncer un instrument contondant dans les côtes.

— Je suis désolée, je lui ai dit que j'étais avec toi.

— Je sais. Mais nous savons aussi toutes les trois que ce n'était pas le cas.

— Merde ! répète Lauren.

— Si tu m'avais prévenue, j'aurais pu te couvrir, mais là…

— En tout cas, elle a fait comme si de rien n'était, quand je suis revenue. Écoute, je suis vraiment désolée, le but n'était pas de te mettre dans une position délicate.

— Certes, mais, maintenant que tu l'as fait, tu peux au moins me dire où tu étais ?

Lauren serre les mâchoires au point de sentir ses dents grincer les unes contre les autres.

— Ne t'énerve pas, s'il te plaît… (Et elle-même est surprise de constater que l'opinion de Kate compte pour elle.) C'est juste que…

— Tu es consciente que ça va mal finir, j'espère ? l'interrompt Kate.

Lauren redresse les épaules. Comment Kate peut-elle savoir qu'elle avait rendez-vous avec Justin ? Quelqu'un les aurait-il finalement vus ensemble ? Et si cette personne allait le répéter à Simon ? Terrorisée à l'idée de sa possible réaction, elle sent son sang se glacer dans ses veines. La perspective qu'il puisse se servir des enfants contre elle la fait presque défaillir.

— Bon, laisse-moi t'expliquer…

— Je n'ai pas à te dire ce que tu dois faire. Va au bout de tes expériences, mais la chute sera rude.

— Kate, tu n'imagines pas ce que j'ai vécu, renchérit Karen.

— Ah non, épargne-moi tes pleurnicheries ! On est toutes dans le même bateau, mais si tu veux voir Jess pour une raison qui m'échappe, libre à toi.

— Jess ? Mais…

— En tout cas, ce sera toi la responsable, si tout se termine mal, et cela ne peut pas finir autrement.

Lauren a l'impression que sa tête va exploser. Est-il vraiment judicieux d'utiliser Jess pour couvrir son rendez-vous secret ? Elle s'interroge sur la moins pire des solutions.

— Je suis désolée d'avoir menti, dit-elle finalement avant d'abonder dans le sens de Kate. Mais je savais que tu préférais que je ne la voie pas.

— Tu peux agir à ta guise. Mais il faut vraiment que tu saches dans quoi tu t'engages.

À l'entendre, on dirait que Lauren va commettre un acte dangereux. Et puis celle-ci se rappelle qu'elle n'était pas avec Jess, et cette prise de conscience la transit jusqu'au plus profond de son être.

— Je sais ce que je fais, dit-elle d'un ton hésitant.

— Je l'espère, pour notre salut à tous !

20

KATE

Kate avait imaginé autrement le fait d'être enceinte. Après l'interminable attente pour y arriver, elle espérait des feux d'artifice permanents. Elle croyait aussi que son ventre s'arrondirait instantanément. Mais, à six semaines de grossesse, tout ce qu'elle éprouve, ce sont des nausées et un léger sentiment d'étrangeté à l'idée qu'un être humain grandit en elle.

Elle est contente que sa journée de travail touche bientôt à sa fin. Seulement, l'heure du rush a déjà commencé quand elle retourne au bureau, après son dernier rendez-vous à Soho. La chaleur de l'été qui règne à l'extérieur a transformé le métro en un véritable four. Plus elle descend sous terre, plus il lui semble que le labyrinthe des couloirs devient brûlant. Seul la soulage brièvement l'air qui précède l'arrivée d'une rame, ce souffle s'apparentant à un sèche-cheveux surpuissant.

Elle se retrouve au milieu d'une foule de personnes désirant tous monter dans un wagon déjà plein à craquer. Les gens se bousculent, poussent des exclamations de désapprobation, sans compter de temps en temps celui qui hurle: «Putain, mais vous ne pouvez pas avancer?» Alors qu'en hiver on entendrait : «Pourriez-vous avancer, s'il vous plaît?» La chaleur agit de façon curieuse sur les gens.

Kate s'accroche à la rampe, dévisageant le jeune homme apparemment en bonne santé qui s'est écroulé sur un siège réservé aux personnes âgées et aux femmes enceintes. Dans les semaines et mois à venir, il lui suffira de montrer son ventre pour obtenir cette place, se dit-elle. Mais, pour l'instant, on dirait juste qu'elle a fait un copieux déjeuner. Soit dit en passant, elle serait heureuse si c'était le cas, mais elle ne peut se souvenir de son dernier repas digne de ce nom. Depuis qu'elle est enceinte, son organisme ne supporte plus la simple pensée de glucides ou de protéines. Aussi, pour éviter de mourir de faim, et sur l'insistance de Matt, elle a en permanence une boîte de céréales dans son sac, les flocons au goût de carton étant la seule chose que son estomac accepte.

Elle descend à Canary Wharf et regarde, sidérée, les autres voyageurs la dépasser sur l'escalator. Des hommes aux chemises trempées de sueur qui leur collent au corps montent en courant les marches abruptes les menant vers la civilisation. Les femmes prennent leur temps, préférant subir l'apocalypse plutôt que de risquer l'apparition d'une tache de transpiration sur leur corsage.

La fraîcheur du hall climatisé du siège du journal est un soulagement bienvenu, mais, alors qu'elle attend l'ascenseur, son téléphone sonne.

— Salut, ma chérie, ce n'est que moi, dit Rose. Je suis contente que tu ne sois pas occupée.

Kate ne peut retenir un soupir.

— Que se passe-t-il?

— Eh bien, je voulais juste savoir si, finalement, tu avais discuté avec Lauren.

—Pas depuis deux semaines.

—Bon, je voulais savoir s'il y avait un problème entre vous…

—Je ne sais pas. Il y en a un ?

—Elle ne me le dirait pas, mais je suis presque certaine qu'elle continue à parler avec cette fille, et peut-être même à la voir.

Pendant une fraction de seconde, Kate ne voit pas à qui sa mère fait allusion. Et puis, soudain, la dure et froide réalité la frappe de plein fouet. Cela fait deux semaines qu'elle tente désespérément de faire taire le raffut dans sa tête, barrant l'accès de Jess à ses pensées. Exercice qui a été plus facile sans Lauren pour lui rappeler constamment son existence. Elle doit pourtant reconnaître que ces quinze jours passés sans parler à sa sœur lui ont paru longs et qu'elle lui manque. Serait-il possible d'espérer que, la prochaine fois qu'elles se parleront, il ne sera pas question de cette prétendue demi-sœur ? Elle en doute fort.

—Écoute, reprend-elle, cela ne m'intéresse pas.

—Et moi, ça me brise le cœur, toute cette histoire, dit Rose d'une voix étranglée. L'idée que vous ne vous adressiez plus la parole m'est insupportable.

—On est très occupées, tu sais.

Mais elle-même n'est pas dupe de l'excuse.

—Cette fille a déjà causé assez de dégâts, on ne va pas la laisser tout détruire.

Kate se retient de répondre que c'est déjà fait.

—Lauren est une adulte, renchérit-elle. Elle peut agir comme bon lui semble.

—Pas si c'est aux dépens de la famille.

—Tu parles sans arrêt de la merveilleuse famille qui est la nôtre, comme si c'était le Saint-Graal, dit Kate, énervée.

Comme si nous étions à l'abri de l'immoralité ou du manque d'éthique. Mais tu sais quoi, maman ? Nous sommes dans un merdier sans nom, otages menacés d'une explosion imminente qui va tous nous pulvériser en mille morceaux.

— Si tu fais allusion à ton père…

— Non, c'est de toi que je parle ! Quand vas-tu avoir le cran d'assumer la responsabilité de ce que *toi*, tu as fait à ta précieuse famille ?

Un silence de mort s'ensuit à l'autre bout du fil, et Kate regrette immédiatement ses paroles. Elle n'avait pas l'intention d'aller si loin. Elle ignorait même qu'elle en aurait le courage.

— De toute évidence, il faut qu'on parle, finit par dire Rose.

Kate éprouve un certain soulagement.

Enfin, on avance, pense-t-elle.

— Oui, bien sûr, dit-elle aussitôt, désireuse de se montrer conciliante. Je pourrai sans doute passer demain dans la journée.

— Parfait. Je vais voir avec Lauren si elle peut faire garder les enfants pendant une heure. Mais, Kate…

— Oui, maman ?

— Prépare-toi à apprendre des vérités qui dérangent.

Le modeste signal de l'ascenseur met fin à leur conversation. Kate a vingt secondes pour retrouver le contrôle de ses nerfs. Ce n'est pas long, mais cela lui donne le temps d'arriver en salle de rédaction le sourire aux lèvres.

— Ces photos viennent d'arriver, dit Daisy toujours empressée, à peine Kate assise à son bureau.

— Super ! Elles sont bien ?

— Je te les envoie tout de suite.

Kate jette son sac sur son bureau et reste debout devant son ordinateur, attendant de les recevoir sur son écran. Si les photos prises sur un portable d'une pop star qu'on leur a promises sont d'une qualité suffisante, ça fera la une du lendemain, et elle n'aura qu'à écrire rapidement une légende avant de rentrer chez elle.

Son téléphone sonne alors qu'elle pianote sur son clavier, dans l'attente de cet envoi.

— Oui ? dit-elle sans regarder qui l'appelle.

— Eh, c'est juste moi, dit Matt. Tout va bien ?

Elle aimerait lui répondre que non, qu'elle ne va pas bien. Sa famille est en train de la rendre folle, la chaleur la tue, elle pourrait s'endormir debout. Et elle est certaine que ses chevilles sont déjà enflées, ce qui la mine d'avance.

— Je n'ai pas arrêté d'aller et venir, aujourd'hui, et je suis un peu fatiguée, dit-elle à la place. Je finis juste un truc au bureau, et puis je file à la maison pour me coucher tôt.

— Bon. Des collègues à moi vont prendre un verre après le travail, et je voulais savoir si tu avais envie de te joindre à nous.

— Mmm, je crois que je vais décliner, si tu n'y vois pas d'inconvénient.

Les collègues rédacteurs de Matt débordent de testostérone, et elle n'est pas d'humeur à les supporter. L'idée de se retrouver dans un pub, vu l'état qui est le sien, est déjà peu engageante. Mais subir par-dessus le marché des leçons sur les mérites du 4-4-2 par rapport aux 5-3-2 est simplement inenvisageable.

— OK. Ça ne t'ennuie pas si je prends vite fait un pot avec eux ?

— Tu peux en boire autant que tu veux, dit-elle en riant.

— Tu es certaine que tu ne veux pas venir ?

— C'est tentant, mais j'ai un rendez-vous urgent avec un livre et une bougie parfumée.

Matt se met à rire.

—Très bien, si tu en es sûre. Je t'appellerai quand je m'apprê-
terai à rentrer.

—Amuse-toi bien !

Elle se penche vers l'écran et pousse un soupir de déception
quand s'affichent des photos floues, au gros grain : on peut à
peine reconnaître une femme, sur ces clichés, et encore moins
une pop star internationale. Sa lassitude est peut-être liée aussi
au fait qu'une personne ait estimé normal de pénétrer dans
l'espace personnel d'une autre, à moins de cinquante mètres.
Peu importe, au fond, puisqu'elle ne peut rien faire de ces
photos.

—Il nous faut autre chose, déclare-t-elle.

Et, tirant sa chaise, elle s'écroule dessus.

—Il y a une avant-première, ce soir, propose aussitôt Daisy,
comme si elle avait anticipé la réponse de Kate.

Celle-ci hoche la tête, songeuse.

—On a un photographe sur place ?

—Oui, Ben.

—Très bien, génial. Essayons de savoir ce que portent les
stars et qui a signé leurs vêtements. Dès que les photos arrivent,
tu peux écrire une légende ?

—Moi ? demande Daisy, surprise.

Normalement, Kate ne fait confiance qu'à elle-même
ou son assistante Karen pour l'écriture d'un texte, mais, en
l'occurrence, elle ne se sent plus aussi consciencieuse qu'avant.
Sans doute parce qu'elle est enceinte et qu'elle sait que, d'ici
quelques mois, sa vie sera très éloignée de l'existence qu'elle
mène actuellement. Et qu'elle se fichera pas mal des marques
que portent les actrices et avec qui sortent les pop stars. Elle
en tire aussi la conclusion qu'elle n'a plus le goût de débusquer

des personnes qui tentent à tout prix de sauvegarder leur vie privée.

—Oui, répond Kate. Tu veux bien essayer?

—Absolument! Si tu crois que j'en suis capable, répond Daisy, le visage fendu d'un grand sourire enthousiaste.

Kate regarde alors sa montre.

—Bon, voilà ce qu'on va faire. Je vais prendre un verre pas loin : tu m'appelles pour me dire ce que tu penses faire, une fois que tu as les photos. S'il y a le moindre problème, je reviens tout de suite.

—OK!

Daisy semble aux anges.

Ce n'est pas tout à fait la soirée que Kate avait envisagée, mais si cela lui permet de partir plus tôt, elle prend! Elle en connaît un qui sera ravi qu'elle ait changé ses plans.

Elle appelle Matt alors qu'elle se dirige vers les locaux de son journal. Elle doit éviter les employés en costume qui foncent vers elle telles des fourmis, se déversant des tours vertigineuses pour se disperser dans toutes les directions, la plupart mues par un seul objectif: trouver le point d'eau le plus proche. Elle prie pour qu'il décroche, même si les pubs que Matt fréquente sont peu nombreux. Cela dit, par cette chaleur, elle préférerait s'éviter une recherche en solitaire pour le retrouver. Elle tombe sur sa messagerie vocale. Quand elle arrive à son bureau, elle essaie de nouveau de le joindre. Mais il ne répond toujours pas.

Elle s'assied sur un banc en pierre, glissant furtivement la main dans sa boîte de céréales pour en prendre une poignée. Cette curieuse sensation dans son ventre est-elle liée à la faim ou la nausée? Elle est incapable de trancher. Si elle n'arrive pas à joindre Matt tout de suite, elle peut tout à fait passer chez *Tesco*, de l'autre côté du square, pour acheter une boîte de biscuits au gingembre. Une fois, elle a lu un article dans lequel Kate Middleton racontait qu'elle pouvait toujours compter sur eux pour surmonter les pires nausées qu'elle avait endurées pendant chaque grossesse. Si c'est bon pour un membre de la famille royale...

Soudain, elle s'interrompt dans ses pensées. Matt vient d'émerger de la porte tambour, main en visière pour se protéger du soleil. Rassurée de voir qu'un demi-sourire éclaire son visage, Kate se dirige vers lui, une main protectrice posée sur son ventre, au milieu de la marée de corps qui se pressent autour d'elle. Il ne lui vient pas à l'esprit de se demander pourquoi il sourit. Encore que, si elle s'était posé la question, elle aurait probablement parié que c'était à cause d'elle et de la petite vie qu'ils avaient fait éclore en elle.

Mais, alors qu'elle est sur le point de le rattraper, elle s'arrête net, pétrifiée sur le trottoir. Elle veut l'appeler pour l'arrêter dans sa lancée. Impossible ! Sa gorge est sèche, contractée par un spasme involontaire. Elle a l'impression de nager en plein cauchemar. Elle tente de crier, mais aucun son ne sort quand elle ouvre la bouche.

Hébétée, elle se contente de suivre des yeux l'homme qu'elle aime, actuellement en compagnie de celle qui menace de détruire sa famille. C'est de toute évidence lui qui la guide. Ils sont vraiment tout proches l'un de l'autre lorsqu'ils contournent la foule pour se diriger vers le pont réservé aux piétons menant aux bars de West India Quay. Kate est sidérée, et, malgré le vacarme ambiant, elle n'entend plus que la rumeur de ses pensées. C'est comme si on lui grattait une croûte – «scratch, scratch» – jusqu'à ce que la blessure se rouvre. Alors, elle se retrouve happée par la cacophonie ambiante. À vif, en sang.

174

Elle entend un message arriver sur son téléphone. Elle le lit comme à travers un brouillard.

Tu m'as appelé plusieurs fois. Tout va bien ?

Incrédule, elle regarde Matt s'éloigner. Il penche la tête en arrière, riant à ce que vient de lui dire Jess.

C'est quoi, ce bordel ? ne cesse-t-elle de se répéter en leur emboîtant le pas, sur le pont.

Elle accélère l'allure, ne sachant trop si elle veut les rattraper ou non, mais son besoin tordu de comprendre ce qui se passe la pousse à les suivre.

Ils entrent au *Brown*, côté quai, et Kate reste à l'extérieur. Doit-elle les suivre à l'intérieur ou pas ? Si elle réagissait comme d'habitude, elle fondrait directement sur eux et les hélerait. Après tout, elle en a pleinement le droit. Pourtant, une petite voix en elle l'incite à la prudence. Lui dicte de trouver une explication à la présence de cette femme qui prétend être sa demi-sœur dans ce café de Canary Wharf, en compagnie de son mari.

Avant qu'elle n'ait le temps de réfléchir, ils ressortent tous les deux – Matt avec sa pinte de bière habituelle et Jess un verre de rosé. Kate recule, s'emmêlant presque les pieds, et se cache derrière un arbre. Son cœur bat à tout rompre. Le goût amer qu'elle a dans la bouche devient de plus en plus difficile à ravaler. Elle fournit pourtant de gros efforts pour trouver une raison logique au fait que tous deux soient ensemble.

Jess se penche vers Matt quand il lui montre quelque chose sur son téléphone, puis renverse la tête en arrière en éclatant de rire. Une sensation de malaise grandissant s'empare de Kate quand elle voit Jess passer la main dans sa chevelure blonde,

175

yeux rivés sur Matt, comme si elle avait de l'admiration pour lui. De son côté, il lui sourit par-dessus le bord de sa pinte. Elle reconnaît dans son regard la joie légère avec laquelle il la regardait autrefois. Flirte-t-il avec elle, ou bien est-ce juste le signe d'une certaine nervosité ? Cela dépend du point de vue qu'on adopte, bien sûr, même si Kate n'a jamais vu Matt gêné en société. Si elle ne les connaissait pas, elle pourrait penser que c'est un couple qui vient de faire connaissance. Que chacun tâtonne pour trouver la façon d'être vraiment lui-même face à l'autre. On a l'impression qu'ils se testent encore, évaluent jusqu'où les choses peuvent aller entre eux.

Soudain, Kate est prise de nausée, incapable de supporter plus longtemps la vue de cette fille dont elle ignorait l'existence il y a quelques semaines encore, mais qui est en train de détruire son monde de manière méthodique.

21

LAUREN

C'est amusant la façon dont on traite différemment son téléphone quand on est dans la transgression. Lauren avait l'habitude de le laisser sur le plan de travail dans la cuisine, pendant qu'elle donnait le bain aux enfants. Ou bien dans son sac à main qu'elle laissait dans l'entrée, quand elle allait se coucher. À présent, elle l'emporte partout avec elle, et, chaque fois qu'il émet un bruit, son cœur bat la chamade.

Justin lui a envoyé six textos aujourd'hui, chacun plus pressant que le précédent, la suppliant qu'ils se revoient, et elle a fini par se trouver à court d'excuses.

Cela fait des semaines. Quand peut-on se revoir ?

Tout aussi frustrée que lui de ne pas avoir trouvé une solution pour passer plus de temps avec lui, elle a répondu :

La semaine prochaine.

Je ne peux pas attendre aussi longtemps.

Elle non plus ne pensait pas tenir jusque-là. Quand elle ne lui écrivait pas, il occupait constamment ses pensées. Elle se rappelait sa main sur sa nuque, la proximité de ses lèvres, et imaginait une vie toute différente, s'ils étaient restés ensemble.

—J'ai une mission, mardi soir, dit Simon en redescendant l'escalier.

Il vient de mettre Noah et Emmy au lit. Jude est allongé sur sa couverture, par terre, agitant furieusement les jambes et hurlant, comme peut le faire un bébé de cinq mois. Lauren a l'habitude de dire que la plage horaire entre 18 et 20 heures est le moment de la journée où il est le plus grincheux.

—Parfait, dit-elle.

Elle éprouve des difficultés à se concentrer.

—C'est un centre de fitness, donc je rentrerai tard.

Elle dresse subitement l'oreille. Tiens, une opportunité se présenterait-elle à elle ?

—Bon, très bien, dit-elle d'un air aussi désinvolte que possible.

Mais son esprit mouline à toute vitesse.

—Vers quelle heure rentreras-tu à la maison ?

—Je ne commencerai pas avant 20 heures, donc je travaillerai sans doute une bonne partie de la nuit.

Palpitante, elle laisse son esprit vagabonder, fantasmant sur les heures à sa disposition et les possibilités qui y sont liées. Mais, tout à coup, une vague de culpabilité la submerge. Pourtant, elle a tenté si fort jusque-là de refouler le besoin physique qui la tiraille de revoir Justin. De déployer toute son énergie pour être la mère dont ses enfants ont besoin et l'épouse que Simon mérite. Ou du moins méritait.

Pas plus tard qu'hier soir, elle a préparé un bon repas et a mis les enfants au lit de bonne heure, afin que Simon et elle puissent passer du temps ensemble. Il a alors jeté un coup d'œil à la table qu'elle avait joliment dressée avec la nappe du Noël dernier, puis éclaté de rire.

—Ça veut dire quoi, putain? a-t-il demandé d'un ton sarcastique.

Une bougie à la cannelle qu'elle avait retrouvée au fond du sac des décorations créait une certaine confusion, elle le concédait, donnant l'impression que cette soirée d'été ne se déroulait pas à la bonne saison. Mais elle avait trouvé que c'était une petite touche agréable – un détail romantique.

—J'ai pensé que l'on pouvait s'accorder un petit dîner en tête à tête.

—Tu aurais pu me prévenir. J'ai mangé une saucisse panée à la friterie.

Elle aurait dû être déçue, mais en réalité elle s'est sentie soulagée de ne pas avoir à faire la conversation pendant ce dîner dont ni l'un ni l'autre n'avait envie.

Cela ne me donne pas le droit de m'embarquer dans une relation qui ne pourra que peiner les gens que j'aime, se dit-elle alors pour calmer l'excitation qui est la sienne.

Même si Simon a de nombreux défauts, elle l'aime encore, et préfère étouffer la petite voix qui lui murmure: *Si tel était le cas, tu n'aurais ni le besoin ni l'envie de voir un autre homme.*

—Dans ce cas, j'irai sans doute passer la nuit chez maman, dit Lauren.

Et elle est consciente qu'elle a déjà un pied hors du nid, prête à prendre son envol, et s'en déteste. Pourtant, elle sait aussi parfaitement qu'elle ne peut pas de nouveau solliciter sa mère. Pas après ce qui s'est passé la dernière fois, quand elle a menti sur la personne avec qui elle était. Rose et Kate ignorent que son «aveu» était en réalité lui aussi un mensonge.

— Ce sera sans doute préférable, dit Simon d'un air absent. Je n'aime pas te savoir toute seule ici. Ah, ce que je déteste travailler la nuit !

— Allons, ça paie bien ! répond-elle pour l'encourager. Mieux qu'une journée de travail, non ?

— Quoi ? demande Simon.

Et il se recouvre une oreille d'une main comme si cela allait étouffer les cris aigus de Jude.

— Peu importe, dit Lauren.

Puis elle prend Jude dans ses bras. Il se calme un instant, mais bien vite ses traits se tordent de nouveau et il pousse un cri à glacer le sang.

— Mais qu'est-ce qu'il a ? demande Simon.

Sur ces mots, il va prendre une bière dans le réfrigérateur.

— Il a mangé, il est changé, il a bu, dit Lauren. (Elle le met sur son épaule et lui frotte le dos.) Ce sont sans doute quelques gaz qui le gênent.

— Bon, tu pourrais pas l'emmener quelque part, un petit moment ? Le match de foot va commencer.

Lauren inspecte rapidement leur rez-de-chaussée exigu : quel que soit l'endroit où elle se mette, ça ne changera rien.

— Et si je faisais un tour en voiture avec lui ? dit-elle alors. On verra si ça le calme.

Simon ne détourne même pas les yeux de la télévision quand elle prend son sac et se dirige vers la porte. Des larmes de frustration menacent de la submerger lorsqu'elle démarre. Elle ne sait pas où aller, au juste, seulement qu'elle a autant besoin de sortir que Jude. Loin du sentiment de claustrophobie qui l'accable.

Elle arrive à peine au bout de sa rue que son portable sonne sur le siège avant. Elle y jette un rapide coup d'œil.

C'est Jess. Un autre problème qui malmène ses nerfs. Elle prend la communication en la mettant sur haut-parleur.

— Salut, c'est Jess. Tu peux parler ?

Lauren émit un petit rire désabusé.

— Je peux parler, mais je doute que tu pourras m'entendre par-dessus les hurlements de mon charmant enfant.

— Il va bien ?

— Oh oui, il est juste un peu grognon. Et de ton côté, ça va ?

— Oui, merci. En fait, je voulais simplement te poser quelques questions.

— Vas-y, je t'écoute.

— Je préférerais qu'on se voie… Tu es chez toi ? Je peux passer ? Je ne prendrai que dix minutes de ton temps, pas plus.

— Hélas, je roule dans les rues de South London.

— Ah… J'espérais qu'on pourrait discuter.

— Où es-tu ?

— Chez moi.

— Tu vis à Hackney, c'est bien ça ?

Elle a brusquement la sensation d'avoir trouvé un nouvel objectif.

— Euh, oui, mais…

— Je peux passer chez toi, alors, dit-elle ravie. J'y serai dans vingt minutes.

— Mais…

— C'est quoi, ton adresse ?

Jess la lui donne, bien qu'à contrecœur, semble-t-il.

Un moment plus tard, Lauren roule devant un alignement de magasins désaffectés sans comprendre pourquoi ils sont tous dans le même état. Les vitres sont soit cassées, soit si sales que l'on ne peut voir l'intérieur de ce qui était sans doute, autrefois, des commerces prospères. Le seul indice qui renseigne sur leur ancienne fonction est des panneaux à demi effacés, accrochés de façon précaire aux façades : « Coiffeur pour… », « Kebab au… », « Tatoua… »

Un bus à étage passe avec fracas au moment où Lauren descend de voiture. Elle se plaque bien vite contre la carrosserie pour l'éviter. Puis elle se glisse du côté trottoir pour prendre Jude qu'elle soupçonne de s'être finalement endormi, hypnotisé par les lumières de Blackwall Tunnel où ils sont passés à vive allure.

La porte du numéro 193 se trouve juste à côté de l'unique commerce encore ouvert, en l'occurrence un traiteur chinois qui affiche des rideaux jaunis et, nichés au-dessus de l'entrée, des pigeons qui roucoulent. Elle s'écarte pour éviter les défécations qui maculent le trottoir et appuie sur le bouton de l'interphone…

Elle entend des pas dans l'escalier, prépare sa plus belle expression : « Oh, quel endroit adorable ! », mais Jess la devance :

— Désolée, dit-elle, forçant la porte pour l'ouvrir en raison des journaux et publicités qui jonchent le sol. C'est juste temporaire, jusqu'à ce que je trouve autre chose.

Lauren lui adresse un sourire forcé en entrant, soudain satisfaite de sa maison, certes petite, mais soignée.

— Eh bien, comment ça va ? demande-t-elle.

Elles passent devant les portes A et B, puis Jess l'entraîne vers l'escalier.

— Bien ! J'ai décroché un job, ce qui me permettra de déménager dans un ou deux mois.

— Ah, c'est super !

À cet instant, la panique la saisit : où va-t-elle poser le siège auto de Jude quand elles seront dans l'appartement de Jess ?

— C'est ici, chez moi, dit celle-ci.

Elle pousse la porte C et laisse passer Lauren.

Une fois entrée, un sentiment de soulagement la submerge. Contrairement aux parties communes, l'appartement de Jess est en réalité très bien rangé et fort propre.

— Qu'est-ce que je t'offre ? Un thé ? Un café ?

— Euh… Du café, je veux bien, merci.

Jess appuie sur le bouton de la bouilloire et sort deux mugs du placard.

— Alors, ce nouveau travail ? Il te plaît ? enchaîne-t-elle.

— J'adore !

Et Jess lui adresse un grand sourire.

— Il est en ville ?

— Oui, à Canary Wharf. Donc pas si loin que ça.

— Tiens ? Kate et son mari travaillent aussi dans ce quartier.

Lauren ne sait pas au juste pourquoi elle a dit ça. Elles ne sont pas vraiment en bons termes, en ce moment.

— En fait, c'est d'elle que je veux te parler.

— Ah bon ?

— Oui, je me demandais si tu ne pourrais pas nous arranger un rendez-vous à trois.

Lauren fait la grimace avant que Jess n'ait terminé sa phrase. Elle a déjà une réunion de prévue avec Kate et sa mère, qui sera assez difficile. En outre, il n'y a *aucune* chance pour que sa sœur accepte qu'elles se voient ensemble.

— J'aimerais tant que l'on s'entende, dit Jess. Tu as été si gentille avec moi. Et je suis certaine que si Kate acceptait de m'accorder un peu de son temps, d'apprendre à me connaître et me faire confiance, nous pourrions être les sœurs que nous aurions dû être si les circonstances n'en avaient pas décidé autrement.

Lauren baisse les yeux, puis prend une grande inspiration.

—Ce n'est pas ta faute si Kate réagit ainsi. Elle a un caractère difficile, et papa l'a toujours traitée comme une princesse, donc il lui est difficile d'accepter le fait que l'homme qu'elle admirait tant n'était pas celui qu'elle pensait.

—Est-ce qu'elle me croit?

—Non, je ne pense pas. Du moins pas encore, mais elle changera d'avis.

—Comment? Qu'est-ce que je peux faire pour qu'elle comprenne que je ne cherche pas du tout à créer des problèmes. Que je veux juste qu'on s'entende.

Lauren secoue la tête.

—Je ne sais pas encore, mais je vais y réfléchir. C'est important pour moi que tu fasses partie de ma famille. Je mettrai tout en œuvre pour que l'on t'accepte.

—Après tout ce par quoi je suis passée, je veux juste avoir une impression d'appartenance, dit Jess, les larmes aux yeux.

—Je sais, dit Lauren.

Et elle se penche vers elle pour l'enlacer.

—Tu ne mérites pas qu'on te traite ainsi.

—Pourquoi est-ce que tu es si gentille avec moi? demande Jess en reniflant. Pourquoi, toi, n'es-tu pas furieuse contre moi, ni méfiante?

—Parce que je sais ce dont mon père était capable. J'ai passé de très nombreuses années à lui en vouloir. Et je l'aurais haï jusqu'à la fin de mes jours si tu n'avais pas surgi dans nos vies. Ton existence m'a permis de comprendre que les erreurs d'un homme peuvent vous réserver de bonnes surprises.

—Est-ce que, depuis notre dernière rencontre, des souvenirs de ma mère te sont revenus? demande Jess d'un ton calme. N'importe lesquels.

Lauren secoue la tête.

—J'ai pensé que je pourrais aller faire un tour du côté de Harrogate, poursuit Jess. Voir si cela raviverait ma mémoire.

—C'était il y a très longtemps, dit Lauren. Je ne suis pas certaine que cela t'aidera. Moi-même, je m'en souviens à peine.

—Mais tu as bien vu ton père avec une femme, dit Jess. Et un bébé.

Lauren acquiesce.

—Exact, mais mes souvenirs sont de moins en moins certains.

—À cause de ce que Kate et ta mère ont dit?

—Je sais ce que j'ai vu. Mais cela ne signifie pas forcément que mes conclusions étaient les bonnes.

—Pourquoi est-ce que tu fais machine arrière maintenant?

—Non, il ne s'agit pas de cela. C'est juste que je ne veux pas te donner de fausses informations.

—Viens avec moi, dit soudain Jess d'un ton plus animé. Allons-y demain. Je ne travaille pas. On pourra prendre le train à King's Cross.

Lauren la regarde comme si elle avait affaire à une folle.

—Je ne peux pas.

—Pourquoi?

—Eh bien... Parce que... Parce que j'ai trois enfants.

—Parfait, emmenons-les! dit Jess en souriant. Nous pouvons tous y aller. Je ferai des sandwichs et je prendrai des chips pour le train. Ce sera comme une excursion.

Prise de court, Lauren n'arrive pas à trouver une raison valable de décliner.

—Écoute, je ne crois pas que ce soit très utile d'aller là-bas.

Jess lui décoche un regard déçu.

— C'était il y a vingt-deux ans, reprend Lauren. Personne ne se souviendra de ce qui s'est passé à l'époque. Les gens ont certainement déménagé depuis. Ce serait un coup d'épée dans l'eau.

— Comment peux-tu en être aussi sûre?

Lauren se sent rougir jusqu'à la racine des cheveux. Elle espère que ça ne se voit pas.

— Crois-moi, nous perdrions juste notre temps. Ce n'est pas en parcourant la moitié du pays à pied que tu retrouveras ta mère.

— OK, dit Jess en haussant les épaules. Et si on y allait sans rien attendre? Juste pour une journée, parce que c'est possible. J'adorerais passer du temps avec toi et les enfants.

Lauren sent que ses excuses s'amenuisent.

— Cela représente un long trajet, et, franchement, je n'ai pas l'argent pour ce voyage.

— Je m'en charge. Je recevrai ma première paie vendredi.

— Dans ce cas, c'est tout vu, dit Lauren en riant à moitié. Je ne peux pas accepter que tu dépenses de l'argent gagné durement pour moi.

— Ce sera un petit prix à payer pour passer la journée avec ma sœur.

Lauren lui sourit et la regarde, yeux plissés.

— Mais tu ne seras pas déçue si tu ne trouves rien sur ta mère?

— Je te promets que non.

À cet instant, la sonnerie retentit dans toute la pièce, stridente et pressante. Jude sursaute et avance la lèvre inférieure avant d'ouvrir les yeux…

— Oh, merde, désolée! dit Jess.

Et Jude se met alors à hurler à pleins poumons.

— C'est sans doute quelqu'un qui a sonné pour entrer chez un voisin. Je vais aller lui ouvrir, sinon il va continuer.

Lauren jette un coup d'œil à sa montre et sort son fils de son siège.

— Il a sans doute faim, dit-elle à Jess qui s'éclipse.

Elle le met sur son épaule et tente de le calmer, tout en arpentant l'appartement. Elle se rend dans l'entrée, la salle de bains, au bout du couloir, puis fait demi-tour et jette un coup d'œil au passage dans la chambre de Jess, par la porte ouverte. Comme tout le reste de l'appartement, la pièce est bien rangée et d'une propreté impeccable. À côté, une autre porte est fermée. Elle essaie de l'ouvrir, mais la poignée ne bouge pas. Elle la tourne dans l'autre sens, exerce une petite pression. Elle est bien verrouillée.

Imperturbable, Lauren revient vers la fenêtre de la cuisine donnant sur la rue, pour observer ce qui s'y passe. C'est alors qu'elle découvre, posée contre le pot d'une orchidée, trois enveloppes adressées à Harriet Oakley.

— C'est ma coloc, dit Jess, la prenant par surprise.

— Oh, je ne voulais pas… (Lauren repose les autres lettres.) Donc, l'autre pièce…

Jess suit le regard de Lauren, vers le vestibule.

— Oui, elle est absente pour l'instant, dit-elle. En fait, c'est son appartement. Elle m'héberge jusqu'à ce que je retombe sur mes pieds.

— C'est gentil de sa part, répond Lauren qui secoue toujours légèrement Jude sur son épaule.

— Tu me le donnes ? demande Jess en tendant les bras.

Lauren la regarde prendre prudemment son fils en se disant qu'elle n'est elle-même qu'une enfant. Jess pressa la tête de Jude contre sa joue pour humer son odeur. À quoi peut-elle penser ?

187

songe Lauren. Se demande-t-elle comment ses parents ont pu l'abandonner? Ou bien pourquoi ils n'ont pas réfléchi aux conséquences de leurs actes?

22

KATE

Une douche froide permet enfin à Kate de sortir de son état de stupeur. Alors qu'elle se lave les cheveux, elle se gratte de plus en plus frénétiquement le crâne pour faire mousser le shampoing.

—Mais à quoi ils jouent, putain ? ne cesse-t-elle de répéter.

Et quand elle s'entend parler à voix haute, elle comprend qu'elle n'est pas aux prises avec un cauchemar. Face à la dure réalité de la situation, elle ne sait pas comment réagir. Jusque-là, chaque fois qu'elle avait un problème, elle se tournait vers Matt, qui, elle le savait, la conseillerait toujours en fonction de ses intérêts à elle. Mais il est clair que, en l'occurrence, il ne va pas l'aider. Son père arrivait en deuxième position, toujours prêt à lui donner un bon conseil quand elle en avait besoin. Hélas, elle doit se rappeler qu'il n'est plus là ! Et, encore une fois, il lui manque profondément.

Rafraîchie par la douche, mais ayant encore un besoin désespéré de prendre l'air, elle ouvre les portes du balcon dont la vue donne sur le Dôme du Millénaire, une scène où se sont produites de nombreuses stars. Ses poteaux sur son toit qui ressemblent à des grues de chantier sont l'une des raisons pour lesquelles Matt et elle ont acheté cet appartement, sur la péninsule de Greenwich. Par les soirées chaudes d'été, ils adorent s'asseoir sur le bacon et écouter les basses assourdies du groupe qui se produit à l'intérieur. Mais, ce soir, même cette simple joie lui semble appartenir à une autre vie.

Elle est recroquevillée dans le lit, l'oreiller mouillé de larmes, lorsqu'elle entend la clé de Matt dans la serrure. En temps normal, elle ressent toujours une étincelle d'excitation quand il rentre à la maison. Mais, ce soir, c'est une chape qui s'abat sur ses épaules, tandis qu'une boule vient se loger dans sa gorge.

Il serait plus simple de rester dans le noir et de feindre d'être endormie, cependant elle n'était pas du genre à choisir la facilité. Elle veut regarder son mari, qu'elle aime et à qui elle fait confiance depuis dix ans, au moment où il lui donnera des explications. Elle saura d'emblée s'il dit vrai.

Elle allume la lampe de chevet et s'adosse à la tête de lit.

— Salut, dit-il en entrant.

Il rabat le livre que Kate vient juste de prendre sur la table de nuit et se penche pour lui donner un baiser sur le front.

— Il fait une chaleur, dehors !

Elle perçoit un léger voile de transpiration sur le dessus de ses lèvres. Elle lui adresse un sourire tendu.

— Comment ça s'est passé ?

Elle s'efforce de prendre le ton le plus désinvolte possible.

Il lui tourne alors le dos pour accrocher sa veste dans le dressing.

— Comment s'est passé quoi ?

Elle ne sait même pas elle-même quel est l'objet de sa question.

— Au pub.

— Oh ! Comme d'habitude, tu sais.

—Non, justement, je ne sais pas.

Il se retourne vers elle tout en dénouant sa cravate.

—Je perçois une légère jalousie dans ta voix.

Malgré elle, elle sursaute devant l'ironie de ses propos.

—À moins que ce ne soient des regrets ? ajoute-t-il, sourire à l'appui.

—Des regrets à propos de quoi ? réplique-t-elle d'un ton sec.

—D'avoir décliné mon invitation à aller prendre un verre par une belle soirée d'été.

Il la regarde, sourcils haussés.

—Tu aurais dû venir, je suis certain que tu aurais passé une bonne soirée.

Elle ne prendrait pas les paris.

—Qui était là ?

De nouveau, il détourne les yeux et entre dans la salle de bains adjacente.

—Oh, la clique habituelle, tu sais bien…

Si Kate n'avait pas vu son mari en train de flirter avec une femme dans un pub, si elle ne savait pas que cette dernière était la personne qui était en train de détruire sa famille, peut-être n'aurait-elle pas remarqué le ton un rien désinvolte de son «tu sais bien». Preuve indéniable qu'il est sur la défensive.

—Qui ? Ben, Jamie… ? questionne-t-elle.

—Ouais, répondit-il de la salle de bains. Ils sont venus un peu plus tard, avec deux ou trois autres.

—Ah bon ? Tu as attendu tout seul jusqu'à ce qu'ils arrivent ?

Elle n'avait pas l'habitude d'être jalouse. Leur mariage n'était pas placé sous ce signe-là. Elle s'enorgueillissait d'être une épouse décontractée, sur la même longueur d'onde que son mari, tant d'un point de vue professionnel, amical que relationnel, lors des rares fois où elle n'était pas invitée à une soirée à laquelle il assistait. Quand ses amies pestaient et se plaignaient que leurs partenaires sortaient sans elles, leur faisaient des reproches lorsqu'ils osaient rentrer après 22 heures, elle affirmait d'un air suffisant qu'elle avait une confiance entière en Matt.

Maintenant, elle ne peut s'empêcher de repousser l'affreuse sensation que son autosatisfaction se soit retournée contre elle!

—Je te rassure, je n'étais pas seul. Il y avait notre toute nouvelle journaliste junior. Franchement, tu aurais dû venir. Elle t'aurait plu, je crois. Elle me fait penser à toi à tes débuts.

Kate a l'impression que son cerveau va exploser. Elle ne sait pas si elle doit être soulagée ou encore plus suspicieuse. Jess est sa nouvelle recrue?

—Alors, comment elle s'en sort?

—Vraiment bien. Elle a du flair pour ce qui fera un bon article.

—Comment s'appelle-t-elle, déjà?

Même elle perçoit le ton faussement nonchalant de sa question. Elle retient son souffle, attendant sa réponse.

—Jess, dit-il.

Et à cet instant, la question qui l'obsédait: «Mais à quoi joue-t-il, putain?» devient: «Mais à quoi joue-t-elle, putain?» Rien chez lui ne lui permet de soupçonner qu'il en sait plus qu'il n'en dit. Mais ce serait une coïncidence bien trop improbable d'imaginer que Jess a obtenu ce poste par hasard.

—Tout va bien? demande Matt quand il revient dans la chambre. (Il s'étend nu, sur le lit.) Tu as l'air un peu pâle.

Elle hoche la tête, déstabilisée par le sentiment que Jess manigance quelque chose. Elle est convaincue que celle-ci sait parfaitement ce qu'elle fait, le problème étant quoi...

Matt l'attire alors contre lui. Même si rien n'a changé entre eux, elle ne peut s'empêcher de penser que tout est différent.

Si elle ne le repousse pas physiquement, elle garde une distance émotionnelle, ce dont elle est d'ailleurs honteuse, car ce n'est pas la faute de Matt. Mais elle lui en veut quand même.

— Tu me le dirais, si quelque chose n'allait pas ?

Aurait-il perçu son dilemme intérieur ?

— Bien sûr, répond-elle, tout en se demandant par où elle commencerait.

Dès que la respiration de Matt se fait plus régulière, elle se dégage de son étreinte et le regarde pour vérifier qu'il est bien endormi. Elle se rend sans bruit du côté de son lit et débranche doucement son téléphone. Chaque fois qu'ils ont besoin d'un code secret, ils prennent leur date de mariage. Et même s'ils plaisantent souvent entre eux sur le fait qu'ils sont un rêve, pour les criminels, en ce moment elle se félicite qu'ils utilisent toujours le même.

La légère lumière qui filtre de l'extérieur lui permet de se rendre au salon en évitant les angles pointus de la table basse et de s'asseoir sur le canapé. Elle ouvre les e-mails de Matt et en parcourt la liste, en quête de quelque chose ou d'un nom qui ferait tilt en elle. Elle est consciente qu'elle ignore ce qu'elle cherche, mais elle cherche. Tandis que ses yeux passent rapidement sur des noms anonymes pour elle et des objets sans importance, elle sent son ventre se contracter. Sans savoir s'il s'agit d'une nausée en raison de son état, ou parce qu'elle est en train de commettre un acte inimaginable pour elle jusque-là.

Soudain, son regard est attiré dans les nombreux e-mails par celui de jessica.linley@theecho.com, qui prouve qu'elle travaille bien avec Matt. Voir, noir sur blanc, la preuve qu'il lui a dit la vérité représente pour elle un immense soulagement. Le contenu de leur échange est plutôt banal. Ils se renvoient des éléments relatifs à des sujets d'informations et des idées d'articles, mais cela ne lui apprend rien de plus sur qui est vraiment Jess, ni d'où elle vient. Kate continue de parcourir la liste des adresses, en quête d'autre chose.

Elle cherche le nom de Jess et trouve plus de mails sous l'objet : « Journaliste junior ». Envoyée d'une adresse e-mail personnelle, la photo qui s'affiche sur l'écran quand elle clique sur le CV en pièce jointe stupéfie Kate. Elle est sous le choc de ce face-à-face avec celle qui se prétend sa demi-sœur. Chevelure châtain clair à l'épaule, yeux écartés, nez droit, le visage de Jess lui est familier. Elle essaie de se convaincre que c'est parce qu'elle l'a déjà rencontrée. Et repousse l'idée d'une éventuelle ressemblance avec Lauren qui lui pollue le cerveau.

La lettre de motivation, à l'attention de M. Walker, est plutôt banale, sans la mention d'une moindre relation. Comme Matt le lui a dit, elle semble directement sortie de l'université de Bournemouth, où elle a étudié le journalisme. « Maintenant, je souhaite travailler au sein d'un des journaux les plus vendus du pays. », avait-elle écrit dans sa lettre.

Mouais ! Flatterie, pense Kate avant de se transférer le mail et de l'effacer du dossier « Envoyés » de Matt.

— Kate !

Elle sursaute, se cogne la cheville dans la « putain » de table basse et se mord la langue pour ne pas hurler.

— Qu'est-ce que tu fais là ? demande-t-il.

Elle distingue juste sa silhouette dans l'encadrement de la porte.

— J'étais juste en train de…

Elle s'interrompt, le portable de Matt lui brûlant littéralement la paume.

— Tu n'arrives pas à dormir ?

—Je… Euh… Non.

Elle n'arrive pas à s'exprimer, paniquée à l'idée de devoir remettre le portable de Matt à sa place sans qu'il s'en aperçoive.

—Bon, ça va mieux, maintenant ?

—Oui, dit-elle.

Et elle remercie l'obscurité qui masque à Matt la culpabilité écrite sur son visage.

—Quelle heure est-il ? demande-t-il. Je ne trouve pas mon portable.

—Euh… minuit, je crois, marmonne-t-elle. Attends, je vais t'aider à le retrouver.

Elle passe alors à toute vitesse devant lui, se rue dans la chambre, de son côté du lit.

—On aura moins de mal à le retrouver avec la lumière, dit-il en appuyant sur l'interrupteur.

Kate se laisse instantanément tomber sur les mains et les genoux.

—Tu es certaine que tout bien ?

Non, elle ne va pas bien du tout. Son cœur bat à toute allure. Elle est malade à l'idée qu'il la découvre avec son téléphone en main. Non parce qu'il a quoi que ce soit à cacher, mais parce qu'elle a rompu la confiance qui règne depuis le début entre eux.

—Ah, le voilà ! s'exclame-t-elle, d'une voix bien trop forte. Il a dû tomber sans que tu t'en aperçoives.

—Oh !

C'est tout ce qu'il répond. Mais cela suffit à Kate pour comprendre qu'il a vu clair dans son jeu.

23

KATE

Le sommeil de Kate est émaillé de rêves très vivaces, peuplés de Matt, Lauren, sa mère et son père, chacun rivalisant pour obtenir son temps d'écran dans sa tête. Ils y flottent et en sortent, sous différentes formes – ils n'ont pas leur tête habituelle, et pourtant il lui est facile de reconnaître qui est qui. La seule qui ait son véritable visage, c'est Jess. Elle est confortablement installée dans un coin de la pièce, faisant signe à chaque membre de la famille d'approcher, un à un, afin de leur murmurer des choses en aparté. Quand c'est le tour de Matt, elle lui prend le visage entre les mains et l'embrasse, longuement et ardemment, tout en regardant Kate.

Lorsque l'alarme du réveil se déclenche, Kate appuie sur le bouton Éteindre, espérant qu'elle sera replongée dans le rêve, juste assez longtemps pour en connaître la fin. Mais Matt marmonne déjà à côté d'elle, et elle sent une immense haine pour lui monter en elle, encore blessée par l'affront qu'il lui a fait dans son rêve qu'elle est pour l'heure incapable de séparer de la réalité.

— Je n'ai pas fermé l'œil de la nuit, dit-il.

Kate sait parfaitement que c'est faux, car elle l'a entendu ronfler au moins à trois reprises.

— Il fait une de ces chaleurs ! Il n'y a pas le moindre souffle d'air, poursuit-il.

Elle s'assied lentement, comme si elle voulait persuader son corps qu'elle ne se sent pas bien. Puis elle pousse un petit soupir avant de laisser retomber lourdement la tête sur ses genoux repliés, de façon un peu théâtrale.

— Tu te sens mal ?

Il se penche vers elle et lui frotte le dos.

Elle est sur le point de répondre, mais finalement serre les mâchoires, se contentant de hocher la tête.

— Bon, rallonge-toi. Lentement.

Et il l'aide à s'étendre de nouveau sur le matelas.

— Je vais chercher une bassine, je reviens.

Quand Kate ferme les yeux, son rêve repasse derrière ses paupières, les images de Matt et de Jess se gravant dans son cerveau. Elle espère que, comme tous les rêves, celui-ci va se dissiper, et que, à l'heure du déjeuner, elle n'y pensera plus.

— Là, dit Matt.

Et il pose à côté du lit la bassine qui se trouve sous l'évier de la cuisine.

Elle a alors la sensation de retomber en enfance, quand elle feignait d'être malade pour manquer l'école. Son père jetait un simple coup d'œil à ses joues rougies par le radiateur et la renvoyait se coucher. Sa mère, qui n'était pas aussi facile à flouer, dardait sur elle des yeux plissés en lui prenant la température avec le thermomètre.

— Tu ne peux pas aller au travail dans cet état, dit Matt. Tu ne veux pas prendre ta journée ?

—Mmm, je crois que si, parvient-elle à dire entre ses lèvres serrées.

Quelle ironie du sort ! À peine sa décision prise, voilà qu'elle sent un sérieux mal au cœur la tenailler. Son estomac lui évoque un lave-linge qui tournerait lentement.

Elle regarde Matt s'apprêter pour partir au travail et ne peut s'empêcher de se demander à quoi il est en train de penser, tandis qu'il choisit la cravate qu'il va porter. Comment réagirait-il si elle lui disait qui est sa nouvelle recrue ? Serait-il surpris ? Questionnerait-il Jess à ce sujet ? La renverrait-il sur-le-champ ?

Puis elle est bien obligée d'admettre que, jusque-là, celle-ci n'a rien fait de répréhensible. D'ailleurs, elle est sans doute une employée modèle. Mais si elle pense que Kate va croire que sa présence à ce poste est le fruit d'un énorme hasard, elle ferait bien de revoir sa copie.

—Ça va ensemble ? demande Matt.

Il tient une cravate à rayures roses et grises devant lui, qui s'accorde parfaitement avec sa chemise blanche et son costume anthracite. Mieux que la rouge qu'il a dans l'autre la main.

—Je prendrais la rouge, si j'étais toi, dit-elle juste pour le contredire.

Il échange tout de suite les cravates.

—Tu es certaine que ça va aller ? (Il a l'air soucieux.) Je vais faire l'impossible pour rentrer de bonne heure, mais le Premier Ministre donne une conférence de presse à Birmingham, et Dieu sait ce qu'il va annoncer. Tu veux que je revienne faire un saut pour la pause déjeuner ?

Elle secoue la tête.

—Non, ça va aller. Je vais attendre que ça passe, puis j'aviserai. De toute façon, j'ai du travail que je peux faire de la maison.

Il se penche vers elle pour l'embrasser sur le front.

— Entendu! Prends soin de toi et du petit, qui est là. (Il lui sourit.) Espérons que cet état ne va pas durer trop longtemps et que, bientôt, tu pourras profiter de ta grossesse.

Dès qu'il a refermé la porte, Kate saisit son téléphone et affiche dans ses e-mails le CV de Jess. Elle en repère rapidement les éléments essentiels avant d'appeler l'université de Bournemouth. Elle ne sait pas où ces investigations vont la mener, mais elle ne peut rester sans réagir, à regarder cette femme faire dérailler sa vie.

— Bonjour, service Vérifications des diplômes, j'écoute, lui dit une voix enjouée à l'autre bout du fil.

Elle a répondu plus vite que Kate ne l'avait anticipé.

— Oh, bonjour! Voilà, je vais sans doute embaucher une de vos anciennes étudiantes et je vous appelle pour que vous me confirmiez ses références.

— Je serais ravie de vous renseigner, mais il me faut l'accord de l'ancienne étudiante pour vous fournir les informations que nous détenons sur elle.

— Bien sûr, répond Kate habituée par son métier à contourner les règles, si nécessaire. Son accord, je l'ai déjà, mais j'ai un besoin assez urgent de procéder aux vérifications.

— En général, nous envoyons les références dans les cinq jours.

Elle espérait obtenir les éclaircissements nécessaires au téléphone, et elle n'a pas l'impression que cette employée tatillonne peut se laisser amadouer par sa requête impérieuse.

— Ah, ce sera trop tard, je regrette! Écoutez, je suis dans votre quartier aujourd'hui, est-ce que je pourrais passer prendre les renseignements? Je serais vraiment navrée de ne pas pouvoir offrir à votre ancienne étudiante cette opportunité juste parce que j'ai été un peu lente à réagir.

Et parce que tu es une bureaucrate finie, ajoute-t-elle mentalement à l'intention de son interlocutrice.

— Normalement, on n'accepte pas de fournir les informations sur place.

— Je comprends, je ne veux pas contourner les règles. C'est entièrement ma faute, mais n'y a-t-il pas moyen malgré tout de…

— Écoutez, passez si vous voulez, dit la femme avec réticence. Seulement, je ne peux rien vous garantir. Si le service a beaucoup de travail, il se peut que nous ne puissions vous donner les informations demandées.

— Très bien, j'accepte de courir le risque ! répond Kate d'un ton extrêmement enthousiaste. Il s'agit de Jessica Linley.

Elle repose le téléphone, tape une lettre de deux lignes en utilisant l'adresse de Jess, l'imprime et la signe. Est-ce que cela sera un accord suffisant pour obtenir les renseignements, elle l'ignore. Mais il est clair que Jess ne respecte pas les lois, aussi, pourquoi n'emploierait-elle pas les mêmes méthodes ?

Aujourd'hui, la météo prévoit un record de température pour un mois de juillet, surtout dans un pays comme l'Angleterre, annonce l'animateur de la radio. Aussi invite-t-il chacun à rester à l'intérieur, et à s'assurer que ses voisins vulnérables vont bien. Kate se demande comment les autres pays arrivent à maintenir leurs activités lorsque le thermomètre dépasse les trente degrés, vu qu'à Londres les rails se déforment et que les routes fondent. Ce sont ces menues pensées qui la retiennent de s'arracher les cheveux tandis qu'elle essaie de comprendre ce que Jess manigance.

Elle se décide pour une combinaison-pantalon à fleurs, avec mancherons et pantalon aux mollets dans l'espoir que cela lui permettra de ne pas avoir trop chaud pendant les deux heures et demie de train qui l'attendent. Le tissu est léger, et la ceinture peut se desserrer au fur et à mesure que le ventre gonfle, dans la journée.

Même si Kate sait où se trouve Bournemouth sur la carte, elle est surprise de voir le train traverser New Forest, un endroit où elle a passé de nombreuses vacances familiales, enfant. Les bruyères roses qui ornent le paysage la ramènent dans la maison qu'ils louaient à Lyndhurst, où des poneys leur tenaient compagnie dans le jardin arrière quand ils y pique-niquaient. Ils louaient des vélos et parcouraient la forêt ancestrale où poussaient des arbres vieux de trois cents ans et où paissaient des biches…

Mais les souvenirs heureux sont subitement éclipsés par les événements qui avaient eu lieu lors de leur dernier séjour. Kate se souvient d'une dispute épouvantable entre Lauren et leur père. Elle devait avoir douze ans, mais les quatre ans qui la séparaient de sa sœur ne lui avaient jamais paru aussi flagrants. Alors que Kate était toujours très studieuse à l'école, Lauren avait « déraillé », pour reprendre l'expression de leur mère. Rose ne l'aurait jamais prononcée devant sa fille, mais c'était l'opinion qu'elle avait exprimée face à Harry, suite à un échange particulièrement musclé et déplaisant entre le père et la fille.

— Je me fiche de ce que tu dis, avait hurlé Lauren. C'est ma vie ! Je l'aime et lui aussi m'aime.

— Mais, ma chérie, avait dit Harry du ton le plus calme possible, tu n'as que seize ans. Tu as toute la vie devant toi.

— Tu as bien rencontré maman quand elle avait seize ans, avait-elle rétorqué sur le ton du défi. Et votre relation a l'air d'avoir bien fonctionné jusqu'ici.

—C'était une époque différente. Il y a tant d'opportunités qui s'ouvrent à toi. Tu peux aller où tu veux. Être qui tu veux.

—Je ne veux aller nulle part ni être qui que ce soit. Ce que je veux, c'est être avec lui. C'est notre décision, et tu ne pourras rien faire pour m'arrêter.

Kate était assise en haut des marches quand le bruit de la porte d'entrée que Lauren avait claquée avait secoué toute la maison.

—Qu'est-ce qu'on va faire ? s'était écriée Rose.

—C'est sa décision, avait dit Harry d'un ton résigné. Je ne vois pas très bien ce que nous pouvons faire.

—Il faut pourtant que tu interviennes. On ne peut pas la laisser gâcher sa vie.

—Mais si tel est son souhait…

—Je ne laisserai pas cet homme… ce garçon détruire ses rêves. Elle voulait aller étudier aux États-Unis. Elle voulait être journaliste. Elle avait tant de buts, dans la vie, et maintenant, elle n'en atteindra aucun.

Harry avait pris Rose dans ses bras.

—À t'entendre, on dirait que sa vie est finie.

Et il avait émis un petit rire.

—Quel genre de père laisse sa fille de seize ans tout envoyer en l'air sur un coup de tête ?

—Je ne comprends pas ce que tu attends de moi.

—Elle a déraillé, et ton rôle consiste à la remettre dans le droit chemin.

Kate ne savait pas ce qu'il avait fait, mais Lauren n'avait plus jamais été la même ensuite.

—Vous allez passer la journée sur la côte ou vous rentrez chez vous ? lui demande la femme assise en face d'elle, l'interrompant dans ses pensées.

Elle ne l'avait pas remarquée. Elle a dû monter à la gare précédente, quand elle était complètement plongée dans ses pensées.

—Je vais juste à Bournemouth pour la journée.

Et elle sourit poliment, espérant que son interlocutrice comprendra qu'elle ne souhaite pas poursuivre la conversation. Ne serait-ce que pour qu'elle n'ait pas à expliquer la raison de son excursion.

—C'est un endroit du monde bien agréable, n'est-ce pas ? dit la dame en désignant l'extérieur, derrière la fenêtre. Je ne sais pas comment vous faites, vous les citadins, pour vivre dans toute cette fumée et tout ce bruit.

—C'est exaltant, parfois. Mais quand je me rends dans un endroit comme celui-ci, alors je me rends soudain compte de ce que je manque.

La femme lui sourit.

—En tout cas, vous avez choisi la bonne journée pour le temps, vous verrez la côte ouest sous son meilleur jour. Vous allez voir de la famille ?

Même si elle s'attendait à la question, elle la prend au dépourvu.

Déglutissant pour avaler le goût amer dans sa bouche, elle hoche la tête.

—Oui, ma sœur, dit-elle sur une impulsion. Je lui fais une surprise.

La femme lui adresse de nouveau un gentil sourire.

—Oh, je suis sûre qu'elle va être ravie !

Je ne parierais pas là-dessus, pense Kate.

24

KATE

Il n'y a pas l'ombre d'un nuage dans le ciel quand Kate descend du train, à Bournemouth. Elle reste quelques instants sur le quai, à respirer l'air de la mer reconnaissable entre tous et écouter le cri des mouettes au-dessus de sa tête.

Malgré la raison de son voyage, elle éprouve presque de la sérénité. Cette ville procure un sentiment de paix intrinsèque l'on ne trouve pas à Londres, même en cherchant bien.

— Où allez-vous ? demande le chauffeur quand elle arrive à la borne des taxis.

— À l'université, s'il vous plaît. Sur le campus Talbot.

— Pas pour étudier, j'imagine, répond-il en riant.

Il a dû lire la perplexité sur son visage, car il ajoute bien vite :

— Je ne voulais pas être irrespectueux, désolé.

Kate se raidit devant l'affront, bien que consciente qu'il a simplement dit la vérité. Des désagréments de la sorte sont parfois nécessaires, en l'occurrence le commentaire spontané d'un inconnu, pour que la réalité s'impose à nous. Le campus est presque désert, les vacances d'été ont commencé depuis un certain temps déjà. Elle repère quelques étudiants qui traînent, sourire insouciant aux lèvres, leur espoir en l'avenir presque palpable. Elle comprend soudain qu'elle a vieilli. Il se peut qu'elle ne fasse pas du tout plus que son âge, trente-quatre ans – même si, pour être franche, elle espère plutôt qu'on lui en donne trente –, mais au fond d'elle-même elle a l'impression d'avoir cent ans. Elle est effrayée par les vétilles du quotidien, réagit de façon cynique face aux explications des autres et ne croit plus que tout finira pour le mieux – surtout quand elle inspecte le bâtiment d'une laideur indescriptible dans lequel elle est sur le point d'entrer.

— Oh, bonjour ! lance-t-elle à la première personne qui se trouve devant elle, derrière un comptoir qui lui arrive à mi-torse. Je suis Kate Walker, journaliste à la *Gazette*. J'ai appelé un peu plus tôt dans la matinée pour prendre des références sur une de vos anciennes étudiantes que j'ai reçue en entretien d'embauche.

— Ah oui ! dit la femme en fronçant les sourcils. Eh bien, je suis vraiment désolée, mais nous n'avons aucun dossier sur une Jessica Linley qui aurait étudié ici.

Kate ne sait pas à quoi elle s'attendait au juste, mais en tout cas pas à une telle réponse. Pourtant, un frisson d'excitation la parcourt quand elle comprend ce que cela signifie. Elle n'aura aucun plaisir à informer Lauren que Jess n'est pas celle qu'elle prétend être. Ni à annoncer à Matt que sa journaliste star est une menteuse et une usurpatrice. Mais elle s'y résoudra si cela lui permet de mettre un terme à cette ridicule comédie qui accable la famille depuis un mois.

— Vous en êtes absolument sûre ? demande-t-elle avec le plus grand sérieux. Vous êtes certaine que vous ne vous êtes pas trompée en effectuant vos recherches ?

La femme secoue la tête, l'air désolé.

— J'ai vérifié deux fois. La seule explication serait qu'elle ait fait ses études sous un autre nom. Est-ce possible ?

Kate réfléchit un instant. Tout est possible concernant Jess...

— Je n'ai que ce nom, Jessica Linley, dit-elle en fouillant dans son sac. Mais j'ai une photographie. Elle vient juste d'avoir son diplôme et...

La femme la regarde d'un air triste, comme si elle était responsable de la duplicité de Jess.

— Enfin, c'est ce qu'elle prétend. Tenez, la reconnaissez-vous ?

La femme regarde la photo et la rend à Kate.

— Non, je suis désolée...

— Ce n'est pas grave, c'était juste au cas où.

Kate reprend la photo.

— Je regrette de ne pas pouvoir vous être d'une plus grande aide.

— Moi, je la reconnais, dit alors une femme juste à côté d'elle.

Et Kate a la sensation que son cœur se glace...

La femme prend tout son temps pour mettre ses lunettes qui pendent à une chaîne autour de son cou. Elle les place sur le bout de son nez, puis approche la photo de ses yeux.

— Je ne pourrais pas vous dire son nom, mais une chose est certaine : je l'ai déjà vue.

— Vous... vous en êtes sûre ?

Kate en balbutie, elle a l'impression de manquer d'air, que le petit bureau se referme sur elle. Elle surprend le regard que son interlocutrice échange avec sa collègue derrière la réception, comme si elle redoutait des complications.

— Vous en êtes absolument sûre ?

—Mmm, marmonne la femme évasivement, comme si elle était soudain consciente d'avoir enfreint la clause des droits humains de la charte bureaucratique.

—Peut-être n'est-ce pas celle à qui vous pensez ? insiste Kate.

—En général, je suis assez physionomiste. Le problème, c'est que je ne sais plus où je l'ai vue.

—Donc c'est peut-être ici, à l'université, ou bien en ville ?

—Eh bien, je ne sais vraiment plus, dit la femme, ne se rendant pas compte de la frustration croissante qu'elle crée chez Kate. Son visage ne m'est pas inconnu, c'est tout.

—Bon, pour être honnête, si le nom qu'elle m'a donné est différent de celui sous lequel elle s'est inscrite ici, cela suffit à me renseigner sur elle, dit Kate en glissant la photo dans son sac. Mais si quelque chose vous revient, pourriez-vous me téléphoner ?

Elle tend alors sa carte de visite.

—Bien sûr !

Son interlocutrice affiche toujours le même air perplexe.

Kate remercie les deux femmes de leur aide, puis se dirige vers la sortie, où un beau soleil l'attend. Que va-t-elle faire, maintenant ? Elle espérait au moins enquêter sur le passé de Jess, mais le seul lien qui l'y relie, c'est l'université. Et comme c'est de toute évidence une fausse piste, elle n'a plus rien vers quoi se tourner.

—Et merde ! s'écrie-t-elle dès qu'elle tourne à l'angle du bâtiment, se fichant des regards déroutés des passants.

—Euh… excusez-moi, lance une voix derrière elle. Mademoiselle ! Excusez-moi !

Kate se retourne, espérant que c'est la femme de tout à l'heure qui a soudain eu une révélation. Bingo ! Elle s'efforce de contenir son enthousiasme.

— Je ne sais pas si cela va beaucoup vous aider, dit la femme, hors d'haleine. Mais je viens juste de me rappeler où je l'ai vue.

C'est ce que Kate désirait et redoutait à la fois.

— Oh!

Elle s'efforce de paraître nonchalante.

— Ça peut sembler curieux, mais je crois qu'elle travaillait à la cafétéria. (La femme la regarde d'un air dubitatif par-dessus ses lunettes.) Je ne sais pas ce qu'il faut en déduire. Cela dit, vous pouvez peut-être aller faire un tour là-bas pour questionner ses collègues.

Kate fronce les sourcils, confuse.

— Elle y travaillait?

La femme hoche la tête avec assurance.

— Oui, elle n'était pas étudiante, c'était une employée.

Kate a l'impression que son cerveau va éclater.

— Mais alors pourquoi…?

La femme hausse les épaules.

— Je n'en ai pas la moindre idée, mais je vous conseille d'aller à la cafétéria. Je l'y ai vue au cours des six derniers mois, c'est certain.

— Euh… OK, merci.

Et Kate part précipitamment.

— C'est par ici, lui dit la femme en lui montrant la direction opposée.

— Merci, répondit Kate en s'y ruant.

Elle a l'impression que ses pieds sont plus réactifs que son cerveau.

La cafétéria ressemble davantage à celle que l'on peut trouver dans un grand magasin chic que dans une université. Pas étonnant que cela coûte neuf mille livres par an d'étudier ici.

Sans hésiter, Kate se dirige vers la fille derrière le comptoir, la photo de Jess à la main.

— Bonjour, dit-elle, sourire amical à l'appui. Peut-être pourriez-vous m'aider. Voilà, je recherche cette jeune fille.

En lui montrant la photo, elle observe attentivement l'expression de la jeune femme.

— Il lui est arrivé quelque chose? demande celle-ci immédiatement.

Kate sent son estomac se retourner.

— Vous êtes de la police?

— Non, répond-elle d'une voix douce. C'est une amie, mais je ne sais plus où elle est. La dernière fois que je lui ai parlé, elle travaillait ici.

L'employée se détend et hoche la tête.

— Oui, Harriet a bien travaillé ici. Elle est partie il y a deux mois environ.

— Harriet? répète Kate, incapable de se retenir.

Elle sent que son interlocutrice se tend de nouveau, aussi ajoute-t-elle bien vite:

— Il y a une éternité que je n'ai pas entendu quelqu'un l'appeler comme ça. Pour moi, elle a toujours été Jess – c'est son deuxième prénom.

— Oh... Eh bien, Harriet, ou Jess, a démissionné juste avant l'été. Elle a dit qu'elle partait pour Londres, où elle voulait se faire un nom.

Ça, on peut dire qu'elle y travaille!

— Je suis allée chez elle, à Lancaster Road, enchaîne Kate pour donner l'impression qu'elle la connaît bien. Mais, là aussi, il y a un certain temps qu'on ne l'a pas vue.

Et elle croise les doigts. Pourvu que la fille ne se rende pas compte qu'elle bluffe!

—La seule adresse que je lui connaissais, c'était à Elm House, à Clifford Estate, répond son interlocutrice.

—C'est là qu'elle a dû habiter après Lancaster Road, alors.

Et Kate enregistre l'information.

La jeune femme a l'air décontenancé.

—Depuis quand ne l'avez-vous pas vue, déjà? demande-t-elle.

À son ton accusateur, Kate a peur d'être démasquée.

—Un certain temps. Mais merci pour votre aide.

L'employée hoche la tête.

—Eh bien, dites-lui bonjour de ma part quand vous la retrouverez.

—Je n'y manquerai pas, répond Kate avec un sourire.

25

LAUREN

Quand Lauren descend à la gare de Harrogate, elle a la sensation d'avoir remonté le temps. Tout est resté exactement comme dans ses souvenirs d'adolescente, avant que sa famille déménage soudain à Londres.

Le banc où elle a passé des heures à fumer et à embrasser Justin se trouve toujours en face de la gare, entouré d'un parterre de fleurs bien fourni. La mairie a depuis longtemps compris que la ville thermale pourrait être une destination touristique populaire, et l'a présentée comme telle. Elle a investi dans des paniers de fleurs pittoresques suspendus et des attractions telles que Valley Gardens et le Royal Pump Room Museum.

C'est étrange de revenir dans cette ville avec ses trois enfants, alors qu'elle l'avait quittée en se promettant de ne jamais en avoir.

— À ton avis, on va dans quelle direction? demande Jess, interrompant le fil de ses pensées.

Lauren met une main en visière pour se protéger du soleil de midi et en profite pour reprendre contenance. Elle regarde à droite, puis à gauche de Station Parade.

— Il faut qu'on monte la colline, dit Lauren.

Elle a l'impression d'être une guide touristique bien malgré elle.

— C'était dans l'une des rues latérales, sur la droite, près du *Majestic Hotel*.

Jess ouvre la voie, poussant la double poussette dans laquelle se trouvent Noah et Emmy. Lauren lui emboîte le pas, avec Jude dans son porte-bébé. Seule, cette excursion aurait été inenvisageable, mais avec une paire de mains supplémentaires, ça fonctionne.

— Tu crois que tu vas reconnaître la rue où tu les as vus ? questionne Jess, rappelant tout de suite à Lauren le but de leur escapade.

— Je ne sais pas, dit celle-ci en toute honnêteté.

Elle sent que Jess lui jette un coup d'œil quand elle passe devant l'hôtel au sommet de la colline. Comme si elle espérait qu'elle allait immédiatement déclarer que c'était là qu'elle avait vu son père pousser un landau, presque un quart de siècle plus tôt.

Un bus passe, et Lauren a soudain un flash. Elle se revoit rentrer chez elle après un examen de géographie. Cela s'était terriblement mal passé, comme tout à cette époque-là. Assise dans le bus, elle regardait par la fenêtre, se demandant à quel moment tout avait dérapé. Alors qu'elle se disait que la situation ne pourrait pas être pire, elle avait vu son père descendre la rue, un bras passé autour des épaules d'une femme et poussant de sa main libre un landau. La vision avait été très brève. Instinctivement, elle avait bondi de son siège et appuyé sur le bouton d'arrêt, gardant le doigt dessus jusqu'à ce que le chauffeur s'écrie : « OK, l'hystérique, on se calme. » Commentaire qui lui aurait valu toutes sortes de problèmes aujourd'hui.

Elle était descendue du bus dès que possible et avait remonté la colline à toutes jambes, sans savoir si elle espérait s'être trompée. L'image était déjà floue dans sa tête. Elle ne se rappelait pas si elle l'avait vu au premier ou au deuxième tournant, à moins que ce ne soit le troisième, mais il n'était plus nulle part quand elle était arrivée.

Au fil du temps, sa mémoire avait enjolivé la scène, lui donnant encore une excuse pour détester cet homme qu'elle avait pourtant tant aimé. Elle s'était convaincue qu'il était en train d'embrasser cette femme, et aurait pu jurer qu'il avait pris le bébé dans ses bras, lui avait souri. Mais, à présent qu'elle se retrouvait sur les lieux, elle se demandait si elle n'avait pas tout imaginé.

— C'était là ? demande Jess.

Lauren regarde pensivement autour d'elle, s'efforçant de se concentrer. Qu'est-ce que cela va changer, qu'elle reconnaisse quelque chose ou pas ?

— Je ne crois pas, dit-elle. Allons dans la rue suivante.

Les toits autrefois rouges des maisons sont désormais en ardoise, ce qui prête une atmosphère plus menaçante à la rue.

— C'est celle-ci ! s'exclame soudain Lauren.

Instantanément, elle se rend compte que sa mémoire ne l'a pas trompée.

Jess s'immobilise aussitôt, la regarde.

— Tu es sûre ?

Karen hoche la tête.

— Et maintenant, que fait-on ?

— Je vais frapper à quelques portes, dit Jess. Voir si quelqu'un se souvient de quelque chose.

Lauren avait l'affreux pressentiment qu'elle allait répondre cela. Elle sent ses mains devenir moites.

—Tu viens?

Lauren hoche la tête à contrecœur. Mais quand elles arrivent au niveau de la première grille, elle recule.

—Je reste ici avec les enfants. Vas-y, je t'attends.

Jess lui adresse un sourire tendu, parcourt l'allée sous le regard de Lauren qui se demande ce qu'elle espère trouver.

—Oh, bonjour! s'exclame Jess d'un ton enjoué quand une femme lui ouvre la porte. Désolée de vous déranger, mais je cherche à parler à une personne qui habitait dans cette rue, il y a vingt ans environ.

La femme secoue la tête avant même que Jess n'ait fini sa tirade.

—Désolée.

—Je ne cherche pas à vous vendre quoi que ce soit, insiste-t-elle.

Mais la porte est déjà refermée. Cela va être encore plus cruel que ce que Lauren avait imaginé. Elle s'en veut d'avoir raconté cet épisode à Jess. Rien de bon ne pourra en advenir.

—On va faire un tour en ville! dit Lauren d'une voix faussement joviale. Je t'offrirai des scones et une tasse de thé chez *Betty's Tea Rooms*.

—On ne peut pas abandonner après un seul revers. Non, il faut continuer.

Ce n'est pas la réponse que Karen a envie d'entendre. Est-ce parce qu'elle craint que Jess ne s'expose à d'autres rebuffades blessantes? Ou bien a-t-elle peur pour elle-même? Elle ne saurait dire, mais elle pressent une tragédie imminente face à l'insistance de Jess.

La maison suivante est plongée dans l'ombre, gardée par un chêne imposant, sur le trottoir. Des jardinières de fleurs aux couleurs vives sont alignées sur le rebord des fenêtres, et la pelouse est parfaitement entretenue. L'ensemble ressemble au domicile d'un couple âgé, mais actif, fier de sa maison. Lauren se félicite de ses déductions quand soudain un des rideaux d'un blanc immaculé se soulève. Bingo !

Avant même que Jess n'ait fini de sonner, une vieille femme qui rappelle à Lauren sa défunte grand-mère vient ouvrir la porte et promène un regard inquisiteur autour d'elle. On entend encore le carillon résonner dans toute la maison.

— Bonjour, mademoiselle, dit-elle.

— Je suis vraiment désolée de vous déranger… Voilà, je recherche quelqu'un qui aurait vécu ici il y a vingt ans environ.

— Alors c'est peut-être moi, dit la dame en émettant un léger rire. En quoi puis-je vous aider ?

Jess se tourne alors vers Lauren, pleine d'espoir, au moment où une subite appréhension s'abat sur celle-ci. Comment a-t-elle pu penser que cette expédition serait une bonne idée ?

— J'ai très peu d'informations, en réalité, reprend Jess, mais je recherche une famille qui a habité dans cette rue, à cette époque.

La dame la regarde, attendant la suite.

— Un couple et leur fille. L'homme était… Il était…

— Grand, enchaîne Lauren du trottoir. Il avait les cheveux blonds et les yeux bleu pâle.

Et, en décrivant son père, elle est surprise de sentir sa gorge se nouer.

— Vous ne parlez tout de même pas des Wood ?

À ces mots, les traits de la vieille femme s'assombrissent.

— Euh… Je ne sais pas, répond Jess. Peut-être.

— Dans ce cas, entrez.

Leur hôtesse ouvre grand la porte et s'efface.

Jess darde des yeux écarquillés sur Lauren, qui secoue la tête.

— Je vais attendre dehors avec les enfants.

—Il fait bien trop chaud à l'extérieur! Grâce à l'arbre, la maison est au frais et la température agréable. Entrez, je vous en prie.

Lauren découvre alors l'entrée bien soignée, avec sa moquette bleu pâle et ses lambris décoratifs. Elle imagine tout de suite à quoi va ressembler la maison dans dix minutes, une fois que ses petits monstres seront passés par là, avec leurs doigts collants et leurs souliers poussiéreux.

—C'est vraiment très gentil à vous, dit-elle.

Comme pour compenser par avance les excuses qu'elle sera obligée de faire en sortant.

—Vous n'avez pas l'air de journalistes.

—Des journalistes? s'étonne Lauren. Pourquoi serions-nous des journalistes?

—Ils viennent encore ici de temps à autre, tous les deux ou trois ans, dans l'espoir de déterrer l'affaire.

La femme avait raison. L'intérieur de sa maison est frais et agréable, mais voilà qu'une onde de chaleur implacable submerge Lauren. Pour déterrer quelle affaire?

—Je m'appelle Jess, et voici Lauren, ma... ma sœur, précise-t-elle après une seconde d'hésitation que seule Lauren remarque, sourire aux lèvres.

—Moi, c'est Carol. Je vous offre une tasse de thé?

Lauren s'apprête à décliner, mais Jess l'a déjà devancée:

—Ce serait adorable, merci.

Elles emboîtent le pas à Carol qui les conduit dans la cuisine, tout au fond de la maison. Lauren songe que les placards bleu et orange devaient être à la dernière mode à l'époque de leur installation, mais, même si leur éclat n'a pas du tout terni, elle doute que leur style revienne au goût du jour.

—Alors, qui étaient ces Wood? s'enquiert Jess.

— Oh, c'est une affreuse histoire, dit Carol en remplissant une bouilloire couleur crème, avec une forêt représentée sur le côté. C'était un jeune couple. Ils s'appelaient Frank et Julia, et ils étaient nos proches voisins, à deux portes.

— Ils avaient un bébé ? demande Jess.

Carol hoche la tête.

— Je ne les connaissais pas assez pour leur parler, j'ai tendance à être réservée. Surtout depuis que j'ai perdu mon Roy, il y a quelques années.

Lauren lui sourit avec sympathie, espérant qu'elle va en venir au fait.

— Bref, ils se disputaient de manière très bruyante, parfois on les entendait d'ici. Toutes les deux semaines, la police débarquait pour le rappeler à l'ordre, lui. Alors le calme revenait pendant quelque temps. On ne les avait plus entendus depuis au moins deux mois quand ça s'est passé.

Jess lance un coup d'œil à Lauren.

— Et que s'est-il passé ? demande-t-elle, impatiente.

Carol enroule un torchon autour de la poignée de la bouilloire, puis verse prudemment l'eau bouillante dans une théière au motif fleuri. Lauren ne peut s'empêcher de sourire quand elle place sur le dessus un couvre-théière tricoté main. La dernière fois qu'elle a vu une chose pareille, c'était chez sa grand-mère, dans son enfance. Carol ouvre un placard et en sort une boîte de biscuits dont elle retire la cellophane.

— Une petite gâterie au chocolat ? dit-elle aux enfants qui semblent avoir atteint leur seuil de tolérance à l'ennui.

Noah lève tout de suite le bras, tandis qu'Emmy avance en se dandinant vers Carol, mains tendues.

— Non, je vous en prie, ne les ouvrez pas pour nous, proteste Lauren.

Elle est soulagée qu'ils soient bientôt occupés avec, mais sait aussi le chaos que des doigts d'enfants maculés de chocolat peuvent engendrer.

— Allons, c'est pour les ouvrir que je les ai achetés. Sinon, ils vont encore rester un an dans le placard.

Lauren sourit. À quand remonte la dernière visite qu'a reçue Carol ? Elle ne peut qu'accepter son offre avec reconnaissance.

— Et donc, à propos de ce qui s'est passé…, reprend Jess pour ramener Carol au principal.

— Ah oui ! Donc, un jeudi soir, il me semble, il y a eu cette épouvantable dispute. Nous les entendions se crier dessus, hurler, et j'ai dit à Roy que nous devrions appeler la police, mais il n'a pas voulu que nous nous en mêlions. Bref, le lendemain matin, la maison était mise sous scellés, et la pauvre Julia…

Lauren écarquille les yeux, la suppliant en silence de ne pas dire ce qu'elle redoute.

— Elle était… Elle était morte ? demande Jess d'une voix rauque.

Carol hocha la tête.

— Et lui, il s'est enfui. Personne ne l'a jamais revu.

Lauren sent son cœur se serrer.

— Donc, il s'en est tiré ? demande Jess. Et leur bébé ? Que lui est-il arrivé ? Il l'a emmené ?

Carol hausse les épaules.

— Pour le bébé, je ne sais pas. Toutes sortes d'histoires ont circulé, à l'époque. À ma connaissance, aucune n'était véridique.

Lauren voit déjà, dans les yeux étincelants de Jess, les déductions qu'elle est en train de faire. Comment elle tente de s'insérer dans l'histoire.

Elles boivent rapidement leur thé, conversent distraitement avec la vieille dame en mal de compagnie, avant de ressortir dans la fournaise de l'après-midi.

— Quel choc! murmure Lauren alors qu'elles replacent les enfants dans leur poussette. Je crois qu'on a eu les yeux plus gros que le ventre.

— Et si cela avait un rapport avec moi, malgré tout?

Lauren secoue vivement la tête.

— Si ce bébé, c'était moi?

— Mais tu n'es pas leur enfant! dit Lauren en lui tenant le portillon pour qu'elle sorte avec la poussette. Nous le savons déjà, puisque tu es ma demi-sœur biologique.

Jess hoche la tête, plongée dans ses pensées.

— Mais si j'étais l'enfant de *Julia*? Si j'étais le fruit de la liaison qu'elle a eue avec ton père? Si c'était elle que tu avais vue avec ton père?

Lauren blêmit. Même si elle *croit* qu'elle a bien vu la scène, le fait que Jess prononce ces paroles à voix haute la meurtrit.

— Son mari a peut-être découvert leur relation, poursuit Jess. Peut-être qu'il a compris que je n'étais pas de lui, et alors il l'a tuée?

— Cela fait beaucoup de «si». Sachant que la seule raison qui nous a conduites ici, c'est le vague souvenir de l'avoir vu dans le quartier avec une femme, il y a vingt ans.

— Mais il n'est pas impossible que ce soit Julia et moi que tu aies vues avec lui, insiste Jess.

— Tu ne peux pas être l'enfant de cette femme, c'est absurde. (Lauren s'efforce de prendre un ton patient.) Si c'était le cas, tu aurais disparu avec le mari quand il a pris la fuite.

— Il ne m'aurait pas emmenée, s'il savait que je n'étais pas de lui, objecta Jess.

— Dans ce cas, l'enfant aura été placé chez un membre de la famille. Elle avait peut-être une sœur qui l'aura adopté. (Lauren soupire.) Tu ne crois pas que je serais au courant, si ma famille avait été impliquée dans une histoire comme celle-ci ? Mon père aurait remué ciel et terre, s'il avait appris ce qui était arrivé à ta mère.

— Mais c'est peut-être lui qui l'a tuée.

Son ton est aussi désinvolte que si elle avait dit : « Tu veux du sucre dans ton thé ? »

Lauren ne peut s'empêcher de rire, et pourtant, elle sent son cœur se serrer brusquement, et les ondes de choc se répercuter dans sa gorge, sa tête.

— Tu n'es pas sérieuse, j'espère ?

Jess darde sur elle un regard fixe et intense.

— Pourquoi pas ?

— Mon père avait sans doute de nombreux défauts, mais ce n'était pas un meurtrier.

— Qu'en sais-tu ? Qui sait ce que chacun de nous peut faire, quand il se retrouve dans une situation critique ? Les gens ont parfois des moments d'égarement. C'est peut-être ce qui est arrivé à ton père.

— C'était une erreur de venir ici, dit Lauren. Je pensais que cela t'aiderait à en finir avec cette histoire, mais, en réalité, cela n'a fait qu'aggraver tes blessures.

Elle prend les mains de Jess dans les siennes.

— Ce n'est pas *ton* histoire. Tu as été adoptée par un couple aimant, qui t'a choyée comme son propre enfant. Pourquoi est-ce que tu ne te concentres pas sur eux ? Souviens-toi de tout ce qu'ils t'ont apporté. Ce n'est pas ici que tu vas trouver quoi que ce soit, crois-moi !

Jess hoche la tête solennellement et baisse les yeux.

— Ils étaient tout ce que je pouvais espérer et même bien plus…

— Exactement ! Ne perds jamais cela de vue.

— Jusqu'à ce qu'ils me disent qu'ils m'avaient adoptée.

Un frisson parcourt Lauren. Elle imagine l'épreuve, à la fois pour Jess et ses parents.

— Quel âge avais-tu ? demande-t-elle d'une voix douce.

Mais y a-t-il un « bon âge » pour encaisser une telle révélation ?

— Je venais d'avoir dix-huit ans.

Pour la première fois, Lauren comprend ce que l'on peut ressentir quand on apprend que tout ce qu'on tenait pour vrai ne l'est pas. Mais cela s'applique aussi à Kate. Plus de trente ans de sa vie ont volé en éclats, son amour et son respect envers son père ont été réduits en miettes. Pas étonnant qu'elle refuse de croire Jess.

— Et comment te l'ont-ils annoncé ? questionne Lauren, espérant que cela s'est passé en douceur.

Jess regarde au loin.

— Ils m'ont demandé de m'asseoir, juste avant que je parte pour la fac. Ils m'ont assuré que j'avais toujours été leur fille chérie, et que ce qu'ils allaient m'apprendre n'y changerait jamais rien.

Une larme roule sur sa joue.

Lauren a l'impression qu'on lui broie le cœur.

— Ils m'ont dit combien ils étaient fiers de la femme que j'étais devenue, et que me voir entrer à l'université avait été le rêve de toute leur vie. Mais qu'il y avait quelque chose que je devais savoir.

— Pourquoi se sont-ils finalement décidés à te le dire ?

Jess hausse les épaules.

—J'imagine qu'ils étaient inquiets que je l'apprenne par quelqu'un d'autre. Pour la première fois, je quittais le nid.

—Et toi, qu'as-tu ressenti ?

—J'étais brisée. Je ne peux expliquer quel effet cela fait de découvrir que tes parents ne sont pas ceux que tu crois. Tu dois le ressentir un petit peu, toi aussi, aujourd'hui. Pendant toutes ces années, tu as toujours cru que Harry était parfait, voire immortel, juste pour découvrir que… qu'il était différent de ce que tu avais imaginé.

Lauren sourit brièvement.

—Je n'ai jamais pensé que mon père était parfait.

—Que s'est-il passé, entre vous ? (Jess incline la tête de côté.) Je ne veux pas être indiscrète, mais je sens que tu nourris une certaine animosité à son égard.

—Nous avons eu des problèmes et une façon différente de les aborder, dit Lauren. De graves problèmes difficilement surmontables, même si nous avons essayé, surtout les dernières années de sa vie.

—Et Kate ? demande Jess. Avait-elle la même relation avec lui ?

—Ah non, alors ! Ils ont toujours été complices, ces deux-là.

—Ça n'a pas dû être facile pour toi.

—En effet. J'avais l'impression d'avoir essuyé les plâtres, d'avoir été celle sur laquelle il s'était entraîné à être père, et elle, c'était celle qui bénéficiait des leçons qu'il avait tirées des erreurs commises avec moi.

Lauren essuie des larmes qui jaillissent malgré elle de ses yeux.

—Ce qui explique pourquoi Kate n'est pas aussi ouverte que toi à l'idée qu'il ait eu une enfant illégitime, dit Jess.

— Exactement, répond Lauren en reniflant. Mais elle va devoir s'y habituer, car tu détiens la preuve irréfutable qu'il est ton père.

À cet instant, le téléphone de Jess sonne. Elle le sort de son sac.

— Excuse-moi, dit-elle en s'écartant un peu avant de prendre la communication. Allô ? (Elle marque une pause, écoutant ce qu'on lui dit à l'autre bout du fil.) Franchement, pas besoin de me le demander, reprend-elle. Tu sais que j'adorerais.

Quand elle se retourne, Lauren voit ses yeux étinceler. Avec qui peut-elle bien parler ?

— OK, poursuit-elle. Je te rejoins là-bas.

— Tu as l'air heureuse, dit Lauren une fois l'appel terminé. Ce sont de bonnes nouvelles ?

Jess hoche la tête avec enthousiasme.

Lauren lui sourit.

— Ça ne me regarde pas, mais y a-t-il un homme, là-dessous ?

— C'est un homme avec qui je travaille, dit Jess en affichant une certaine réserve. Je ne sais pas ce que ça donnera, mais…

— Mais il te plaît vraiment, fit Lauren en finissant la phrase pour elle.

Jess hoche la tête.

— Oui, mais c'est compliqué. Comme c'est mon chef, ça peut mal finir.

— Tant qu'il est attentionné et bienveillant, tu as mon feu vert.

— Il vient de me demander si je pouvais le rejoindre à Birmingham.

— Quoi ? Maintenant ?

Jess acquiesce de nouveau.

—C'est pour le travail, mais j'ai l'impression que ça va durer toute la nuit…

Lauren hausse les sourcils.

—Et ce serait une première?

Elle mime des guillemets avec les doigts.

Jess sourit.

—Oui.

Lauren sent alors, par procuration, des papillons voleter dans son ventre. Cela lui rappelle l'intensité des émotions qu'elle a ressentie autrefois pour Justin. Et que, visiblement, elle ressent encore.

—Je suis si excitée pour toi, dit-elle malgré elle.

—Et moi, j'ai le trac! Ça ne devait pas se passer comme ça, je ne suis même pas prête. Je n'ai pas de maquillage dans mon sac, ni de quoi me changer. Pas même une brosse à dents.

—Viens vite, dit Lauren en passant son bras sous celui de Jess. Redescendons à la gare. Il y a quelques boutiques juste en face. Si on se dépêche, tu pourras trouver le nécessaire.

—Je suis vraiment désolée de te quitter comme ça, dit Jess. Est-ce que ça va aller?

—Bien sûr! Ce qui m'importe, c'est que tu puisses te procurer ce dont tu as besoin.

Elles font le tour du *Sainsbury's* local comme si elles jouaient dans l'émission «Supermarket Sweep». Lauren met du savon, du déodorant et du dentifrice dans le panier de Jess pendant que celle-ci se demande quel produit donnera un effet volumineux à ses cheveux naturellement raides.

Lauren brandit un paquet de préservatifs.

—Oui ou non?

—Mince alors, dit Jess en rougissant. Je n'arrive pas à croire que tu me demandes ça.

—Je considère que la réponse est «oui», dit Lauren en les mettant dans le panier avant que Jess ne change d'avis. Mieux vaut prévenir que guérir.

Lauren a l'impression d'être plongée dans un univers étrange, où deux mondes entrent en collision. D'un côté, elle veut préserver Jess, à l'instar d'une mère, mais elle tient également, comme une meilleure amie, à ce qu'elle s'amuse.

Cet entre-deux ne représente-t-il pas précisément le statut de sœur ? se demande-t-elle non sans ironie.

—Tu seras parée comme jamais, dit Lauren, un sourire aux lèvres.

Et elle lui tend le panier rempli de produits de toilette pour toutes les éventualités.

—Mille mercis !

Sur ces mots, Jess attire Lauren dans ses bras.

—Je te revaudrai ça, ajoute-t-elle.

—Amuse-toi bien !

—Oui, répond Jess d'une voix excitée.

Lauren ne peut alors s'empêcher d'envier la vie sans entraves de Jess. Une vie qui lui permet de suivre librement ses impulsions.

Je veux être toi, pense-t-elle en la regardant partir.

Mais, parfois, il vaut mieux prendre garde à ce qu'on croit souhaiter.

26

KATE

Elm House est une imposante bâtisse victorienne en briques rouges, isolée au milieu d'un lotissement HLM tentaculaire. Le chauffeur de taxi plaisante à propos des trois kilomètres qu'elle devra parcourir à pied dans ce territoire avant la tombée de la nuit pour en sortir, parce qu'aucun taxi ne sera assez téméraire pour venir la chercher ici. Mais, voyant les enfants tourner autour d'elle sur leur vélo pendant qu'elle se dirige vers Elm House, elle se dit que, au fond, ce n'était peut-être pas une blague.

L'odeur pestilentielle qui s'échappe des poubelles débordantes lui donne la nausée. Elle retient sa respiration jusqu'à ce qu'elle arrive sous le porche, où un affreux tableau de sonnettes dépareillées n'affiche rien d'autre que des numéros d'appartements. Difficile de savoir par où commencer. Au fond, que cherche-t-elle? Qu'espère-t-elle trouver, si ce n'est Jess? Ou plutôt Harriet.

Mue par l'impression de se retrouver plongée dans sa vie antérieure, au temps où elle faisait du porte-à-porte pour obtenir des informations, elle appuie sur les trois sonnettes du haut, espérant qu'au moins un résident consentira à lui ouvrir et discuter avec elle. La porte grésille, elle la pousse et se retrouve dans le hall d'entrée.

—Qui c'est ? demanda une voix masculine au-dessus d'elle.

Kate se place sur la première marche du grand escalier qui monte sur trois ou quatre étages.

—Bonjour ?

—Qui c'est ?

Kate ne voit personne, mais elle poursuit son ascension, refusant de se laisser impressionner.

—Je m'appelle Kate et j'aimerais discuter avec vous.

—Au sujet de quoi ? Vous êtes de la police ?

—Euh… non. Je viens juste poser quelques questions à propos d'une personne qui habitait ici.

—Va te faire foutre ! répond toujours la même voix.

Et une porte claque violemment.

Sans se décourager, Kate ressort et appuie sur trois autres sonnettes. Elle a remarqué qu'il y avait quelques fenêtres ouvertes aux étages du bas, donc il doit bien y avoir quelqu'un. Malgré elle, elle se demande si elle va vraiment pouvoir se fier aux dires des personnes qui habitent ici.

De nouveau, la porte grésille. Kate se dirige cette fois vers le bas des marches, attendant que quelqu'un sorte.

Une jeune fille, à peine sortie de l'adolescence, la regarde à travers la rampe.

—Je peux vous aider ? demande-t-elle d'un ton hésitant.

—Ah oui ! Bonjour, répond Kate de sa voix la plus amicale. Je cherche une personne qui habitait ici, et je voulais savoir si je pouvais vous poser quelques questions à son sujet.

La jeune fille tire sur les manches de son gilet. Kate, qui a déjà très chaud, sent sa température intérieure monter d'un cran encore. Il doit faire trente degrés, ici.

—Je ne connais pas beaucoup de gens, dans l'immeuble, prévient-elle.

—Peut-être connaissez-vous une certaine Harriet ? demande Kate pleine d'espoir.

Sa jeune interlocutrice change furtivement d'expression avant de se ressaisir.

—Qui êtes-vous ?

—Une amie, dit Kate.

La fille hoche la tête.

—Montez.

Kate fait appel à toute la force de sa volonté pour retenir un haut-le-cœur quand une odeur fétide de légumes trop cuits, mêlée à une autre, très forte, de cannabis pénètre dans ses poumons.

—Je m'appelle Kate, dit-elle, une fois à son étage.

Et elle lui tend la main.

—Moi, c'est Finn. Entrez. Ne faites pas attention au désordre.

Des vêtements sèchent à tous les endroits de la pièce où on peut en suspendre. Soudain, Finn referme promptement un rideau de séparation. Kate a juste le temps de voir le coin d'un lit d'enfant disparaître derrière l'écran artisanal. Comment est-il possible d'élever un enfant dans un endroit pareil ? se demande-t-elle.

—Alors, Harry va bien ?

Tout en posant cette question, Finn enlève un drap en train de sécher de l'unique chaise de la pièce, puis fait signe à Kate de s'asseoir.

—Harry ? répète Kate, sidérée.

Comment cette fille connaît-elle son père ?

—Oui, Harriet.

À cet instant, Kate sent son ventre se contracter. Elle vient de prendre conscience de la similarité entre le prénom de son père et celui de l'inconnue qui prétend être sa fille. A-t-il donné son prénom à son enfant illégitime sachant qu'elle ne pourrait jamais porter son nom de famille ?

A-t-il *vraiment* eu une liaison et un enfant avec sa maîtresse ? Et si Jess était réellement sa sœur ?

Non, Harriet, Jess, ou quel que soit son nom, n'est pas la fille de mon père ! Seulement, pourquoi veut-elle à tout prix se faire passer pour sa fille ?

— J'espère que Harriet va bien, reprend alors Kate. J'essaie justement de la retrouver.

Finn la jauge, semblant évaluer si elle doit la croire ou non.

— On s'est rencontrées quand on travaillait toutes les deux à la fac, poursuit Kate. Elle m'a dit qu'elle habitait ici. Je n'ai pas de nouvelles d'elle depuis qu'elle est partie pour Londres. Je voulais juste m'assurer qu'elle allait bien.

— Moi non plus, elle ne m'a pas donné de nouvelles depuis un certain temps.

— Mais elle vous a dit où elle habitait, maintenant ?

— Je l'ai appris par des amies mutuelles. Je n'ai pas de portable. (Finn hausse les épaules.) Je n'ai pas les moyens d'en acheter un.

— Mais elle va bien ? Elle est toujours à la poursuite de son rêve ?

— J'imagine…

Finn balaie la pièce misérable du regard.

— Je suppose que, après avoir vécu ici, tout est un rêve.

— Et le bébé ? demande Kate en pointant le menton vers le rideau. C'est le vôtre ?

Finn rive sur elle des yeux écarquillés et hoche la tête.

232

—Vous ne me dénoncerez pas aux autorités, hein ? Ils ne savent pas que je vis ici.

Kate incline la tête, la journaliste en elle toujours prête à bondir.

—Que voulez-vous dire ?

—Une fois que j'ai eu mon bébé et mes dix-huit ans, j'ai dû quitter le foyer d'accueil. Harry a accepté que je vienne vivre ici avec elle, afin qu'elle puisse garder un œil sur moi.

—Dans ce studio ? Vous viviez à trois dans une pièce ?

Kate scrute alors l'appartement. Le grand lit, le four, le réfrigérateur et la chaise sur laquelle elle est assise occupent tout l'espace disponible.

—Le rideau aide, dit Finn, comme s'il s'agissait d'un luxe. Cet endroit est un palace comparé à notre dernier foyer d'accueil.

—Vous avez été placée pendant quelque temps ?

Finn hoche tristement la tête.

—La plus grande partie de ma vie. J'ai été adoptée à l'âge de deux ans, c'est là que j'ai connu Harriet, chez les Oakley. Ils l'ont adoptée en même temps. Elle a quatre ans de plus que moi, donc elle est devenue la grande sœur que je n'avais pas.

—Et aucune de vous ne connaît ses parents biologiques ?

Par cette question qui les englobe toutes les deux, Kate espère que Finn ne trouvera pas la question étrange.

—Non. On a toutes les deux été confiées à l'adoption dès la naissance, dit Finn.

Kate pousse en silence un soupir de soulagement. Si son père est vraiment celui de Jess, au moins, il n'a pas mené une double vie. Elle se déteste d'avoir douté de lui.

—On a été placées assez vite, et on croyait que tous nos vœux avaient été exaucés quand les Oakley nous ont pris chez eux, mais ça n'a pas été le cas.

— Pourquoi ? Que s'est-il passé ?

— Notre père, Bill, est tombé gravement malade un an plus tard. Il avait un cancer des poumons au stade terminal, et, après sa mort, sa femme, Patricia, a fait une dépression.

— Oh, je suis vraiment désolée ! Ça a dû être affreux.

Finn hoche la tête.

— Heureusement, j'avais Harry, et après ça, elle a toujours veillé sur moi. On est restées dans la même famille d'accueil jusqu'à ses dix-huit ans. Ensuite, elle s'est installée ici.

— Et cet endroit, c'est une sorte de foyer pour jeunes femmes ?

— Oui, c'est censé nous mener vers une vie indépendante, mais, une fois qu'on habite ici, on peut rarement en partir.

— Sauf si on est Harriet, dit Kate.

Finn sourit.

— Sauf si on est Harriet, répète-t-elle.

Soudain, son visage s'assombrit.

— Ils ne savent pas qu'elle est partie. Vous ne leur direz pas, hein ? Ils me jetteraient dehors s'ils l'apprenaient, et elle aurait des ennuis.

Kate ressent de la compassion pour Finn, mais pas pour Jess. Pourquoi plaindrait-elle celle qui a déboulé sans prévenir dans sa vie, pour la chambouler complètement ? Qui n'a raconté que des mensonges ? Qui semble avoir pour unique but d'infliger le plus de peine et de douleur possible.

— Et donc, quel est ce rêve qu'elle poursuit à Londres ? demande Kate d'un ton désinvolte.

— Oh, elle a de grandes ambitions ! s'exclame Finn avec un sourire en plissant les yeux. Elle a trouvé un super job, un nouveau petit ami... Comme vous le savez sans doute, Harriet met toujours tout en œuvre pour obtenir ce qu'elle veut...

Kate lui adresse un sourire tendu.

— Et, en général, ça marche, ajoute la jeune fille en riant.

Involontairement, Kate frissonne. En l'occurrence, c'est dans sa famille que Jess compte trouver ce qu'elle cherche. Quoi que ce soit.

27

LAUREN

Lauren est sous la douche, du shampoing dans les yeux, quand son téléphone lui annonce l'arrivée d'un message. Elle saisit la serviette posée sur la paroi en verre afin de se frotter les yeux. Le savon la brûle toujours lorsqu'elle tend le bras hors de la cabine pour prendre son téléphone là où elle l'a laissé, c'est-à-dire en équilibre sur le lavabo. Comme elle ne le trouve pas, elle ouvre un œil pour vérifier où il est. Pas où elle pensait, visiblement.

— Qui est Sheila ? demande Simon.

Elle remet immédiatement la tête sous la pomme de la douche pour gagner du temps. Merde !

— Pardon ? dit-elle de façon aussi nonchalante que possible.

En réalité, elle a l'estomac contracté.

— Sheila te demande si tu es libre demain soir.

Le ton de sa voix est lourd de cynisme.

Lauren règle le thermostat sur froid, espérant que cela va lui provoquer un choc qui remettra son cerveau en marche.

— Une seconde, dit-elle.

Et elle rince les dernières traces de shampoing.

Elle est brusquement privée du temps supplémentaire dont elle pensait disposer quand Simon coupe le mitigeur et lui tend une serviette.

—Voyons voir, ajoute-t-elle.

Elle tend la main, les cheveux encore ruisselants d'eau.

Simon place le portable d'un geste déterminé dans sa paume, son contenu pesant plus lourd que l'appareil lui-même. Planté devant elle, il l'observe, immobile. Le message s'affiche à l'écran :

Demain soir ?

—Oh, c'est Sheila, une collègue.

—Une collègue de l'hôpital ?

Elle doit réfléchir vite, mais elle se sent déstabilisée et vulnérable, sans vêtements.

—Oui, une des filles voulait savoir si l'une d'entre nous pouvait la remplacer.

—Mais tu es en congé parental, répond Simon d'un ton bourru.

—Je sais, c'est juste un message qu'on se fait passer, et je dois toujours être sur la liste. Apparemment, Sheila vérifie que le remplacement est bien pour demain soir.

—Tu ne m'as jamais parlé de cette Sheila, dit Simon, l'air soupçonneux.

—Elle est arrivée au moment où je partais, dit Lauren.

Et elle se couvre le visage avec une serviette, tout en s'essuyant les cheveux. Il est plus facile de lui mentir quand il ne la regarde pas droit dans les yeux.

—Elle était là pour ton pot de départ ?

Lauren passe rapidement en revue les sages-femmes assises autour de la table, au pub. Il les connaissait toutes, à part deux, et il avait mis un point d'honneur à leur faire un brin de causette quand il était venu la chercher, une heure plus tôt que prévu.

— Je ne crois pas, dit-elle prudemment.

— Il serait peut-être bon que tu signales à la personne qui t'envoie ce message que tu ne fais plus de gardes supplémentaires. D'ailleurs, je vais m'en charger.

Et, du pouce, il commence à taper un message. Lauren veut alors se saisir de son portable.

— Waouh ! dit Simon en reculant et en le maintenant hors de sa portée. Pourquoi tu es si susceptible ?

Il se trompe. Elle sait bien qu'elle a effacé tous les messages que « Sheila » lui a envoyés, ainsi que toutes ses réponses. Mais elle a malgré tout un doute, et, aussi minuscule soit-il, si Simon en voyait un, ce serait la catastrophe.

Elle se sent devenir brûlante en repensant à son dernier échange avec Justin :

Sheila : J'ai besoin de te voir.

Lauren : J'arriverai peut-être à me libérer jeudi soir.

Sheila : Vraiment ?

Lauren : Je ne peux rien te promettre, mais je vais essayer.

Sheila : Je n'arrête pas de penser à toi.

Lauren : Je te dirai si c'est possible.

Sheila : Ne me fais pas languir trop longtemps.

Peu importe l'angle sous lequel elle le considère, la façon dont elle se le repasse, il lui serait impossible d'en faire une conversation innocente entre deux collègues. Elle sait pourtant que ces messages ne sont plus dans son portable, mais ce simple souvenir la pousse à vouloir le lui prendre des mains.

—Donne-le-moi, dit-elle en tentant de nouveau de le saisir.

—« La dame proteste trop, pense-t-il ».

Et il baisse un peu le portable pour relire le message tandis que Lauren tire avec détermination sur sa manche.

—Qu'est-ce qu'il y a là-dedans qui t'inquiète tant ?

—Rien, dit-elle en cessant soudain de lutter. (En fait, cela ne fait que piquer son intérêt.) C'est mon téléphone, il m'appartient.

—C'est moi qui paie l'abonnement, non ? Donc ce téléphone m'appartient autant qu'à toi.

Bon sang, comme elle déteste lui être redevable, en ce moment ! Plus vite elle reprendra le travail, mieux ce sera.

—Y a-t-il des choses dans cet appareil qui ne devraient pas s'y trouver ?

Et il l'agite alors hors de sa portée. Elle se fait violence pour ne pas réagir.

—Non, dit-elle en s'enroulant dans la serviette.

D'un pas vif, elle sort de la salle de bains. Elle se heurte l'orteil contre lame de plancher qui dépasse et pousse un hurlement de douleur. Il suffirait que Simon pose sur le parquet le rouleau de moquette debout dans l'angle depuis six mois. Mais ce n'est pas le moment de lui redemander. Demain, elle ira peut-être chercher une chute de moquette, en attendant.

—Donc, ça t'est égal que je regarde tes messages ?

Elle a les oreilles en feu.

—Absolument.

Il la suit en fredonnant et fait défiler du pouce ses contacts et ses messages. Sa haine pour lui augmente à chaque seconde. Soudain, le téléphone signale l'arrivée d'un autre message. Elle a l'impression que sa vessie va la lâcher. Haussant les sourcils, il le lit.

—Intéressant.

Elle est en alerte maximale… Justin a-t-il justement choisi ce moment pour lui déclarer son amour éternel ? Ou bien est-il entré dans des détails très intimes sur ce qu'il aimerait lui faire ? Ce n'est pourtant pas son genre. Elle frissonne, plus de peur que de désir.

Simon darde sur elle des yeux insistants, mais elle ne lui donnera pas la satisfaction de lui montrer à quel point elle est terrorisée. Elle ne demandera pas non plus qui envoie le message, ni ce qu'il dit.

—« Bien arrivée à Birmingham, lit alors Simon. Merci pour aujourd'hui. J'espère que tu es rentrée sans problème. »

Elle en pleurerait de soulagement, mais le répit est de courte durée. Elle comprend qu'elle va maintenant devoir s'expliquer sur son emploi du temps de la journée.

—Où es-tu allée pour qu'on espère que tu es rentrée sans problème ?

Lauren aurait tant aimé que cette conversation lui soit épargnée. Elle n'a aucune envie d'expliquer ou de justifier ses actes. Même s'il n'était pas exclu que Noah parle à son père de tous les trains qu'il avait pris, puisqu'il avait passé la journée à jouer le Gros Contrôleur de *Thomas et ses amis*.

—J'ai fait une excursion avec Jess et les enfants.

—Où ?

—À Harrogate. Pour lui montrer où j'ai grandi.

Elle arrange un peu la vérité. C'est plus facile ainsi. Il lui posera moins de questions, et sa vie en sera moins stressante.

—Tu connais la passion de Noah pour les trains, poursuit-elle avec un sourire forcé. Il a adoré.

Simon hausse les épaules et lui rend à contrecœur son portable.

— Tu as bien compris, j'espère, que si tu fais quelque chose que tu ne devrais pas faire, je m'en rendrai compte.

La menace pèse lourd sur les épaules de Lauren. Si son histoire avec Justin va plus loin, il lui faudra adopter une nouvelle stratégie.

Mais elle n'ira pas plus loin ! Il faut que cette affaire cesse. Sur-le-champ.

Pendant qu'elle débat avec elle-même, elle se rend compte que si Simon travaille demain soir, elle *pourrait* voir Justin. Ne serait-ce que pour lui dire adieu. Mais, quelques secondes plus tard, son monde imaginaire se fracasse sur la réalité. En effet, sans baby-sitter, elle est coincée à la maison.

— À tout à l'heure, lance Simon en descendant l'escalier.

Elle ne savait même pas qu'il sortait.

— Au revoir, alors, murmure-t-elle au moment où il claque la porte d'entrée derrière lui.

Toute la maison en tremble.

Elle se fait rapidement un chignon, enfile un tee-shirt et un legging, et s'empresse de reprendre son téléphone.

Elle écrit à Sheila :

Peut-être.

Où ?

La réponse a fusé.

Elle ne veut pas faire la même chose que la dernière fois. Ils avaient été obligés de se réfugier dans les recoins sombres, et elle avait passé son temps à s'inquiéter qu'on les démasque.

Chez toi ?

Mais elle se ravise, supprime le message et pianote sur l'écran en réfléchissant intensément. Mais, bon sang, à quoi pense-t-elle ? Comment peut-elle imaginer un nouveau rendez-vous avec Justin ? Et prendre le risque d'aller chez lui ? Elle va vraiment s'attirer des ennuis. De toute façon, elle n'a personne pour garder les enfants.

Pourtant, malgré tout, au fond d'elle, elle ressent un petit picotement. Elle serait tellement heureuse de le revoir une dernière fois. D'un air absent, elle fait défiler ses contacts pour voir à qui elle pourrait éventuellement confier les enfants.

C'est peine perdue, pense-t-elle.

Mais, tout à coup, la réponse s'impose à elle.

Elle tape rapidement un message, puis hésite, le pouce juste au-dessus du bouton Envoi. Quand elle entend le bruit qu'il fait en partant, elle se demande si c'est bien elle qui a appuyé !

—Allez, réponds, marmonne-t-elle comme une possédée, son téléphone à la main. Dis quelque chose !

Jess lui répond aussitôt :

Avec plaisir. À quelle heure ?

Incroyable !

20 heures, ça t'irait ?

Parfait. À très vite.

Elle expire enfin l'air qu'elle retenait dans ses poumons en regardant son écran, saisie par le texte qui apparaît lentement, comme par magie, sur son écran, sous ses doigts.

243

C-H-E-Z s'affiche sans qu'elle ait la sensation d'avoir tapé le mot. C'est comme si elle était sortie d'elle-même et se regardait.

T-O-. À chaque lettre, elle a l'impression de tomber un peu plus profondément au fond d'un trou, entraînée par un vortex auquel elle ne veut pas qu'on l'arrache. Elle a pourtant encore le temps de changer d'avis, si elle en a envie, mais elle sait qu'elle n'en fera rien. I, ajoute-t-elle avant d'envoyer le message et de se plaquer la main sur les yeux.

Elle regarde les trois points courir sur l'écran avec impatience, sachant que Justin est en train de lui répondre. Tout à coup, les trois points disparaissent, et elle est mortifiée. Elle est allée trop loin. Il va penser qu'elle a l'habitude de tromper son mari. Il ne voudra plus la revoir, maintenant.

J'ai hâte.

Sa réponse vient de zébrer l'écran.
Son ventre en fait un saut périlleux.

28

KATE

Dans le train qui la ramène à Londres, Kate est en effervescence. Elle a l'impression d'avoir un peu repris le contrôle de la situation, maintenant qu'elle détient la preuve que Jess n'est pas celle qu'elle affirme être. Elle ne doit surtout pas l'appeler Harriet, car ce serait la preuve qu'elle en sait plus qu'elle ne doit. En revanche, elle doit réfléchir attentivement à la façon dont elle va utiliser cette information. Derrière la vitre, elle regarde les plaines de New Forest disparaître, aussitôt remplacées par un complexe industriel quand le train traverse River Test, direction Southampton.

Son téléphone vibre sur ses genoux. C'est Matt! Elle décroche, oubliant momentanément où elle est. Dès qu'elle l'entend lui demander où elle se trouve, son cœur se serre.

— Je t'ai cherchée partout, poursuit-il.

Elle jette un bref coup d'œil à sa montre, comme si l'heure pourrait lui fournir une justification sur l'endroit où elle se trouvait.

— J'ai appelé au bureau, mais on m'a dit que tu n'étais pas venue. Tout va bien? Comment te sens-tu?

Le son que fait le train en roulant à toute vitesse sur les rails est reconnaissable entre mille. Malgré tout, elle va tenter de s'en sortir sans préciser où elle est.

—Mieux, dit-elle, répondant au moins à une de ses questions. J'ai un peu travaillé ce matin, puis je suis sortie faire une promenade, à l'heure du déjeuner. Et cet après-midi, je me sens très bien, comme ça ne m'est pas arrivé depuis longtemps.

Elle ne lui ment pas sur toute la ligne. À un moment, tout cela s'est produit, aujourd'hui.

—Parfait, répondit-il avec enthousiasme. Et maintenant, où es-tu? À la maison?

—En train de rentrer, élude-t-elle. Et toi, ta journée?

—Un boulot de dingue, répondit-il. Et elle est loin d'être terminée: le Premier Ministre ne donnera sa conférence de presse que ce soir, et il a accepté un entretien à deux juste après.

—Au téléphone?

—Non, en personne.

Kate pousse un grognement.

—Oui, comme tu dis, soupire Matt. Donc je saute dans un train pour Birmingham après le travail.

—OK, dit Kate déconcertée.

Malgré tout, elle est habituée elle aussi à tout laisser en plan au dernier moment. Cela fait partie du métier.

—Bon, je te tiens au courant. Oh, à propos, Kate, n'oublie pas de lire notre double page centrale, après-demain!

—OK. Pourquoi?

—Je t'avais dit que la nouvelle avait une sacrée intuition, non?

Kate a l'impression qu'on vient de lui comprimer les poumons.

—Et alors?

—Elle a flairé un truc qui pourrait t'intéresser.

—C'est-à-dire?

—Elle a suivi quelqu'un qui avait utilisé ces fameux sites de généalogie génétique pour retrouver des membres perdus de sa famille.

Involontairement, elle frissonne, et son sang se glace.

—Et... qui a-t-elle trouvé?

—Une femme qui a retrouvé sa sœur en mettant en ligne son ADN – comme Lauren et cette fille.

Kate sent ses mâchoires se contracter. Des coups résonnent subitement dans sa tête... Elle imagine les photos de Jess et Lauren exposées au regard des cinq millions de personnes qui lisent *L'Écho* tous les jours. Auraient-elles été stupides à ce point? Kate ne prendrait pas les paris.

—La petite m'a promis que ce serait une histoire épatante.

«La petite»? Si elle était d'humeur conciliante, elle admettrait que c'est une expression qu'il a déjà employée, mais, en l'occurrence, elle lui laisse un arrière-goût amer dans la bouche.

Dans sa tête, le bruit s'amplifie, comme des percussions qui montent en puissance. Elle a l'impression que l'accélération des événements lui échappe.

—Tu ne peux pas sortir cet article, dit-elle alors.

—Quoi? Et pourquoi?

—Parce que... Parce que demain on publie un article similaire.

—Merde alors! Non, tu plaisantes?

Elle déteste lui mentir. En ce qui concerne le travail, ils ont toujours trouvé des arrangements pour ne pas marcher sur les plates-bandes de l'autre. Mais, en l'occurrence, c'est différent. C'est d'ordre personnel.

—Non, désolée. J'ai proposé le sujet en conférence, ce matin, et l'équipe de rédaction s'en est emparée. Leur article est plus percutant que celui de «la petite», désolée.

—Et de quoi parle-t-il? demande-t-il en soupirant, sans relever sa pique.

—Euh… Je ne peux vraiment rien te dire.

—Tu es sérieuse?

Elle doit réfléchir vite.

—Nous avons un témoin dont une parente a été inculpée pour infraction, aux États-Unis, dit-elle en se mordant la lèvre. C'est son ADN qui a permis à la police de remonter jusqu'à elle.

Elle se déteste pour son mensonge.

Matt expire bruyamment.

—Ah bon? Et on l'autorise à parler à la presse?

—Apparemment.

Kate croise les doigts pour qu'il morde à l'hameçon.

—Et tu le sors demain, c'est certain?

—Mouais. Désolée.

—OK. J'attends donc de voir, mais je te préviens, s'il n'est pas publié demain, j'imprime le mien après-demain.

—Cool, dit-elle, reconnaissante des vingt-quatre heures supplémentaires à sa disposition pour stopper l'affaire.

—Tu es une chieuse de première catégorie, tu le sais?

Kate émet un sourire forcé.

—Tu ne m'aimerais pas si j'étais autrement.

Quand elle descend à Waterloo, elle se retrouve happée par la foule qui sort du travail. Si elle n'avait pas une chose urgente à régler, elle adorerait faire une petite promenade le long de South Bank. Elle regrette tant de ne pouvoir profiter de cette soirée si agréable. Écouter par exemple un des nombreux musiciens de rue qui espèrent être le prochain Ed Sheeran.

Kate achète toujours les CD gravés maison qu'ils proposent à la vente dans l'étui de leur instrument, notamment parce qu'elle veut soutenir les talents qui ont du mal à percer. Même si une petite part d'elle se plaît à penser qu'un jour elle possédera l'enregistrement rare d'une superstar internationale.

À cette pensée, elle sourit, mais, tout à coup, la réalité la rattrape et elle a envie de hurler.

Il faut absolument qu'elle empêche la parution de l'article dans *L'Écho*, sans quoi sa famille sera anéantie.

29

LAUREN

Lauren vient de mettre Jude au lit quand la sonnette retentit. À 22 heures, la seule personne qui puisse sonner à la porte, c'est Simon qui a oublié ses clés. Jetant un coup d'œil furieux par la fenêtre de sa chambre, elle est stupéfaite de voir Kate devant sa porte, en bas. Après sa journée épuisante, elle n'avait vraiment pas besoin de cette visite maintenant !

— Bonjour, dit-elle d'un ton prudent en ouvrant la porte.

— Il faut que je te parle, lance Kate avant même d'entrer dans le vestibule.

Lauren devrait probablement lui parler de certaines choses, elle aussi, mais ce soir elle est fatiguée.

— On ne peut pas remettre cette discussion à demain ?

Et elle regarde avec insistance l'heure sur son téléphone.

— C'est à propos de Jess, je dois te dire quelque chose, répond Kate sans transition.

Visiblement, ça ne peut pas attendre. Lauren ne peut s'empêcher de lever les yeux au ciel.

— Franchement, Kate, tu ne peux pas mettre cette affaire sur le bouton pause ?

—J'ai fait des recherches sur elle, figure-toi, dit sa sœur d'un ton presque triomphant. Et elle n'est pas celle qu'elle prétend être.

—Je crois qu'elle-même ignore qui elle est.

—Non, tu ne comprends pas. Elle ment. À toi, à moi, à tout le monde. Jess Linley n'est même pas son vrai nom. C'est une usurpatrice.

Lauren manque de s'écrouler. Comme si ces mots tranchants venaient de couper les ficelles qui la maintenaient debout. Non, elle ne veut pas le croire. Elle *refuse* d'y croire.

—Je suppose que tu as recouru à tes méthodes éthiquement douteuses pour trouver ça, dit Lauren, espérant pointer un maillon faible.

Il ne fait nul doute que Kate croit détenir une information en béton.

—Et alors? On sait maintenant que Jess est en train de manigancer quelque chose. Tu ne devrais pas lui faire confiance, mais lui battre froid, il en est encore temps. Elle se joue de nous.

—C'est quoi ton problème, Kate?

—*Mon* problème? Mais c'est toi qui prends tout ce qu'elle raconte pour argent comptant!

—Tu as donc changé à ce point? Tu te méfies désormais de tout, tu ne crois plus personne. (Lauren émet un rire faux.) Tu sais quoi? poursuit-elle. Je croyais que, par ton métier, tu étais une meilleure personne que moi. Que les gens importants que tu côtoyais déteignaient sur toi, en quelque sorte. Mais, finalement, je suis contente d'être qui je suis, parce que tout ce que ton travail a réussi à faire, c'est te rendre méfiante et égocentrique. Tu es désormais incapable de voir la bonté chez quelqu'un.

— Je suis journaliste, dit Kate d'un ton cinglant. Je recherche la vérité, et si tu te sens menacée, c'est ton problème.

— Bref, ce que tu *penses* avoir découvert a sans doute une parfaite explication.

— Ça oui! (Kate laisse fuser un rire amer.) Jess a de nombreuses raisons de nous mener en bateau. Pour commencer, elle a obtenu un poste avec un CV bidon.

Ces mots envoient un coup au cœur à Karen. Non seulement pour le scoop, mais aussi parce qu'elle n'a pas encore bien compris quel est le métier de Jess. Tout ce qu'elle sait, c'est qu'elle a un job qu'elle adore, à Canary Wharf. Elle a honte de s'apercevoir que Kate a une longueur d'avance sur elle, en la matière.

— Et pourquoi aurait-elle fait ça?

— Bonne question! Elle prétend avoir un diplôme universitaire.

— C'est exact.

— Sauf qu'elle n'a pas étudié à la faculté qui figure sur son CV. Elle y a travaillé. (Kate émet un rire cynique.) À la cafétéria.

À ces mots, un sentiment de soulagement submerge Lauren. Il est évident que Kate ne détient pas les bonnes informations.

— Mais non, ce n'est pas Jess! Elle a obtenu son diplôme avec mention très bien.

— Ah bon? C'est ce qu'elle t'a raconté? rétorque Kate avec un bref sourire.

Lauren se fait l'impression d'un lapin pris dans les phares d'une voiture. Elle préfère largement croire que Jess lui a dit la vérité, plutôt qu'avouer à Kate qu'elle a été roulée dans la farine.

— Pourquoi as-tu tant de mal à croire les autres sur parole? demande Lauren. À accepter que ce soit la fille de papa?

—Parce que, pour moi, elle ne l'est pas.

Lauren lève de nouveau les yeux au ciel, puis se dirige vers son ordinateur, posé sur l'accoudoir du canapé. Elle appuie sur quelques touches avant de tourner l'écran vers Kate. Qui ne peut vraiment pas nier que la première concordance qui s'affiche sur la page du compte qu'elle s'est créé, sur le site de généalogie génétique, c'est «Jessica Linley – demi-sœur»!

—Tu es contente, maintenant? Quelle preuve supplémentaire te faut-il pour admettre que papa n'était pas celui que tu croyais?

—Cela ne prouve pas qu'elle est sa fille.

—Mais, bon sang, Kate! Quelle autre possibilité y a-t-il?

—Une, répond alors sa sœur en plongeant son regard dans le sien.

Lauren en demeure bouche bée. Honnêtement, sa sœur est vraiment en train de lui suggérer que...

—Tu es si prompte à juger papa, à penser que c'est lui qui a été infidèle... Il ne t'a jamais traversé l'esprit que Jess pouvait être l'enfant de *maman*?

Eh oui, c'est bien ce que Kate pense!

Lauren secoue la tête, sidérée par l'attitude de sa sœur.

—Tu n'es pas sérieuse, dit-elle d'un ton à peine audible. Tu es à ce point déterminée à conserver intacte la précieuse mémoire de papa? Jusqu'à prétendre que c'est maman la fautive?

—Je dis juste que les chances sont à cinquante-cinquante, répond Kate sans se démonter. Pourquoi es-tu si prompte à éliminer maman?

—Parce que c'est... c'est absurde! s'écrie Lauren ayant retrouvé sa voix. Comment pourrait-elle pu cacher une grossesse, un accouchement, un enfant...?

—Certaines grossesses ne se voient pas, dit Kate du tac au tac, comme si elle y avait déjà réfléchi. Le bébé est peut-être né prématurément...

—Admettons qu'elle soit parvenue à nous le cacher. Je ne vois vraiment pas comment papa aurait pu ne pas être au courant, enfin !

Mais il est évident que Kate a également pensé à cette objection.

—Peut-être, mais s'il savait que cet enfant n'était pas le sien... qui sait quel genre d'arrangement ils avaient passé, tous les deux ?

Lauren écarquille de grands yeux affolés.

—Faire adopter le bébé ? demande-t-elle, incrédule. Tu crois vraiment qu'ils en seraient arrivés à de telles extrémités pour cacher cette histoire ?

—Tu serais surprise de découvrir jusqu'où maman est prête à aller pour maintenir l'unité de cette famille.

—C'est insensé, dit Lauren en se grattant nerveusement le crâne. Tu es insensée.

À cet instant, une clé tourne dans la serrure de la porte d'entrée.

—Qu'est-ce que vous complotez, toutes les deux ? demande Simon en entrant, l'air dédaigneux.

—Rien.

Et, aussitôt, elle a conscience d'avoir répondu bien trop vite pour être innocente.

—J'imagine qu'elle te raconte son excursion.

Kate adresse un regard interrogateur à Lauren.

—Non !

Lauren espère que cette réponse va l'arrêter net et qu'il n'en dira pas davantage. Elle n'a vraiment pas besoin de se mettre Kate encore plus à dos.

—Pourquoi tu n'y es pas allée, toi aussi? demande-t-il alors à Kate.

Et Lauren a beau lui faire de gros yeux, il poursuit:

—Ç'aurait été une excursion familiale idyllique.

—Où es-tu allée? questionne Kate.

—Euh… J'ai vu Jess, aujourd'hui.

Et elle fait mine de ne pas voir la fureur qui affleure sur le visage de Kate.

—Ah bon? Et pourquoi?

Pourquoi a-t-il fallu que Simon s'en mêle?

—On est allées faire un tour, c'est tout.

—Jusqu'à Harrogate, quand même, précise Simon.

Kate la gratifie d'un regard noir, et elle sent la panique l'envahir de nouveau. Elle cherche à reprendre sa respiration.

—Harrogate?

—Mmm.

Un silence menaçant flotte lourdement dans l'air pendant quelques secondes. Puis Simon ricane en disant:

—Un peu délicat, n'est-ce pas?

Et il s'écroule sur le canapé.

Le visage rouge de colère, Kate demande:

—Tu peux m'expliquer ce que Jess et toi faisiez à Harrogate?

—Eh bien… Euh… On est allées vérifier deux ou trois choses.

Elle entraîne alors Kate dans la cuisine.

—Elle avait une journée de congé, aujourd'hui, alors on s'est dit que c'était une bonne occasion. Mais, finalement, elle a dû retourner au travail, pour traiter une urgence, donc notre excursion a été écourtée.

Elle est parfaitement consciente qu'elle parle pour ne rien dire, dans le but de minimiser les faits.

Mais Kate ne la lâche pas du regard.

—Et qu'avez-vous découvert, toutes les deux, là-bas? demande-t-elle d'une voix tendue.

Lauren hausse les épaules. Ce n'est vraiment pas le moment de révéler ce que Carol leur a dit. D'autant que ce ne sont pas des informations déterminantes.

—Pas grand-chose.

—Peut-être que, si tu m'avais invitée, je t'aurais évité le déplacement, dit Kate d'un ton cinglant. Je t'aurais dit que Jess n'est pas celle que tu crois.

Lauren grince des dents. Elle refuse de croire Kate.

—Et maintenant, où est-elle? Je suis surprise que tu ne lui aies pas proposé de venir dîner chez toi avec les enfants. Pour qu'ils fassent mieux connaissance avec leur nouvelle tata, lance-t-elle d'un ton sarcastique.

—Comme je te l'ai dit, elle a été appelée par son travail pour une affaire urgente.

—Quelle affaire?

Franchement, qu'est-ce que ça peut bien lui faire? se demande Lauren.

—Son chef lui a demandé d'aller à Birmingham avec lui.

30

KATE

Kate s'appuie au mur pour garder l'équilibre, tandis que les paroles de Lauren résonnent en boucle dans sa tête.

Au fond d'elle, elle a été soulagée de voir sur l'écran de Lauren la preuve du lien biologique qui l'unit à Jess, rassurée sur le fait que sa sœur n'est pas complice de cette aventurière, qu'elles ne se sont pas liguées contre elle. Parce que, dans ses moments les plus sombres, c'est ce qu'elle a redouté.

Mais, en mentionnant Birmingham, Lauren a ravivé sa méfiance. Celle-ci est-elle consciente de la mèche qu'elle vient d'allumer ? En tout cas, elle n'en montre rien.

— Qu'est-ce qu'elle est allée faire à Birmingham ? demande-t-elle d'une voix rauque.

— Je t'ai dit, c'est pour le travail.

Lauren affiche un petit sourire et ajoute :

— Mais j'ai un peu l'impression que c'était un stratagème de la part de son chef.

Kate est prise de vertige et doit aussi lutter contre une bouffée de chaleur qui menace de la submerger entièrement.

— Ah ouais !

C'est tout ce qu'elle parvient à répondre, d'un ton aussi désinvolte que possible. Cela dit, si Lauren la connaît bien, elle ne devrait pas être dupe.

— Moi aussi, j'ai l'impression qu'il y a anguille sous roche, renchérit sa sœur. Elle avait l'air plutôt excitée...

Lauren continue de parler, mais Kate voit juste ses lèvres bouger : elle n'entend plus rien – ses oreilles sont momentanément hors service, comme pour la protéger de la vérité.

— Il faut que j'y aille, déclare-t-elle soudain, interrompant sa sœur. On se reparle plus tard.

À peine s'est-elle assise dans sa voiture que les larmes jaillissent. Elle contracte fortement la gorge pour empêcher le déluge qu'elle pressent, tandis que la dure vérité s'impose à elle. L'écran de son téléphone est complètement flou quand elle tape dans Google : « où a lieu la conférence de presse du Premier Ministre, aujourd'hui ? » Au fond, Matt a peut-être dit « Brighton » ou « Bolton » ? Ou encore « Burnley » ? Elle se raccroche à tout ce qu'elle peut : elle ne veut pas qu'il soit au même endroit que Jess ! Un sanglot lui échappe quand « Birmingham » s'affiche dans tous les résultats de la recherche.

Elle ne se rappelle pas comment elle est arrivée là, mais, soudain, elle se retrouve au Blackwall Tunnel, qui relie les deux rives de la Tamise à l'est de Londres. C'est aussi le trajet le plus direct pour aller chez Jess. L'adresse qui figure sur son CV est restée gravée dans sa mémoire.

Lorsqu'elle s'arrête devant l'alignement de commerces peu amènes, elle ne remarque même pas leur état de délabrement, ni les silhouettes encapuchonnées qui attendent leur plat à emporter devant le traiteur chinois. Tout ce qu'elle voit, c'est le numéro 193, sa seule préoccupation étant de trouver un moyen d'entrer. Elle appuie sur les quatre sonnettes, attend pendant ce qui lui semble une éternité avant que quelqu'un descende l'escalier.

—Salut, dit un homme avec des dreadlocks, cigarette roulée aux lèvres.

Il lui tend un billet de vingt livres avant de se raviser.

—Vous n'avez pas la pizza?

Kate lève les bras et lui adresse un regard contrit.

—Non, désolée. Je viens voir Jess, de l'appartement C.

—Ah, merde! marmonne-t-il.

Puis il pivote sur ses talons et remonte l'escalier.

—Jess, c'est moi, dit-elle en frappant, pour donner le change.

Elle attend que le voisin du dessus ait refermé sa porte avant de sortir la clé en croix qu'elle a prise dans le coffre de sa voiture et glissée dans son sac. Calant une des clés en tube entre le chambranle et la serrure peu solide, elle exerce une pression jusqu'à ce que la porte cède. Elle la pousse d'un coup d'épaule et entre.

Elle inspecte rapidement l'appartement. Les quatre portes donnant sur le corridor sont fermées. Elle ignore ce qu'elle cherche, mais elle sait qu'elle ne trouvera rien derrière la première, vitrée, qui ouvre sur une salle de bains. La deuxième donne sur le salon, et, pour sa part, si elle avait quelque chose à cacher, ce ne serait pas dans cette pièce. Elle a l'estomac noué, les nerfs en pelote. En général, elle n'est dans cet état que lorsqu'elle se trouve dans le cabinet du docteur Williams.

La pièce suivante, avec la garde-robe remplie de vêtements féminins et des effets personnels placés sur le dessus d'une commode dépareillée, est de toute évidence la chambre de Jess. Immédiatement, elle porte les yeux sur une brosse à cheveux et sort un mouchoir de son sac pour en prendre quelques-uns. Avec les fragments d'ADN qu'elle a déjà subtilisés chez ses parents, il sera possible d'établir une fois pour toutes de qui Jess est la fille.

Elle ouvre ensuite les tiroirs un à un, fouillant furtivement leur contenu. Elle déplace des pulls, des hauts, des sous-vêtements… Dans quel but, au juste ? Que recherche-t-elle donc qui lui apportera la réponse à toutes les questions qui résonnent dans sa tête ? Du type : pourquoi Jess a-t-elle ciblé Matt et est de toute évidence en train de l'embobiner par une succession de mensonges ? Pourquoi Jess s'est-elle appliquée à faire croire à Lauren qu'elle est la fille de leur père ? Pourquoi elle, Kate, est-elle le dénominateur commun entre ces deux personnes que Jess a choisi de prendre dans ses filets ?

Cette dernière question la surprend elle-même, comme si elle venait de faire le lien. Elle se laisse lourdement tomber sur le lit et se met à hurler en donnant des coups sur le matelas :

— Mais putain, qu'est-ce qui se passe ?

Elle reprend plusieurs fois sa respiration, s'ordonnant de rester calme et de penser de façon logique. La correspondance entre les échantillons d'ADN a-t-elle été falsifiée ? Kate sait bien que l'éventualité n'est pas à exclure, même si Lauren est totalement aveugle face à la duplicité de Jess. Celle-ci aurait parfaitement pu se procurer son ADN à elle, Kate, si elle l'avait voulu. À partir d'une bouteille d'eau jetée à la poubelle ou d'un sandwich à demi mangé. Qui sait ? Elle aurait même pu s'introduire dans son appartement et dérober quelque chose. Kate frissonne à la pensée de Jess fouillant dans ses affaires et celles de Matt – sans se rendre compte de l'ironie de la situation.

Mais même si Jess avait utilisé son ADN à elle, cela aurait permis de montrer que Kate et Lauren étaient sœurs, pas demi-sœurs.

À moins que…

262

Et l'affreuse éventualité qu'elle puisse ne pas être la fille de son père s'impose aussitôt à elle.

— Non, dit-elle à voix haute, chassant cette pensée.

Jess est *forcément* leur demi-sœur, sans quoi la boîte contenant les souvenirs d'un bébé n'aurait aucun sens. Pourquoi Rose aurait-elle réagi de façon si vive si elle n'avait rien eu à cacher ? Kate s'enfouit soudain la tête dans les mains : il existe une autre possibilité ! À savoir que Jess *n'est pas* sa demi-sœur, ce qui non seulement exonère son père et sa mère, mais aussi signifie que ses manœuvres sont uniquement dirigées contre les personnes qu'elle aime afin de l'atteindre, elle.

Pourquoi quelqu'un lui en voudrait-il à ce point ? La question lui donne la nausée. A-t-elle connu, par le passé, des gens qui la haïraient au point de recourir à de telles extrémités pour se venger ?

Elle repense aux articles qu'elle a écrits et aux ennemis qu'elle a pu se faire en chemin... À part une poignée de chargés des relations publiques qui ont peut-être perdu leur poste pour ne pas être parvenus à déjouer un scoop croustillant sur leur client, il y a peu de personnes dans le monde du show-biz qui auraient pris à ce point ombrage de ses publications. Et puis, même ceux qui, sans qu'elle le veuille, avaient été remerciés ont finalement été récompensés. La superstar internationale dont elle avait dévoilé une pratique bien particulière – à savoir sniffer de la cocaïne sur les seins d'une femme nue – avait connu l'année suivante un succès phénoménal à la sortie de son album. La preuve que toute publicité est bonne à prendre.

Elle se rappelle la façon dont elle avait infiltré un groupe d'activistes d'extrême droite, quelques années plus tôt, avant de se dire que la rubrique people était tout de même moins dangereuse. Mais, à part une menace de mort et un interrogatoire au commissariat quand sa couverture avait été percée à jour, elle n'avait plus jamais entendu parler de l'affaire. Curieusement, cela la réconforte de constater que la file de ceux qui attendent sa chute est si étonnamment courte.

Quand Kate se lève du lit, sa tête bourdonne de théories conspirationnistes et d'hypothèses abracadabrantes. Elle a l'impression que son cerveau cogne contre sa boîte crânienne dès elle essaie de le faire travailler. Des larmes brûlantes de douleur et de frustration lui roulent sur les joues. Elle est dans une impasse.

Elle retourne dans le couloir, prend son sac posé par terre, résignée à informer au moins Matt des agissements de sa dernière recrue. Une fois au courant que Jess a menti sur son CV, il n'hésitera pas à la renvoyer, et elle aura un souci en moins à se faire.

Tout en longeant le couloir, elle tourne machinalement la poignée de l'unique pièce où elle n'est pas encore entrée. Tiens, la porte est fermée à clé… Voilà qui pique sa curiosité. Elle a une montée d'adrénaline en imaginant ce qu'il peut bien y avoir derrière. L'image grotesque de son père, bâillonné et attaché à une chaise, lui traverse immédiatement à l'esprit, réminiscence d'un rêve qu'elle a fait récemment. Ressortant la clé en croix, elle force la porte, mue par un regain d'intérêt, avide de découvrir ce que Jess tient tant à cacher.

Elle cherche l'interrupteur et examine la pièce, yeux mi-clos, attendant que quelque chose lui saute à la gorge. Mais ce n'est pas le sombre donjon auquel elle s'attendait. Au contraire, curieusement, la sérénité règne à l'intérieur. Elle voit un lit recouvert d'une jolie couette fleurie, une bougie parfumée intacte posée sur la table de nuit. C'est au moment où elle pénètre dans la pièce qu'elle avise un lit d'enfant, derrière la porte.

Le cœur battant à tout rompre, elle saisit un lapin en peluche, posé dans un angle. Il a les oreilles pendantes. D'un air absent, elle pose sa fourrure contre sa joue. Sa vision se brouille.

Le lapin toujours à la main, elle ouvre lentement la porte du placard, plus effrayée que jamais par ce qu'elle risque de découvrir. S'offrent brusquement à sa vue une dizaine de grenouillères soigneusement empilées, des carrés de tissu parfaitement pliés, un paquet de couches intact, un tire-lait. Bref, tout l'attirail dont une jeune maman a besoin. Elle passe la main sur son ventre, s'efforçant désespérément de rester calme.

Qu'est-ce que tout cela signifie ?

Pourquoi y a-t-il chez Jess une chambre fermée à clé, dédiée à un bébé qu'elle n'a pas ? Elle ouvre frénétiquement tous les tiroirs du bas de l'armoire, renversant les couvertures joliment brodées. Elle fait sortir de son rail un tiroir de la table de nuit, une boîte à bijoux en tombe, et son contenu se répand sur la moquette.

Des petites dents humaines roulent alors entre les boucles de la laine. Ne serait-il pas judicieux d'en prendre une pour vérifier son ADN ? Mais enfin, comment peut-elle raisonner ainsi ? se reprend-elle aussitôt, atterrée. Voilà ce que Jess a fait d'elle. C'est alors qu'elle aperçoit le petit bracelet de la maternité, face retournée, à côté du contenu épars de la boîte. D'une main tremblante, elle s'en saisit et le retourne délicatement, comme s'il s'agissait d'un nourrisson. Elle prend une grande inspiration. Et là, écrits à l'encre bleue, elle voit des chiffres déjà gravés de façon indélébile dans son cerveau : 15/09/96

Elle tourne et retourne la date dans sa tête. Elle l'entend clairement, comme si chaque chiffre résonnait en stéréo à ses oreilles, étouffant le bruit de la circulation, à l'extérieur, ainsi que les pas dans l'appartement, au-dessus.

Une subite vague de chaleur la submerge et l'oppresse. Pétrifiée, elle suffoque.

Il faut que je sorte d'ici, se dit-elle.

Elle se relève péniblement. Son ventre est parcouru de spasmes, c'est incontestable. Une main posée dessus pour le protéger, elle redescend l'escalier.

Désorientée, elle se retrouve sur le trottoir, incapable de se rappeler comment elle est arrivée ici, et encore moins où est garée sa voiture. De jeunes gens encapuchonnés la dévisagent tandis qu'elle avance d'un pas vacillant, ne sachant quelle direction prendre. Elle se sent très faible. Il faut qu'elle s'arrête, respire, mais l'environnement est hostile. Il ne ressemble pas du tout à celui dans lequel elle est arrivée. Elle parcourt quelques mètres, bifurque dans une ruelle. Les ombres froides qui s'enroulent alors autour d'elle la font frissonner.

Elle s'accroupit, préférant être près du sol au cas où elle s'évanouirait. Ce qui peut se produire d'un instant à l'autre, étant donné son état. Elle incline alors la tête contre le mur en brique derrière elle.

Respire, contente-toi de respirer! s'ordonne-t-elle en essayant de maîtriser son souffle et de prendre de profondes inspirations.

— Eh, m'dame! dit une voix au-dessus d'elle.

La peur s'infiltre dans ses veines quand elle lève les yeux vers un visage en partie dissimulé par un bandana.

La silhouette se penche alors vers elle, et elle tressaille, dans l'attente de ce qui va se passer… C'est alors qu'elle sent une main vigoureuse la saisir par le bras pour l'aider à se remettre debout.

— Eh, mon frère! s'écrie le jeune garçon.

— S'il vous plaît, dit-elle, je veux juste…

— Vous allez où, m'dame?

— Il… il faut juste que je retrouve ma voiture.

—Vas-y, mon frère, grouille-toi! (Et sa voix résonne de nouveau dans la rue.) La dame a besoin d'un peu d'eau.

Le garçon la soutient tandis qu'elle pose avec précaution un pied devant l'autre. Il lui dit de prendre son temps. Juste avant qu'elle arrive à hauteur de sa voiture, un autre garçon vêtu de la même façon surgit, une petite bouteille d'eau à la main.

—Vous êtes certaine que ça va aller? lui demande-t-il au moment où elle entre dans sa voiture.

Elle hoche la tête en leur adressant un sourire reconnaissant, soulagée mais honteuse d'avoir tiré des conclusions hâtives sur ces jeunes gens.

Toutefois, elle ne s'est pas trompée sur le bracelet de naissance qu'elle a récupéré de nombreuses années auparavant.

C'était bien celui de Jess.

En général, elle éprouve un sentiment de satisfaction quand ses intuitions se confirment – après tout, c'était la preuve qu'elle attendait, qu'elle espérait, même : cela signifie que cette boîte à laquelle elle tenait tant ne méritait pas le dédain de Rose. Dès qu'elle a repris son souffle, elle fait défiler du pouce ses contacts sur son téléphone, qu'elle met sur haut-parleur.

—DS Labs, lui répond une femme à l'autre bout de la ligne.

—Bonsoir. C'est Nancy?

—Oui.

—C'est Kate, de *La Gazette*. Comment allez-vous?

—Oh, bonsoir, Kate! Bien. Et vous?

—Pas mal. Voilà, j'ai un petit service personnel à vous demander.

Elle explique ce dont elle a besoin, et conclut en disant :

—J'en ai besoin super rapidement!

—Cela prendra au moins deux jours.

— Si vous pouviez les avoir plus tôt, ça m'arrangerait. Je m'assurerai auprès de notre rédacteur en chef que notre journal fera la publicité de votre labo.

— Pas de problème, je vais voir ce que je peux faire.

Les résultats ADN n'expliqueront pas ce que Jess manigance, mais, au moins, Kate détiendra la preuve irréfutable que Harry *n'est pas* son père.

31

LAUREN

L'arrivée d'un message éclaire la chambre.

D'instinct, Lauren tourne un regard trouble vers Simon pour vérifier qu'il dort avant de débrancher son portable et de l'emporter dans la salle de bains.

Il est minuit passé, et elle n'est toujours pas arrivée à trouver le sommeil. Son cerveau ne cesse de ressasser les événements de la journée, et son corps est trop dans l'attente de ce que le lendemain lui réservera.

Tu ne dors pas ?

Doit-elle répondre ou non à ce message ? Et, si oui, que répondre ? Elle n'a toujours pas assimilé ce qui s'est passé tout à l'heure, et si cela change quelque chose entre elles. Elle suppose que non, et pourtant elle ressent un certain malaise.

Non.

Elle écrit à la hâte, tout en refermant le couvercle des toilettes pour s'asseoir dessus.

J'ai absolument besoin de te parler.

Lauren se frotte la tempe.

Où es-tu ?

Dans un bar, et bien plus ivre que je ne devrais.
Tu peux parler ?

Lauren se lève et passe la tête par l'encadrement de la porte.
Simon ronfle.

Oui. Que se passe-t-il ?

Eh bien, j'ai fini mon travail, et maintenant j'enfile des
shots de tequila.

Toute seule ?

Bien sûr, il y aurait des questions plus pertinentes à poser.
Mais ce n'est sûrement pas le bon moment, et cela n'aurait
aucun intérêt, étant donné l'état dans lequel Jess semble être.

Non, avec lui ! Et il est encore plus beau que quand il est
sobre.

Lauren sourit malgré elle.

C'est parce que tu ne le regardes pas toi-même avec
des yeux sobres !

On rentre à l'hôtel maintenant.

Lauren s'imagine à la place de Jess. L'excitation d'une relation naissante, l'anticipation de ce qui va arriver... Simon l'avait emmenée dans un hôtel romantique quand ils avaient décidé de coucher ensemble. Cela ne ressemblait en rien aux nombreuses liaisons qu'elle avait eues juste après Justin. Force était d'admettre que, dans sa quête désespérée pour le remplacer, elle avait alors confondu sexe et amour. Mais, avec Simon, il y avait eu quatre rendez-vous avant qu'ils passent leur première nuit ensemble. Elle se demande alors ce qui l'a attirée chez lui. Était-ce cette façon qu'il avait de la regarder, comme si elle était la seule femme qui existait au monde ? Ou bien se sentait-elle en sécurité avec lui, sachant qu'il la protégerait ? Ils s'entendaient si bien, autrefois ! Comment ont-ils pu en arriver à un stade où il la regarde à peine, et où il est la seule personne dont elle a peur ?

Tu es bien certaine que tu en as envie ?

L'instinct maternel de Lauren a brusquement resurgi. À moins qu'elle ne veuille s'assurer que Jess ne va pas se faire piéger comme elle – sachant que ce sera la première erreur, celle qui déclenche l'engrenage.

Et toi, qu'est-ce que tu en penses ?

Quelle question épineuse !

Tu dois être sûre d'en avoir envie.

Plus que tout!

Dans ce cas, vas-y, mais reste prudente.

Tu n'auras pas une mauvaise opinion de moi, après?

Lauren est atterrée par la question.

Bien sûr que non!

OK.

Et Jess ajoute un émoji qui rit.

Bonne nuit! Amuse-toi bien!

Après avoir tapé ce message, Lauren ressent une drôle d'impression, comme si elle encourageait sa propre fille à coucher avec un homme. Elle supprime la dernière phrase et la remplace par:

On se reparle demain.

Parce qu'elles ont indéniablement besoin de discuter après ce que Kate lui a appris.

Cela ne la surprend pas outre mesure que Jess ait changé de nom. De nombreuses raisons ont pu motiver sa décision. Mais, en tout cas, elle n'a jamais menti à ce sujet, car il n'a jamais traversé l'esprit de Lauren de lui poser la question. Et pourquoi aurait-elle fait? Jess avait le droit d'agir comme bon lui semblait. Lauren préfère ne pas imaginer comme elle aurait réagi si, à l'âge de dix-huit ans, elle avait appris qu'elle n'était pas celle qu'elle avait cru être jusque-là! Elle avait grandi entourée d'une famille dont elle pensait partager les liens du sang et les ancêtres. Or cette identité lui avait été ravie d'une façon extrêmement brutale.

Lauren se demande, et ce n'est pas la première fois, pourquoi les parents adoptifs de Jess ont finalement décidé de lui révéler la vérité. L'un d'eux *savait* peut-être qu'ils étaient malades et a estimé préférable et plus correct de le lui dire tant que tous deux en étaient encore capables. De toute façon, cela a dû être une décision épouvantable à prendre. Tout comme l'a sans doute été cette épée de Damoclès au-dessus de leur tête, à savoir que Jess l'apprenne de manière accidentelle ou intentionnelle. Un esprit cynique comme Kate aurait sans doute dit « de façon intentionnellement accidentelle ».

Elle aimerait tant que Kate se comporte pour une fois comme une sœur, et non une journaliste constamment mue par le besoin de débusquer l'histoire qu'elle pense que tous les autres lui cachent. Peut-être aurait-elle dû mettre ses talents d'investigatrice au service du test génétique lorsque son père était encore en vie! Car il est évident que quelque chose lui échappe.

Mais peu importe ce que Kate *croit* avoir trouvé. Lauren est certaine d'une chose: Jess est bien allée à l'université. C'est ce qu'elle lui a dit, et elle n'a aucune raison de lui avoir menti.

— Qu'est-ce que tu fais? demande Simon en entrant dans la salle de bains.

L'écran éclairé du portable renvoie une lumière blanche qu'il est impossible de cacher.

— Euh… Je… j'étais juste en train de…, balbutie-t-elle, toujours assise sur le couvercle des toilettes.

—Tu envoies des messages ?

Elle se rend compte elle-même que tout, dans cette scène, donne l'impression qu'il s'agit d'une correspondance clandestine. Comme si elle faisait quelque chose d'interdit.

—C'est rien, dit-elle.

Et elle entend elle-même que sa protestation d'innocence exagérée sonne faux. Immédiatement, elle s'en mord la langue. C'était la pire des réactions, puisque tout prouve justement le contraire. Que ce qu'elle est en train de faire n'est pas *rien*.

—Tu parles avec qui ?

—Euh… C'est juste Jess.

—Mais qu'est-ce qu'elle te veut à une heure pareille de la nuit ? demande-t-il d'un ton hostile.

—Des conseils.

Et elle le hait de la forcer à se justifier alors qu'elle n'a rien commis de répréhensible ! *Mais si*, lui susurre alors une petite voix qui fait référence à Justin. Et, malgré elle, elle imagine la scène affreuse qui se serait déroulée si elle avait été en train de communiquer avec lui.

Simon lui arrache son téléphone des mains. Son premier instinct est de le lui reprendre, mais elle s'efforce d'être stratégique. Est-ce donc ce que leur mariage est devenu ? Un jeu tactique ?

Impuissante, elle regarde Simon faire défiler les messages qu'elle vient d'échanger avec Jess.

—Tu l'incites à coucher avec quelqu'un ? demande-t-il, incrédule.

—Non, bien sûr que non !

—Pourtant, c'est exactement l'impression que donnent ces textos.

Il ne va quand même pas en faire un objet de dispute !

—C'est ce que tu ferais, toi, si tu étais à sa place ?

Elle le regarde, abasourdie.

Une minute auparavant, il dormait encore, et maintenant, il semble prêt à en découdre. C'est un peu comme si c'était son attitude par défaut, quand il est éveillé. Mais pourquoi se sent-il constamment atteint dans sa fierté d'homme, au point d'éprouver toujours le besoin d'exercer sa domination de mâle, d'une façon ou d'une autre ? Peut-être est-ce son incapacité à conserver un emploi. Encore que ce soit sans doute la combinaison de plusieurs éléments, un tout.

—S'il te plaît, tu ne vas pas commencer…

—Commencer quoi ? dit-il, mâchoires serrées, en approchant son visage tout près du sien. Je me réveille au milieu de la nuit et je trouve ma femme cachée dans la salle de bains, en train d'envoyer des textos en secret, et tu me demandes de ne pas « commencer » ?

Je ne me cachais pas et je n'écrivais pas des textos en secret.

Elle se relève, pour avoir l'impression de mieux contrôler la situation. Mais, même debout, la silhouette imposante de Simon ne lui semble pas moins intimidante.

—Retourne te coucher, dit-elle d'un ton las.

Il émet un rire faux, s'apprête à sortir puis se ravise. Il se retourne et la saisit par les bras, enfonçant ses ongles dans sa peau nue.

—Tu sais à qui tu parles ? beugle-t-il.

Lauren se fige, à court de mots, mais la pression de ses doigts s'infiltre peu à peu dans sa conscience, et quelque chose en elle se brise.

—Enlève tes mains de mes bras ! dit-elle calmement, surprise par sa maîtrise d'elle-même.

Simon se met à rire. Un rire de fou.

— Ou quoi ?

— Tu te sens plus viril en te comportant ainsi ?

— Je te conseille vraiment de la fermer !

Et il resserre son étreinte.

— C'est ce dont tu as besoin, là, maintenant ? De sentir que tu es un vrai homme ?

Et elle donne l'impression d'un courage qu'elle n'a pas.

Même dans l'obscurité, elle voit ses yeux vitreux rivés sur elle – le clair de lune renforce l'incrédulité qui s'y reflète, face à sa femme qui, mue par des mois d'animosité et d'isolement, ose lui tenir tête.

— Je te préviens. Ferme-la !

Et il la pousse en arrière. Elle titube, se cogne contre les toilettes et perd l'équilibre. Elle essaie de se rattraper, mais trop tard. Sentant qu'elle va tomber, elle met les bras en avant pour se protéger. Elle atterrit en partie dans la baignoire. Dans son effort d'amortir sa chute, elle se rend compte qu'elle vient de se tordre le poignet. Ça palpite très fort à l'intérieur, un peu comme dans un dessin animé de *Tom et Jerry*.

Lauren regarde l'ombre qui la surplombe, certaine que même si la lumière était allumée, elle ne reconnaîtrait pas l'homme qu'elle a épousé six ans plus tôt.

— Si tu oses reposer les mains sur moi, dit-elle le souffle court, je te jure que je m'en vais avec les enfants.

Et elle éprouve un sentiment curieusement euphorique d'avoir retrouvé sa voix après des mois de peur où elle l'avait perdue.

— Tu n'oserais pas, dit-il en ricanant.

Elle se relève et grimace en allumant la lumière, à cause de la douleur qui irradie son poignet.

— Ne me provoque pas, dit-elle en plongeant son regard dans le sien, dans la minuscule pièce désormais éclairée. Ou tu verras !

32

KATE

Kate se réveille, avec l'impression de s'être tout juste endormie. Pendant une fraction de seconde, elle croit que tout ce qui s'est passé hier soir était un rêve. Horrible, assurément, mais juste un rêve. Peu à peu, elle se rend compte avec effroi que toutes les réflexions, cris et pleurs sont bien survenus dans la vie réelle. Elle en est si choquée qu'il lui semble qu'un étau se resserre autour de son buste, l'empêchant de respirer.

Dès qu'elle est rentrée de chez Jess, elle a appelé Matt, terriblement impatiente d'entendre sa voix, de lui raconter ce qui s'était passé, et qu'il lui assure qu'elle s'était trompée sur toute la ligne. Mais, à la place, il a répondu qu'il ne pouvait pas lui parler et qu'il allait sans doute dormir à Birmingham.

— Non, je veux que tu rentres, a-t-elle dit.

— Il s'est passé quelque chose? (Son ton était lourd d'inquiétude.) Tu vas bien, Kate?

Elle avait hésité à lui répondre que non, mais, sachant à quoi il faisait référence, elle ne pouvait exiger sa présence sous ce prétexte.

— Le bébé va bien, avait-elle répondu. Mais j'aimerais vraiment que tu rentres une fois que tu auras fini.

Matt avait émis un rire gêné.

— Mais, ma chérie, tu connais ce métier. Il se peut que j'y passe la nuit! Je te promets en revanche que je serai à l'heure pour notre rendez-vous à l'hôpital, demain matin.

— Ça n'a rien à voir avec ça! a-t-elle dit d'un ton sec.

— Mais alors, que se passe-t-il?

Elle a un instant envisagé de tout lui raconter au téléphone avant d'y renoncer. En l'occurrence, un face-à-face s'imposait. En outre, qu'était-elle censée lui dire? *Je crois que la femme avec qui tu es, à des centaines de kilomètres de moi, cherche résolument à détruire ma vie?* Au mieux, cela aurait paru mélodramatique, au pire, elle aurait semblé accaparante. Ce qui, dans un cas comme dans l'autre, ne colle pas avec celle qu'elle s'enorgueillit d'être.

— Pourquoi tu n'irais pas passer quelques jours chez ta mère, si tu te sens seule? avait-il suggéré.

— Mais je n'ai aucune envie d'aller chez elle, putain! avait-elle répliqué, luttant contre la colère qui menaçait de la submerger. Ce que je veux, c'est que *toi* tu rentres.

— Allons, ma chérie, je…

— Tu sais quoi? Tu as raison de t'en foutre! Reste où tu es. Je m'en fous aussi.

Et elle s'était jetée sur le lit, peu habituée à se sentir aussi vulnérable, à perdre ainsi le contrôle d'elle-même. La responsable, au fond, c'était Jess. Si elle n'avait pas fait irruption dans leurs vies, Matt ne se serait pas retrouvé avec elle. Puis elle s'était rappelé que tout cela était la faute de Lauren qui l'avait ramenée dans la famille. Si elle ne s'était pas inscrite sur ce maudit site, alors tous vivraient encore dans un heureux état d'ignorance, estimant que leur famille n'avait pas plus de secrets qu'une autre. Encore que si Rose avait agi différemment, Jess n'aurait pas existé, et Lauren ne l'aurait pas retrouvée.

Subitement, son monde lui avait paru voler en éclats. Comme si tous ceux qu'elle aimait, et sur qui elle avait cru pouvoir compter, agissaient en réalité contre elle. Et la seule personne qui l'aurait soutenue en toutes circonstances était morte.

Alors que la nuit s'écoulait lentement et que ses pensées toxiques lui empoisonnaient le cerveau, elle avait rappelé Matt plusieurs fois. Elle souhaitait le rassurer pour qu'il ne la croie pas paranoïaque, mais, à chaque appel, elle était tombée directement sur sa messagerie.

Elle avait alors passé deux heures à scruter le feed de Jess sur son compte Instagram. Elle y publiait constamment des stories d'elle en train de boire et danser. Kate ne savait pas trop au juste ce qu'elle cherchait – peut-être apercevoir le visage de Matt ou bien sa main, dans le coin d'une photo. Évidemment, dans ses moments les plus apaisés, elle se disait que cela n'aurait rien signifié, mais parfois des bouffées de panique la saisissaient. La peur que son mari qu'elle adorait et en qui elle avait toute confiance ait une liaison avec sa demi-sœur.

Elle les imaginait tous les deux revenant d'un pas titubant dans leur hôtel, s'embrassant dans l'ascenseur, incapables de se contrôler. Puis entrer dans la chambre de Matt. À quoi avait-il pensé en s'allongeant sur elle? Certainement pas à l'échographie de son bébé, le lendemain matin.

—Assez! avait-elle hurlé, espérant retrouver son bon sens.

Et ça avait fonctionné pendant quelques secondes. Mais à peine avait-elle chassé cette pensée de son cerveau qu'un flot de nouvelles l'avait envahi…

Il n'y avait apparemment plus aucun doute, à présent, sur le fait que Jess était sa demi-sœur. Deux bracelets de naissance portant la même date ne pouvaient pas être une coïncidence! Mais elle refusait toujours de croire que Jess puisse être la fille de son père. Bien sûr, c'était l'option la plus logique, mais, pour sa part, elle était convaincue qu'il lui aurait été impossible de trahir sa famille. De la trahir *elle*. Non, si une personne en était capable, c'était sa mère! Seulement, comment avait-elle pu cacher sa grossesse? À moins que son père n'ait été au courant de son infidélité et ne l'ait aidée à dissimuler son état, puis la naissance et l'adoption en vue de préserver l'unité familiale. Oui, cela lui ressemblait bien plus. Rose avait été si terrifiée quand Kate lui avait montré la boîte qu'elle venait de découvrir dans le grenier. Un peu comme si elle avait vu un fantôme. Et ce pour la bonne raison qu'elle avait subitement craint que son monde n'implose. En tombant par hasard sur le seul souvenir que sa mère avait conservé de son troisième enfant, Kate était sur le point de faire voler la famille en éclats. Et Rose le savait, bien sûr. C'était pour cette raison qu'elle le lui avait arraché des mains.

À cette pensée, elle se sentit presque désolée pour sa mère. Au fond, à cause d'elle, celle-ci avait dû détruire de chers souvenirs… Puis elle s'était rappelé la vitesse avec laquelle Rose avait accusé leur père quand Jess avait débarqué, s'empressant de le calomnier, bien que le sachant innocent. Elle n'avait apparemment aucune responsabilité morale envers l'homme avec qui elle avait vécu quarante ans, dès lors qu'il s'agissait de protéger son secret à elle.

Rien de tout cela n'expliquait, bien sûr, ce que Jess attendait d'eux, à présent. À part les plonger dans un profond désarroi et engendrer autant de conflits que possible. C'était le seul but qui semblait l'animer. Sinon, pourquoi aurait-elle postulé au journal de Matt et se serait-elle introduite dans la vie de Lauren? Et pourquoi y aurait-il eu une chambre d'enfant dans son appartement?

—Mais, putain, qu'est-ce qu'elle fout avec mon mari, à deux cents kilomètres d'ici ? s'était-elle exclamée à voix haute.

Les questions sans réponse avaient tourné en boucle dans sa tête pendant une bonne partie de la nuit, jusqu'à ce qu'elle finisse par sombrer dans le sommeil à l'aube, en se demandant si c'était le passé qui devait le plus la préoccuper. Car il semblait que l'avenir était bien menacé…

Dans le lit, elle se tourne vers le côté de Matt et espère, contre toute attente, qu'il est là. Mais ce n'est pas le cas. Contrairement à ce qu'elle redoutait, elle n'est pas consumée par l'inquiétude, mais se sent plus que jamais résolue à découvrir ce que manigance Jess. Quels que soient ses plans, elle est déterminée à les déjouer.

—Je suis journaliste, bon sang ! marmonne-t-elle.

Et, mue par un regain de motivation, elle ouvre son ordinateur et va sur le site gouvernemental des naissances, décès et mariages. Elle découvre qu'il est relativement facile de se procurer la copie d'un certificat d'adoption. Mais pas sans les noms de naissance et ceux des parents adoptifs.

Alors elle appelle Jared, un ancien collègue, formidable journaliste d'investigation qui ne néglige jamais le moindre indice dans sa quête de la vérité.

—Tiens, une revenante, dit-il en décrochant.

Une façon de lui faire sentir qu'elle ne l'appelle que lorsqu'elle a besoin de ses services. Elle se promet de prendre plus régulièrement de ses nouvelles.

—Tu es bien matinale, non ? poursuit-il.

—Comment vas-tu ? Tu as un peu de temps pour discuter ?

—Toujours, pour toi.

Et elle se sent encore plus mal.

—J'ai besoin d'avoir des informations sur le passé de quelqu'un, mais je n'ai pas son nom de naissance.

—Ça ne devrait pas poser problème, dit-il d'un ton confiant. C'est une personne adoptée, ou qui a changé de nom ?

—Oui, dit Kate avant de se raviser. Enfin, je ne sais pas…

Jared se met à rire.

—Bon, décide-toi.

Elle repense alors à ce que Finn leur a dit.

—Le nom d'adoption de cette personne, c'est Harriet Oakley, mais maintenant, elle se fait appeler Jessica Linley. Je ne sais pas si un acte notarié a été établi.

—Hum, hum, intéressant !

Si tu savais !

—Tu as une date de naissance ?

—Oui, le 15 septembre 1996.

—Bien. Mais aucun nom de naissance ?

Kate soupire.

—J'ai bien une petite idée, mais il se pourrait que ce soit vraiment un coup d'épée dans l'eau.

—Le moindre indice peut nous être utile.

—OK. Tu peux essayer alors avec Harriet Alexander ?

Pourtant, en prononçant ce nom à voix haute, elle sait que c'est hautement improbable. Tout d'abord, ce n'est pas la fille de son père, et ensuite, pourquoi sa mère aurait-elle donné un nom si semblable à celui de Harry à un enfant qu'elle allait confier à l'adoption ? Mais si son mari était au courant ?

—Autre chose à signaler ? demande Jared.

—En fait, est-ce que tu peux aussi regarder sous Harriet Grainger ?

Sa mère lui avait peut-être finalement donné son nom de jeune fille plutôt que celui de son amant. Et, pour la première fois, elle se demande si Rose avait dit au père de Jess qu'elle attendait un enfant de lui.

Comment va-t-elle pouvoir gérer *ça* quand la vérité explosera?

— Très bien. Je vais en discuter avec mon contact au bureau des adoptions. Je peux lui donner ton numéro, si elle a besoin d'autres précisions?

— Oui, naturellement.

— Super, je te rappelle dans un jour ou deux.

— Merci, Jared. Je te dois une fière chandelle.

— Oui, oui, je sais, toujours le même refrain : tu me revaudras ça, etc.

Elle lui en veut d'insinuer que c'est toujours à sens unique. Dans le journalisme, quand on se rend des services, c'est un prêté pour un rendu.

— Et si on fixait une date pour un déjeuner? dit-elle avant de raccrocher.

— Excellente idée! répond Jared d'un ton chaleureux. Et, si je retrouve la fille, tu m'invites.

— Ça marche! dit Kate en riant.

Et, l'espace d'un instant, elle oublie que la personne sur laquelle elle enquête a un lien avec elle. Qu'elle est en train de jouer sa vie. C'est curieux comme tout paraît différent lorsque cela vous arrive.

Elle entre dans la douche et espère que l'eau, un peu trop chaude, emportera tous ses tracas. Elle pousse un grognement quand elle lui pique les yeux, se rappelant alors qu'elle a passé une bonne partie de la nuit à pleurer.

On frappe soudain à la paroi de verre, et elle fait un bond, son cœur s'arrêtant une seconde de battre.

— Putain! dit-elle en découvrant le visage souriant de Matt à travers la condensation.

Avec sa main, elle essuie un peu la paroi. Avec ou sans buée, il donne l'impression de ne pas avoir dormi de la nuit. Ses paupières lourdes et ses cheveux ébouriffés le rendent suspect d'actes dont elle préférerait ne pas le soupçonner.

— Surprise ! lance-t-il.

Et il lui tend une serviette tandis qu'elle sort de la douche. Il essaie alors de l'embrasser, mais elle détourne la tête.

— Tu t'es bien amusé, on dirait, dit-elle avec froideur.

— Moi aussi, je suis heureux de te retrouver, répond-il d'un ton sarcastique. C'est Oddie qui m'a ramené. Je me suis dit que je serais plus tôt à la maison que si j'attendais le premier train.

Oddie ? La spécialiste politique de La Gazette *?*

À la pensée que Matt était revenu avec une collègue de son propre journal, elle se sent tout de suite mieux, même si elle ne sait pas pourquoi. Peut-être parce qu'il n'aurait pas été assez fou pour ne pas se compromettre devant une personne qui connaît aussi bien sa femme. Mais, une seconde après, elle se sent consumée de honte : dans le cas contraire, tout le monde au bureau sera au courant qu'il a une maîtresse, sauf elle.

— Il n'y avait que vous deux, dans la voiture ?

— Non, nous étions quatre en tout.

C'est son point faible, se dit-elle. Quand elle veut donner à penser qu'elle pose une question subsidiaire, elle s'y prend toujours maladroitement.

— Vous avez dû bien vous amuser pendant le trajet du retour, alors.

Et elle saisit sa brosse à cheveux pour les démêler sans ménagement.

Matt éclate de rire en enlevant sa chemise. Il la roule et la jette dans le panier à linge.

— C'était plutôt silencieux. La nuit a été longue et certains petits nouveaux ne sont pas très résistants.

— Pourquoi ça a duré si longtemps ?

— Oh ! À cause du chaos habituel du service de presse.

Kate fixe résolument son propre reflet dans le miroir, tout en étalant avec vigueur de la crème sur son visage. Elle ne veut pas le regarder, car, s'il ment, elle le verra instantanément dans ses yeux.

— Jess y était ?

Elle pose la question au moment où il met la tête sous l'eau de la douche et en grogne de plaisir.

— Pardon ?

— Je te demandais si Jess y était. (Son ton est clairement acerbe.) Elle faisait partie des nouveaux présents ?

— Euh, oui… Oui, elle est venue.

— Et comment elle s'en est tirée ?

— Eh bien, à merveille ! dit-il en se shampooinant.

Malgré elle, elle s'aperçoit qu'il lui donne des réponses courtes et sèches.

— Donc, elle t'a été d'une grande aide ? insiste-t-elle. Elle t'a un peu déchargé ? Soulagé de la pression ?

Et Kate préfère ne pas imaginer de quelle façon.

— Ça allait, dit-il. Mais je ne suis pas certain que la politique soit son fort.

— Vraiment ? Et, selon toi, c'est quoi sa spécialité ?

— Passe-moi la serviette.

Tactique de diversion classique, si tant est qu'elle en ait déjà entendu une de sa part.

Elle se plante devant lui, bras croisés. Elle sent qu'il est dans ses petits souliers.

— Donc, quel est son point fort ? redemande-t-elle.

Matt hausse un sourcil, l'air vexé.

— Depuis quand cela t'intéresse-t-il autant ?

—Depuis que tu as embauché une fille qui se fait passer pour ma demi-sœur !

Elle ne voulait pas le dire de cette façon. D'ailleurs, elle ne sait même pas si elle voulait le dire tout court. Si elle avait pu choisir, elle lui aurait prudemment révélé qui était Jess au moment qui lui aurait paru opportun. Mais la réponse est sortie toute seule.

—Quoi ? dit-il avec un rire nerveux. Qu'est-ce que tu viens de dire ?

Elle détourne les yeux, se mord l'intérieur de la joue.

—Tu as parfaitement entendu.

—Jess est la fille qui a débarqué chez ta mère ? s'exclame-t-il. Celle qui prétend être la fille de ton père ?

Kate voit rouge.

—Elle n'est pas la fille de mon père ! Pourquoi tout le monde est-il si disposé à le croire ?

—Attends une seconde.

Matt secoue la tête et lève une main.

—Tu es en train de me dire que Jess, ma journaliste junior, est cette femme ?

Elle ignore sa question et enchaîne sèchement :

—Il y a une autre possibilité, tu sais. Et, d'ailleurs, tu devrais être le premier à douter que mon père ait pu duper sa famille.

On dirait que Matt a la tête qui va exploser tandis qu'il tente de reconstituer le puzzle.

—Tu espères vraiment que je vais croire que Jess est cette fille ? Qu'est-ce qui te fait penser ça ? Enfin, comment en es-tu arrivée à cette conclusion ?

Et il se met à faire les cent pas ; il ne comprend absolument pas ce que Kate lui dit.

—Parce que je l'ai vue. Et aussi à cause de son nom.

288

Matt émet alors un ricanement que Kate ne peut s'empêcher de trouver condescendant.

— Tu trouves ça drôle ? demande-t-elle, incrédule.

Elle avait cru, espéré que dès qu'elle lui aurait enfin révélé la vérité au sujet de Jess, il l'aurait aidée sur-le-champ à résoudre le problème. Mais il a l'air de trouver cela plus amusant qu'inquiétant. Elle en ressent une certaine déception.

— Donc, pour toi, deux et deux font cinq ?

— Mais tu me prends vraiment pour une imbécile ? hurle-t-elle, incapable de réprimer sa colère. Tu penses vraiment que je n'ai pas enquêté sur elle ?

— Et qu'as-tu trouvé ? demande-t-il, un imperceptible sourire aux lèvres.

— Que la femme que tu as embauchée, celle qui prétend avoir étudié à l'université de Bournemouth, n'y a jamais été inscrite. Qu'elle n'a pas de diplôme de journaliste. D'ailleurs, elle n'a jamais fait d'études de journalisme.

— Mais qu'est-ce que tu racontes ? dit Matt, l'air à présent agacé. J'ai vu son CV. Ses diplômes. Ses lettres de recommandation.

Kate retient un petit sourire.

— Mais as-tu vérifié l'ensemble ? As-tu pensé à appeler la fac pour t'assurer de l'authenticité de ces documents ?

— Pas encore.

À son ton, il est clair qu'il prend ces questions pour un affront.

— Eh bien, si tu l'avais fait, cela nous aurait évité beaucoup d'ennuis…

— Tu insinues que j'ai une quelconque responsabilité dans cette affaire ?

Bonne question. S'il a couché avec elle, oui, et il a intérêt à assumer ses actes. Que Jess soit sa demi-sœur ou non.

Kate le regarde dans les yeux.

— Tu as… Tu as une relation avec elle ?

— Quoi ? s'écrie-t-il d'une voix stridente dans une attitude outrée.

— Je veux savoir… Est-ce que tu couches avec elle ?

Il accélère le pas et se passe une main dans les cheveux.

— Putain, c'est complètement dingue !

— J'avais besoin de toi, cette nuit, dit-elle en retenant les larmes qui lui brûlent les yeux. J'ai essayé de te joindre toute la nuit, mais tu étais visiblement très occupé.

— Pardon ? (Et c'est comme s'il semblait enfin comprendre le sérieux de la situation.) Tu étais furieuse quand je t'ai téléphoné, et ensuite je n'ai pas pu prendre tes appels.

— Et pourquoi est-ce que tu n'as pas pu répondre ? hurle-t-elle.

— Parce que j'étais pris par ailleurs.

— Oh, ça, je m'en doute !

— Très bien, je vais te raconter ma nuit, dit-il. (Et ses mâchoires tressautent de façon involontaire.) On m'avait promis un entretien avec le Premier Ministre à 22 heures, qui a été reporté à minuit, puis à 1 heure du matin. Au même moment, je tentais de caler des interviews avec le secrétaire d'État à l'Intérieur et le ministre de l'Éducation. Je n'ai pas dormi, je suis dans un état épouvantable. Et toi, tu penses que c'est parce que j'étais…

Il émet un rire sarcastique, incapable de finir sa phrase.

— Et, pour couronner le tout, tu m'annonces maintenant que c'est ta sœur !

— Ce n'est pas une coïncidence, dit-elle.

À cet instant, une première larme roule sur sa joue.

— De quoi parles-tu ? demande-t-il d'un ton agacé.

— Tout ça ! (Elle lève les bras en l'air.) Que Jess débarque au domicile de mes parents en prétendant que c'est parce que

Lauren a attiré son attention sur leur fameux site, et qu'elle finisse par être embauchée par toi.

—Sait-elle qui je suis? demande Matt. Sait-elle qui tu es pour moi?

—En toute honnêteté, je l'ignore. Je n'arrête pas de retourner des théories conspirationnistes dans ma tête, en me disant que tout cela fait partie d'un grand complot. Qu'elle cherche à s'en prendre à moi. Je ne peux m'empêcher de penser qu'elle attend quelque chose de nous.

Matt cesse brusquement de faire les cent pas et s'assied près de Kate sur le rebord de la baignoire.

—Pourquoi ferait-elle une chose pareille? Tout cela n'est sans doute qu'une énorme coïncidence!

—J'aimerais le croire, moi aussi.

—Mais que veux-tu qu'il y ait d'autre?

Elle veut lui parler de la pièce étrange qu'elle a découverte chez Jess, qui donnerait à penser que celle-ci attend un enfant. Ce que cela signifierait, et de quelle façon cela les impliquerait, Matt et elle. Seulement, il lui est difficile de le formuler. Cela reviendrait aussi à avouer qu'elle s'est introduite chez elle par effraction, ce qui n'est guère reluisant, même pour une journaliste.

Elle en frissonne.

—Ce qu'elle fait est prémédité, et destiné à me blesser et me stresser le plus possible.

Matt la regarde comme si elle était devenue complètement folle.

—Tu plaisantes, j'espère? dit-il. Tu ne crois quand même pas que tout tourne autour de toi?

—Mais de quoi d'autre s'agit-il? demande Kate, sentant l'irritation la gagner.

— Il est probable que ce soit juste une jeune femme qui essaie de tirer le meilleur parti d'une existence qui lui a été jusque-là défavorable.

Kate le regarde, bouche bée.

— Pardon ? Tu es en train de prendre sa défense ? demande-t-elle, incrédule.

Comme s'il voyait le champ de mines sur lequel il s'apprête à mettre le pied, Matt recule physiquement d'un pas et se passe de nouveau une main dans les cheveux.

— Je crois vraiment qu'il faut faire le point, dit-il. Jess est une fille bien, et je ne vois pas quelle intention elle dissimulerait. Je reconnais que le fait qu'elle se retrouve à travailler avec moi est une coïncidence extraordinaire, mais il me semble hâtif d'en conclure que cela a quelque chose à voir avec toi.

— Mais elle est venue chez *mes* parents. À *mon* bureau. Elle fait des excursions avec *ma* sœur. Elle travaille avec *mon* mari. Comment je peux en déduire que cela n'a rien à voir avec moi, bon sang ?

L'image de la chambre qu'elle a forcée, chez Jess, s'impose à elle, avec les paquets de couches et les grenouillères.

— Que voudra-t-elle par la suite, Matt ? hurle-t-elle. Mon enfant ?

Il la regarde, sidéré.

— Est-ce que tu t'entends ? finit-il par demander.

Elle s'attendait à tout, sauf à ce qu'il doute d'elle.

— Va-t'en, dit-elle sans le regarder.

— *Quoi ?*

— Je n'ai pas besoin de toi pour l'échographie.

Elle est consciente de se faire aussi du mal à elle-même, mais c'est plus fort qu'elle.

— Tu n'es pas sérieuse, j'espère…

—J'y vais seule !

Et elle enfile une robe ample.

—Mais c'est fou ! dit-il en se prenant la tête dans les mains. Qu'est-ce qui t'arrive ?

Honnêtement, elle ne le sait pas elle-même. En revanche, elle est sûre d'une chose : elle ne supporte plus la présence de Matt pour l'instant.

—Tu ne peux pas faire ça ! reprend-il d'un ton sec. Tu n'en as pas le droit.

—J'ai tous les droits ! hurle-t-elle, consciente qu'elle est allée trop loin pour faire machine arrière. Je ne sais même pas si j'ai envie que tu continues d'habiter ici. Donc je ne veux certainement pas de toi à l'hôpital.

—Mais on a attendu ce moment si longtemps, dit-il, les larmes aux yeux. C'est notre rêve, un projet qu'on a depuis… Tu ne peux pas brusquement m'en tenir à l'écart.

—Si j'en ai envie, si ! hurle Kate.

Elle se met à arpenter la chambre comme une furie, jetant des choses dont elle n'a pas besoin dans son plus grand sac à main.

—Je ne te laisserai pas faire ça, dit Matt. Je refuse que tu gâches ce moment, car on ne le revivra jamais et on le regrettera toute notre vie.

—Eh bien, tu aurais dû y penser avant…

—Je t'en prie, Kate, la supplie-t-il en lui saisissant le bras. J'ai conduit toute la nuit pour assister à l'échographie, ce matin.

Elle le repousse et se dirige vers la porte.

—S'il te plaît, ne me fais pas ça. Laisse-moi t'accompagner.

—Non, parvient-elle à dire.

Elle a l'impression qu'elle va s'écrouler en claquant la porte derrière elle.

33

KATE

Dès que le docteur Williams la voit, il regarde autour de lui, déconcerté, et son sourire disparaît.

— Matt n'est pas là ?

Il est de toute évidence surpris.

Elle l'est tout autant. Si on lui avait dit il y a un mois encore qu'elle viendrait seule passer cette échographie, elle aurait éclaté de rire. Cela lui aurait semblé complètement impossible – pas après tout ce que Matt et elle avaient traversé ensemble pour en arriver là. Mais c'était avant l'irruption de Jess dans leurs vies.

Kate se sent obligée de prétendre que tout va pour le mieux dans le meilleur des mondes devant le docteur Williams. Comme si adopter une autre attitude aurait été les laisser tomber, lui et son équipe. Ils avaient tous fourni de si gros efforts pour cette grossesse, les avaient convaincus que, en tant que couple, Matt et elle devaient s'en remettre à leur expertise et au temps. Voilà pourquoi elle ne pouvait se résoudre dire la vérité au médecin.

— Il a eu une urgence au travail, dit-elle en refoulant ses larmes de toutes ses forces.

Il la regarde d'un air choqué. Immédiatement, Kate se sent coupable, sans savoir si c'est vis-à-vis du médecin ou de Matt.

— Connaissant Matt, ce doit être extrêmement important, car j'imagine qu'il n'aurait manqué l'événement pour rien au monde.

Elle lui adresse un sourire tendu.

— Bref, c'est ainsi, conclut le médecin.

Les paroles de Matt lui reviennent alors en tête. « Je refuse que tu gâches ce moment, car on ne le revivra jamais et on le regrettera toute notre vie. » Son estomac fait des nœuds.

— Vous devez être très impatiente, dit le médecin en la conduisant dans le couloir qui la mène à la salle désormais familière des échographies.

Je l'étais. Plus que vous ne pouvez l'imaginer, mais, sans Matt, cela devient soudain futile, comme si rien de tout ça n'avait plus vraiment d'importance.

— Oh oui ! dit-elle à la place. Extrêmement.

Il lui adresse un grand sourire.

— Très bien ! Bon, vous connaissez la procédure.

Kate se déchausse tandis qu'il déroule une feuille de papier d'un rouleau qui ressemble à un immense essuie-tout.

— Installez-vous confortablement, et on va voir comment tout cela se présente.

Il réduit la lumière. Kate s'allonge, tend la main vers la droite, où normalement Matt la lui saisit étroitement. Mais, aujourd'hui, celle-ci retombe juste mollement dans le vide avant qu'elle ne la replace sur la table d'examen. Une petite larme lui roule sur la joue.

— Alors, comment vous sentez-vous ?

— À fleur de peau, répond-elle avec honnêteté.

—C'est un état partagé par toutes mes patientes, je le crains ! dit-il en riant. Et votre alimentation ? Est-ce que vous vous nourrissez mieux ?

—Pas comme je le voudrais, répond alors une voix essoufflée.

—Ah, vous avez pu vous libérer ! s'exclame le docteur Williams avec un grand sourire. Juste au bon moment.

Matt prend immédiatement la main de Kate dans la sienne. Elle est si chaude et si réconfortante – un havre dans la tempête ! Ce dont elle avait actuellement le plus besoin. Il baisse les yeux vers elle.

—Je n'aurais manqué l'événement pour rien au monde.

—Merci, dit-elle silencieusement.

Matt essuie une autre larme sur sa joue avant de lui embrasser le front.

—Parfait, il y a bien un enfant, annonce le docteur Williams.

Et un battement de cœur résonne dans la pièce.

Kate lève les yeux vers Matt. Il est si ému qu'il se met à pleurer. Peu importe ce qui se passe, elle sait qu'ils trouveront un chemin pour faire face ensemble. L'enjeu ne se borne désormais plus à elle et lui.

—Tu as le temps pour un café ? demande Matt d'un ton peu assuré, quand ils se retrouvent à l'extérieur, sous le soleil.

Kate regarde sa montre. Et le regrette presque…

—J'ai promis à maman de passer chez elle. Lauren me retrouve là-bas.

—Est-ce au sujet de… ?

Elle hoche la tête sans qu'il ait besoin de finir sa phrase.

—Entendu, mais on doit aussi avoir une discussion. Est-ce que tu pourrais sortir plus tôt pour qu'on se retrouve à Greenwich Park, si le temps reste au beau fixe ?

Elle sourit à cette pensée. Ils ont toujours apprécié les dimanches où ils peuvent paresser sous la couette, à admirer de leur fenêtre cette ville qu'ils adorent, toujours en mutation. Kate s'imagine la tête posée sur les genoux de Matt, pendant qu'il passe la main sur son ventre gonflé – tous deux évoquant avec animation la future naissance de l'enfant et leurs projets.

Ils n'ont pas vraiment eu de conversations de ce type, pas depuis le tout début, quand ils pensaient naïvement qu'elle tomberait très vite enceinte. Même si, ce soir, ils n'auraient sans doute pas non plus ce genre de discussion, étant donné qu'ils avaient des sujets plus urgents à aborder.

— Je suis désolé, dit Matt. Je n'aurais pas dû…

— Non, c'est moi qui suis désolée! Tu ne pouvais pas deviner ce qui se passait, ce n'est pas ta faute.

Il hoche la tête, et, pendant quelques instants, ils restent devant l'hôpital, comme si chacun évaluait ce qu'il était préférable de faire, à présent. Normalement, dans cette situation, ils n'y réfléchiraient pas à deux fois. Ils se pencheraient l'un vers l'autre pour échanger un chaste baiser, sachant qu'ils se reverraient sous peu. Chacun vaquerait alors à ses occupations, satisfait. Mais, en l'occurrence, il y a un mur de deux mètres entre eux.

— Bien alors, dit Mark, gêné. On se retrouve là-bas plus tard.

— Entendu. Aux alentours de 19 heures.

Elle a hâte de partir. Elle veut être la première chez ses parents pour donner une dernière chance à sa mère de lui dire la vérité avant l'arrivée de Lauren.

— Oh, ma chérie! Quelle merveilleuse nouvelle! s'écrie Rose d'une voix aiguë.

Et elle prend Kate dans ses bras.

—Vraiment, c'est fantastique.

Les choses ne se passent pas comme celle-ci l'avait imaginé. Après tout ce qu'ils ont enduré pour qu'elle tombe enceinte, elle avait rêvé que Matt et elle annoncent la nouvelle ensemble lors d'une fête de famille. Et pas elle toute seule, sur le seuil du domicile parental, plus tôt qu'elle n'aurait voulu. Mais si Jess ne lui avait pas forcé la main, elle ne serait pas dans cette position.

Rose tient Kate à bout de bras, la regardant presque avec des yeux nouveaux.

—Tu vas faire la meilleure des mères, dit-elle.

—C'est drôle, répond-elle, et les larmes lui montent tout de suite aux yeux. J'ai tant attendu ce moment, et maintenant qu'il arrive enfin, je me sens nerveuse et un peu effrayée.

—C'est tout à fait naturel, dit Rose en l'entraînant au salon. Mais je peux t'assurer que, dès que ce petit sera là, tout rentrera dans l'ordre.

—Comment vais-je savoir ce qu'il faut faire?

—C'est instinctif, dit Rose. Cela viendra dès que tu auras accouché. Bien sûr, pour certaines choses pratiques, tu auras besoin d'aide, mais ta sœur et moi te donnerons des conseils. Et puis, tu t'es longtemps occupée des enfants de Lauren, donc tu as une longueur d'avance.

—Mais si je n'arrive pas à créer de lien avec le bébé? Si je ne ressens pas ce que je suis censée ressentir?

—Cela peut arriver. Il y aura toujours de nombreuses personnes qui te diront ce que tu *dois* ressentir après avoir eu un enfant, mais, pour certaines jeunes mères, cela ne vient pas tout de suite.

—Qu'est-ce que tu veux dire?

Sa mère va-t-elle lui révéler pourquoi elle a donné Jess à l'adoption ?

—Eh bien, il arrive que ce lien d'amour inconditionnel entre une mère et un enfant se forme plus tard, dit Rose. Nos corps et nos émotions sont tellement chamboulés que c'est parfois difficile, entre les hormones de la grossesse, le traumatisme de l'accouchement et le fait que, lorsqu'on se remet de tout cela, on se rend soudain compte qu'on est seule face à un petit humain qui dépend entièrement de soi.

—Ça a été le cas, pour toi, avec Lauren et moi ? demande Kate.

Et elle s'assied sur le canapé.

Rose prend place sur le fauteuil en face d'elle.

—Maman ?

—Kate, tu viens de m'annoncer une très bonne nouvelle, reprend Rose au bout d'un moment. Tu n'as pas à t'inquiéter, tu auras l'instinct maternel, j'en suis certaine.

—Donc, pour toi, ça a été difficile ? insiste Kate. Plus avec Lauren, car c'était ta première ?

—Ça a été difficile au début, admet Rose. Mais l'époque n'était pas du tout la même. Les femmes accouchaient le matin et étaient censées être au bureau dans l'après-midi.

Kate lui adresse un bref sourire.

—C'était les années quatre-vingt. Quand on nous assurait dans *Cosmopolitan* que l'on pouvait tout avoir. Si on n'occupait pas un poste important, qu'on n'avait pas un bébé sur la hanche et une vie sexuelle épanouie, alors cela voulait dire que l'on avait un problème.

—Et donc, que s'est-il passé pour toi ?

Kate est résolue à tirer avantage de la bonne humeur de sa mère.

Rose détourne les yeux et regarde par la fenêtre, comme perdue dans ses pensées.

—On était censée faire comme si c'était la plus belle période de sa vie, répond-elle enfin. Et, pendant quelques jours, ce fut en effet merveilleux. Ton père avait pris des congés, la maison était pleine de visiteurs et de fleurs, et Lauren était vraiment un bébé adorable.

—Mais?

—Mais je me sentais détachée, comme si tout cela arrivait à une autre. Quand ton père a repris le travail, je l'ai supplié de rester avec moi. Je me souviens d'avoir pleuré sur le seuil de la maison pour le retenir, lui demandant ce que j'étais censée faire, seule.

Malgré elle, Kate sent les larmes lui monter aux yeux face à cet aveu.

—Tu ne croyais pas que les choses allaient s'arranger?

—J'avais l'impression que je n'arriverais pas à m'en sortir seule, dit Rose. Je redoutais de faire ou de ne pas faire quelque chose qui compromette tout.

—Mais tu es une femme forte et capable.

—Oui, mais je traversais ce qu'on appelle une dépression post-partum, qui peut affecter n'importe qui. De l'extérieur, j'avais un mari qui m'adorait, une superbe maison, une famille qui me soutenait – mais, en réalité, j'étais une vraie loque. Tout me semblait insurmontable. Je n'avais pas confiance en moi ni en personne. Et j'avais tellement peur de me tromper ou de ne pas faire ce qu'il fallait que je croyais qu'on allait me retirer Lauren. Parfois, je me disais que j'allais en finir pour éviter des ennuis à tout le monde, mais je dois t'avouer en toute franchise que je ne savais pas si cela voulait dire m'en prendre à moi-même ou à Lauren.

— Et donc, qu'est-ce qui s'est passé ?

Rose émet un petit rire.

— Tout a été confus en moi pendant un an. J'ai vécu deux existences parallèles. Une où je donnais le change, et l'autre où j'avais constamment des palpitations et des pensées perturbantes. J'en étais consciente, mais je ne pouvais rien faire pour que les choses s'arrangent.

— Tu n'en as pas parlé à ton médecin ?

Elle secoue la tête avec véhémence.

— Non, à l'époque, on était stigmatisées, si on disait cela. Ce n'était pas comme aujourd'hui, où on nous invite à parler de nos émotions.

— Et tu n'as pas eu peur, quand tu t'es rendu compte que tu étais enceinte de moi ?

— J'ai été terrifiée, oui ! (Rose a un petit sourire.) Mais je ne pouvais pas nier à Lauren le droit d'avoir un frère ou une sœur juste parce que j'avais des difficultés à faire face. J'ai dû me faire violence, accepter que si tous les autres y arrivaient avec deux enfants, ce serait également mon cas.

— Et la deuxième fois, ça s'est aussi mal passé ?

Rose fait la grimace.

— Ça a été pire, malheureusement.

Kate ne peut s'empêcher de se sentir meurtrie à l'idée que sa mère ait eu des difficultés à l'aimer. Peut-être cela explique-t-il pourquoi elle s'était sentie plus proche de son père. Rose se rend-elle compte de ce que cela implique ? En tout cas, elle n'en montre rien.

— Et… la troisième fois ? demande Kate, hésitante.

Rose la regarde d'un air perplexe en inclinant la tête.

— La troisième fois… ? Je n'ai eu que deux filles, Lauren et toi, dit-elle en riant. Au cas où tu ne l'aurais pas remarqué.

Kate se lève, va vers la cheminée et prend le programme de la cérémonie de l'enterrement de son père. Sans doute sa mère n'arrive-t-elle pas à s'en séparer pour les mêmes raisons qu'elle. Elle aurait alors l'impression de ne plus penser à lui et, au cas où il la regarderait du ciel, elle ne veut surtout pas qu'il croie qu'elle l'a oublié.

Kate sourit en regardant la photo de son père, sachant que, s'il a cet air heureux, c'est parce que ses petits-enfants, qui figuraient sur la photo initiale – mais pas sur celle recadrée –, sont en train de jouer à ses pieds. Et soudain elle se sent abattue à l'idée que ce ne sera jamais ses enfants à elle qui le feront rire.

— Est-ce que tu l'aimais ? demande Kate.

— Tu sais bien que oui. Plus que moi-même.

— Et tu lui as toujours été fidèle ?

Elle n'a pas tourné autour du pot ! Comme elle lui tourne le dos, il est plus facile de poser la question, surtout si celle-ci lui répond un mensonge.

Un silence stupéfié s'ensuit.

— Mais enfin, pourquoi me demandes-tu une chose pareille ? Comment peux-tu penser cela ?

Kate a la sensation d'avoir la bouche remplie de coton. C'est le moment ou jamais de se rétracter. Mais non : elle est venue ici pour découvrir la vérité. Elle ne peut pas faire machine arrière.

— Salut ! s'écrie Lauren à cet instant de l'entrée.

— On est au salon !

Le soulagement s'entend dans la voix de Rose.

— Désolée, je suis en retard, dit Lauren d'un ton nonchalant, comme si elles étaient ici pour discuter du beau ou mauvais temps.

Si seulement ! pense alors Kate.

— Je vous ai demandé de venir toutes les deux, enchaîne Rose sans perdre de temps, car j'ai quelque chose à vous dire.

Lauren et Kate échangent un regard. C'est un peu comme si elles allaient enfin savoir qui a remporté la compétition. Lauren va-t-elle décrocher le prix pour avoir deviné que Jess était la fille de leur père ? Ou Kate, l'outsider, va-t-elle rentrer chez elle, son intuition confirmée que Jess est l'enfant de sa mère ? Dans un cas comme dans l'autre, c'est un jeu malsain.

— C'est très difficile pour moi, et je n'aurais jamais imaginé me retrouver un jour dans cette position, mais vous ne m'avez pas laissé le choix.

Kate se hérisse à la pensée que ce serait maintenant leur faute, si sa mère a abandonné son enfant.

— La visite de Jess a fait remonter de mauvais souvenirs. Ceux d'une période que j'aurais préféré oublier.

Lauren se laisse lourdement tomber sur le canapé, comme si elle s'attendait à ce que ce soit long. Kate, qui préférerait que la question soit réglée rapidement, reste dos à la cheminée.

— Il y a eu une femme, commence Rose d'un ton délibérément lent. Elle s'appelait Helen Wilmington, et c'était la secrétaire de votre père.

Kate a la sensation de manquer d'air.

— Juste avant notre déménagement du Yorkshire, votre père n'était plus lui-même. (Rose renifle.) Il avait toujours travaillé beaucoup, mais là, il ne s'arrêtait plus. Un soir, il me prévient qu'il rentrera très tard du bureau. Je décide alors de lui faire une surprise et de lui apporter son dîner.

Kate grimace, pressentant le mensonge que sa mère va raconter.

Rose se mord la lèvre, regardant ses filles l'une après l'autre pour vérifier qu'elle a bien toute leur attention.

— Et il n'y était pas ? questionne naïvement Lauren.

— Oh, si !

Et Rose essaie de rire, mais cela sonne creux.

— Mais *elle* aussi était là, et la raison qui motivait sa présence ne faisait aucun doute.

Lauren porte la main à sa bouche.

— Tu les as vus ?

Rose hoche solennellement la tête.

— Et ils t'ont vue ? poursuit Lauren.

— Non, non, je me suis éclipsée avant.

— Lui en as-tu parlé ? Lui as-tu dit ce que tu avais vu ?

Rose prend la main de Lauren dans la sienne. Quand elle relève les yeux, ils brillent de larmes.

— Non, parce que je voulais que rien ne change. Il faut que vous me compreniez. J'aimais votre père de tout mon cœur et je savais que j'étais au courant, les choses ne seraient plus jamais les mêmes. J'ai refusé d'infliger cela à notre famille – elle était trop importante pour moi. Et elle l'est *toujours*.

Rose balaie d'un regard triste le salon de ce qui constitue leur foyer depuis près d'un quart de siècle. Sa couleur pêche et son mobilier en acajou orné de figurines en porcelaine sont un peu datés, mais le tout est fort bien entretenu.

Kate se rappelle les samedis matin, quand sa mère fredonnait sur les titres qui passaient sur Radio 2, et que son père et elle rentraient du jardin, les bottes crottées et un sourire déloyal aux lèvres.

— Ne vous avisez pas de rentrer dans la maison avec ces bottes, criait tout de suite Rose.

Kate et son père échangeaient alors un regard complice et éclataient de rire.

Avait-il une maîtresse, à l'époque ? Un enfant avec elle ? Elle refuse de le croire, et pourtant les larmes lui montent aux yeux malgré elle.

—Je suis désolée, dit Rose. Je n'ai jamais souhaité que vous pensiez du mal de votre père, mais, en l'occurrence, vous ne m'avez pas laissé le choix. Vous m'avez forcé la main en refusant de lâcher l'affaire.

—Donc tu penses que Jess est la fille de Helen Wilmington ? demande Lauren.

—J'espère, oui, dit Rose. Car si elle est l'enfant d'une autre, alors j'étais bien plus naïve que je ne pourrais l'admettre.

Lauren écarquille les yeux, comme si une pensée subite venait de lui traverser l'esprit.

—Et tu sais où elle est, maintenant ? Jess pourrait peut-être la rechercher et, ainsi, elle retrouverait sa mère.

Rose baisse les yeux et prend le mouchoir posé sur ses genoux.

—J'ai entendu dire qu'elle était morte, dit-elle d'un ton calme. Il y a quatre ans environ.

—Pourquoi ne nous as-tu pas raconté tout cela quand Jess est venue ici la première fois ? demande Kate.

—Parce que… parce que je ne voulais pas que vous vous mettiez à détester votre père, dit Rose en pleurant.

Kate en a le souffle coupé. Elle ne détestera jamais son père, en dépit de tous les mensonges que sa mère pourra raconter. Il lui faut faire appel à toute la force de sa volonté pour ne pas applaudir les talents d'actrice de sa mère.

—Combien de temps t'a-t-il fallu pour inventer cette histoire ?

Lauren pousse un cri devant l'audace de sa sœur.

—Kate !

Kate regarde Lauren, le visage dur.

—Au lieu de suivre le mouvement, demande à maman pourquoi j'ai retrouvé des souvenirs du bébé, dans le grenier.

Rose écarquille les yeux, mais elle se ressaisit bien vite, présentant de nouveau le triste visage d'une veuve.

—Quels souvenirs de bébé, maman ? demande Lauren qui regarde tour à tour Kate et leur mère.

—Tu t'en souviens, maman ? questionne Kate. Tu te souviens de la petite grenouillère rose et de l'ourson en peluche ?

À ces mots, Rose affiche une expression complètement paniquée. Elle se lève de sa chaise et secoue brusquement la tête.

—Non, non, répète-t-elle plusieurs fois.

Mais plus elle nie, plus Kate est certaine qu'elle ment.

—Je ne sais pas de quoi tu parles.

—Bien sûr que si ! dit Kate d'un ton assuré, malgré la boule qui s'est formée dans son estomac. Je te les ai montrés, et tu t'es empressée de les jeter à la poubelle.

Rose émet un son étranglé.

—Je ne m'en souviens vraiment pas. Tu es certaine que tu n'as pas rêvé ?

—Certaine, marmonne Kate en penchant la tête.

—Dans ce cas, tu l'as peut-être imaginé. Tu as toujours eu une imagination débordante, quand tu étais enfant.

—Tu ne m'as même pas demandé quel âge j'avais, à l'époque.

—Kate, ça suffit ! s'écrie Lauren.

—Donc tu le nies, insiste Kate, sans prêter attention à sa sœur. Tu ne te souviens pas de la boîte, de son contenu que tu as jeté à la poubelle… Rien ?

—Non, ma chérie, dit Rose en voulant lui prendre la main.

Mais Kate s'écarte et s'assied sur le canapé, près de Lauren.

Elle hésite. Elle est tentée de parler des deux bracelets de naissance qui portent la même date, preuve irréfutable que, d'une façon ou d'une autre, Rose sait parfaitement qui est Jess. Mais finalement, elle n'en fait rien, redoutant de ne pouvoir expliquer de façon plausible comment elle détient cette information. Ils ne seront de toute façon plus nécessaires, une fois qu'elle aura les résultats d'ADN. Alors Rose ne pourra plus se soustraire à la réalité des preuves.

— Donc tu comptes poursuivre cette mascarade ? dit Kate. Comment peux-tu faire cela à papa ? Je pensais que tu l'aimais.

— Mais c'était le cas, ma chérie. Parfois, j'ai l'impression que je l'aimais bien trop. J'aurais été capable de tout pour lui.

— Il n'était pas le genre d'homme à entretenir une liaison sordide avec sa secrétaire, dit Kate d'un ton résolu.

— Tu aimerais effectivement qu'il ne l'ait pas été, objecte Rose. C'est toute la différence.

Lauren pose la main dans le dos de sa sœur.

— Tu avais une relation privilégiée avec lui, nous le savions tous, mais tu ne vivais pas en couple avec lui, Kate. Maman était sa femme, la personne qui voyait ce qui se passait.

— Il n'était pas l'homme qu'elle nous décrit, répète Kate. Et je le prouverai.

34

Lauren

Au fil de la journée, Lauren a découvert qu'être une épouse fidèle et une mère de trois enfants n'est pas très conciliable avec la perspective de commettre un acte susceptible de s'apparenter à un détonateur.

Tout en constatant que les poissons panés des enfants ont brûlé – même les tâches les plus banales se révèlent impossibles – elle essaie de se convaincre que ce sont les histoires de Kate qui lui ont embrouillé la tête. Que ce n'est pas l'idée de voir Justin ce soir qui l'a conduite à mettre à Jude la grenouillère rouge de Noah au lieu de son pyjama blanc. Pourquoi en serait-elle perturbée ? Elle va juste chez lui pour lui dire que c'est terminé. Pour en finir avec cette histoire inachevée qui flotte entre eux, afin que chacun puisse poursuivre sa vie. Elle n'entrera pas dans son appartement – ce n'est pas nécessaire : ils peuvent se dire au revoir sur le seuil. Ils n'ont rien d'autre à faire. Mais, dans ce cas, pourquoi a-t-elle mis des sous-vêtements assortis ?

Debout à présent devant la psyché de sa chambre, elle tente de voir sous quel angle elle donne le mieux le change. Comment se fait-il qu'elle n'ait pas vu le temps passer ? Autrefois, avec Justin, elle cherchait toujours à se faire passer pour une « vraie » femme, au lieu de l'adolescente qu'elle était. Mais, maintenant, en resserrant les bretelles de son soutien-gorge afin que sa poitrine soit là où elle était autrefois, en passant la main sur la peau flasque de son ventre, elle regrette le temps où il était bien ferme.

Finalement, on n'est jamais satisfait.

—Tu sors, maman ? demande Noah depuis le pas de la porte.

—Eh, toi ! dit-elle en se précipitant sur lui pour le prendre dans ses bras. Tu es censé dormir à l'heure qu'il est.

Et elle le ramène au lit où elle le pose doucement.

—Mais, si tu sors, qui va nous surveiller ? demande Noah.

Puis il se caresse la joue avec la couverture qui est la sienne depuis sa naissance.

Elle pèse le pour et le contre. Doit-elle lui dire la vérité ? Comme elle n'a pas prévenu Simon qu'elle sortait, elle choisit la résistance passive.

—Je ne vais nulle part, dit-elle, se détestant aussitôt. Et maintenant, rendors-toi, mon chéri.

Elle lui dépose un baiser sur la joue qui lui vaut un sourire angélique. Ce qui lui brise le cœur ! Cette sortie, c'est de la folie, elle ne peut pas faire… Elle ne sait même pas quoi ! D'ailleurs, le simple fait de laisser les enfants à la garde de Jess, indépendamment de qui est cette dernière, va à l'encontre de ses principes. Elle n'a jamais confié ses enfants à personne d'autre que ses parents depuis la naissance de Noah. Elle a toujours rechigné à prendre des baby-sitters, même si elles lui étaient chaudement recommandées, parce qu'elle ne pouvait pas faire entièrement confiance à une inconnue.

Mais Jess n'en est pas vraiment une, si ?

Elle soupire. Elle ignore la vie que Jess mène, les gens qu'elle fréquente, ses éventuelles mauvaises habitudes.

Elle se drogue peut-être. Elle a peut-être eu des démêlés avec la police. Et si ce type avec qui elle sort au travail était un voleur ou un escroc? Elle a dit qu'il passerait plus tard. Jess semblait si excitée que Lauren n'a pas voulu la décevoir en refusant, mais elle n'est pas très à l'aise avec cette idée. Et si cet homme était un criminel qui exerçait aussi une profession dans la journée? D'ailleurs, ils peuvent parfaitement être tous deux des imposteurs qui s'introduisent chez leurs victimes en se prétendant de leur famille. Et s'ils embobinaient les gens en se jouant de leur vulnérabilité avant de les dépouiller de tout ce qu'ils possèdent? Soudain, elle se rend compte qu'elle s'interroge pour la première fois sur les motivations de Jess. La honte la saisit. Comment va-t-elle pouvoir lui laisser ses enfants, maintenant?

Elle retourne dans sa chambre et appelle Jess en reprenant avec regret la combinaison-pantalon noire posée sur son lit pour la ranger dans sa garde-robe. Elle tombe directement sur la messagerie. Au même moment, la sonnette retentit. Elle enfile alors précipitamment la tenue qu'elle tient à la main et va ouvrir en finissant de la boutonner.

—Jess!

—Désolée, j'ai un peu d'avance. Les trains étaient à l'heure, pour une fois.

—Oh, j'étais justement en train de...

Et Lauren regarde le téléphone qu'elle tient à la main, sachant qu'il est trop tard pour annuler l'appel, maintenant.

—Tu es magnifique, dit Jess en examinant Lauren de la tête aux pieds.

Je suis affreuse, oui! pense Lauren avant de se rappeler les paroles de Kate.

—Oh, merci!

—Alors, qu'est-ce que je dois savoir? demande Jess en entrant.

—Mmm, tu sais quoi? En fait, je ne suis pas vraiment d'humeur à sortir, donc je pense que je vais annuler. Mais, cela dit, on va s'installer au salon et ouvrir une bouteille de vin, toutes les deux.

—Ah non! Pas question que tu renonces à ta sortie, vu comme tu es habillée! s'exclame Jess avec un sourire. Il faut que tu te montres!

Lauren sourit, gênée.

—J'espère que Simon mesure la chance qu'il a! Il serait très fier si tu étais à son bras, ce soir. Allez, va vite enfiler tes chaussures.

Un sentiment de culpabilité envahit Lauren pendant qu'elle remonte l'escalier, tout en laissant ses doigts traîner sur la peinture écaillée. Alors que Simon travaille de nuit, elle s'apprête à voir un autre homme. Bien sûr, il est machiste, lunatique, et il lui arrive de ne pas contrôler ses nerfs, mais quoi de surprenant? Elle est sans arrêt sur son dos, à lui demander de réparer la douche, de mettre une porte de cuisine, de repeindre l'escalier. Pourquoi ne le repeint-elle pas elle-même, au lieu d'embêter son mari occupé à gagner de l'argent pour entretenir sa famille?

Elle fait de son mieux pour se convaincre que Simon mérite mieux que ça. Mais pour un argument à son avantage, elle peut en trouver deux en sa défaveur. Par exemple, ils ont du mal à joindre les deux bouts. Or ils seraient bien plus à l'aise financièrement s'il ne passait pas ses soirées au pub et n'allait pas parier aux courses tous les samedis. Et, lors de leurs rares sorties ensemble, elle préférerait tout de même qu'il lui parle au lieu de regarder son téléphone et de l'accuser de flirter avec le serveur.

Ses seules chaussures à talons se trouvent près de ses chaussons, en bas de son armoire, comme un choix symbolique entre le bien et le mal. En un rien de temps, elle se décide.

— Donc, Noah et Emmy sont au lit et ne devraient pas se réveiller, dit-elle à Jess de l'escalier, qu'elle redescend à présent prudemment, chaussée d'escarpins vernis noirs. Il est vraiment improbable qu'ils se réveillent, mais au cas où, ce serait juste pour aller aux toilettes ou boire un verre d'eau.

Jess hoche la tête, l'air confiant.

— Et Jude ?

Lauren regarde son fils qui, assis sur le sol du salon, joue en gazouillant avec un mobile coloré.

— J'ai mis un biberon dans le réfrigérateur qu'il doit prendre à 22 heures, mais je suis certaine que je serai rentrée d'ici là.

Jess regarde sa montre.

— Il est presque 20 heures. À ce rythme-là, tu vas être de retour avant de partir.

Lauren sourit à Jess et s'éloigne pour aller dans la cuisine se servir subrepticement dans le mug qui contient la modique somme que Simon lui concède chaque semaine. Elle met les quarante livres dans sa poche, puis glisse l'ordinateur portable qu'elle partage avec Simon sous son bras. Elle préfère l'emporter, au cas où Jess et son petit ami en feraient usage à leur avantage.

— Tu es certaine que cela ne te gêne pas ? demande-t-elle en revenant au salon.

— Je suis incroyablement flattée que tu m'aies demandé de garder tes enfants, dit Jess. Et de toute façon… (Du bout du pied, elle effleure le parquet tandis que Lauren la regarde, dans l'expectative.) C'est à ça que servent les sœurs.

Les mots viennent se ficher dans le cerveau de Lauren, tandis qu'une image de Kate s'impose en même temps à elle. Jess a raison, les sœurs servent à ça. Aussi, pourquoi n'est-ce pas la sienne qui est chez elle, actuellement ? Lauren devrait pouvoir compter sur Kate pour l'aider, en ce qui concerne les enfants. Seulement, elle a l'impression que leur relation a pâti de la venue de Noah. Et à chaque nouvel enfant dont Lauren a été comblée, Kate lui a semblé s'éloigner un peu plus d'elle. Maintenant, avec l'arrivée de Jess, elle se demande si elles pourront retrouver leur relation d'avant.

Lauren attire Jess à elle et la serre très fort dans ses bras.

— Je suis si heureuse de t'avoir, dit-elle, les yeux brillants.

— Je suis si heureuse, moi aussi, répond Jess.

— Téléphone-moi si tu as besoin de quoi que ce soit !

Et sur ces mots, Lauren monte dans sa voiture.

— Entendu ! Amuse-toi bien, dit Jess avec un sourire.

Lauren regarde la porte d'entrée se refermer, en proie à des émotions partagées. Comment a-t-elle pu estimer nécessaire d'emporter son ordinateur, alors qu'elle laisse ses enfants – ses biens les plus précieux – à la maison ?

Involontairement, elle frissonne, puis démarre. Elle repense à Kate et se demande comment il serait possible de rétablir une bonne relation avec elle. Si elle savait ce qu'elle est en train de faire, elle ne le lui pardonnerait *jamais*. Elle et son mari s'aiment toujours, Kate a une foi inébranlable dans les vœux sacrés du mariage et ne manque pas de rappeler à l'ordre ceux qui osent s'en affranchir. Il suffit de regarder les titres de ses articles pour se rendre compte qu'elle ne tolère pas les tromperies au sein d'un couple.

— Mais je ne vais pas commettre d'adultère, dit Lauren à voix haute en bifurquant, au volant de sa voiture, dans la rue parallèle à celle de Justin.

Tu ne pourras pas te garer à Butler's Wharf. Donc viens aussi près que possible en voiture, et fais le reste du trajet à pied.

C'est le dernier texto que Justin lui a envoyé. À la fin, il a écrit :

Je suis si impatient de te voir.

Mais elle préfère ne pas s'en souvenir.

Ses talons ne sont pas franchement adaptés aux ruelles pavées de Shad Thames, et elle se tord presque la cheville en passant sous les arcades du vieux moulin à épices. Elle s'arrête un moment pour s'appuyer à un mur, bien qu'elle ne sache si c'est pour ralentir la cadence de son pas ou de son cœur. Une fois arrivée devant l'immeuble de Justin et sa porte dotée d'un interphone présentant une vingtaine de boutons dorés, elle sent sa bouche s'assécher. Pourquoi est-elle venue ? Cela ne lui semble plus une bonne idée. Son doigt tremble quand elle le passe sur les numéros, cherchant en l'occurrence le 12.

— Salut ! C'est moi, dit-elle.

— Monte, répond Justin. C'est au dernier étage.

OK, donc, tu viens de frapper à sa porte, se dit-elle dans l'ascenseur. *Maintenant, tu vas lui dire : « C'était génial de s'être recroisés, mais je ne crois pas que ce soit une bonne idée de continuer à se voir. »*

Elle lisse sa combinaison sur le devant et déglutit. Elle a un nœud dans la gorge.

C'est bien compris ? se demande-t-elle à elle-même.

Bien compris, lui répond une voix intérieure convaincante.

— Salut, dit Justin quand les portes de l'ascenseur s'ouvrent.

Elle a immédiatement les jambes en coton. Et quand elle croise son regard, elle est parcourue de frissons. Il lui donne un baiser en lui effleurant à peine la joue. À cet instant, il lui semble que ses genoux vont céder… Comme il est bon d'être en compagnie d'un homme avec qui on a envie d'être. La dernière fois qu'elle a ressenti cela, c'était… Eh bien, c'était avec Justin ! Bon sang, ça va être plus difficile que prévu.

—Salut ! répond-elle, consciente des mains de Justin s'attardant sur sa taille. Voilà, j'aurais dû t'appeler, mais j'ai pensé qu'il était plus convenable de venir ici et…

Il plaque sa bouche sur la sienne et enfouit ses mains dans ses cheveux avant même qu'elle ait le temps de finir sa phrase. Il l'embrasse tendrement, comme s'il la goûtait. Elle a tant envie qu'il continue ! Mais sa raison lui crie de l'arrêter pendant qu'il en est encore temps. Seulement, comment est-ce possible, puisqu'elle n'en a aucune envie ? Elle lui mord doucement la lèvre, retardant le moment.

—Je dois te dire quelque chose, murmure-t-elle alors.

Il s'écarte un peu pour la regarder, l'air soucieux.

—Très bien.

La prenant par la main, il l'entraîne dans son appartement. Ses jambes sont chancelantes, son cœur lourd, mais curieusement léger à la fois, comme si une centaine de papillons se préparaient à y prendre leur envol.

—Waouh !

Elle n'a pu retenir un cri en découvrant son vaste salon ouvert et ses immenses baies qui donnent directement sur le Tower Bridge. Le pont est si près qu'elle peut voir l'expression des passants qui le traversent.

—C'est beau.

—Attends que les lumières s'allument, dit Justin.

—Bon, écoute…

Elle sait bien qu'elle se complique la tâche en remettant à plus tard sa bonne résolution. Elle se tourne vers la table parfaitement dressée pour deux. Il lui présente alors une chaise. Ce n'est pas ce qu'elle voulait.

Si, c'est précisément ce que tu espérais, rétorque une autre voix en elle.

—Je suis désolé, je n'aurais pas dû t'embrasser, dit Justin. Mais on peut s'asseoir et discuter, non? Visiblement, tu as quelque chose à me dire. Je suis tout ouïe. Dès que j'aurai sorti le dîner du four.

Lauren sourit, reconnaissante à Justin de l'humour qu'il apporte à la situation, mais lui en voulant en même temps, car elle l'en aime encore plus.

Elle le regarde lui verser un verre de vin rouge.

—Tu préférais peut-être du blanc? dit-il soudain en interrompant son geste. J'image que tu conduis?

Elle hoche la tête.

—Le rouge, c'est parfait. Et juste ce verre.

Il finit de le remplir et, exécutant des moulinets avec son torchon, il disparaît dans la cuisine adjacente. Lauren sourit.

—Cet appartement est à toi? lui demande-t-elle en avalant une gorgée de vin.

Il serait plus poli de l'attendre, mais elle a sacrément besoin de courage.

—Non, pour l'instant, je loue… Ah, merde!

—Tout va bien? Tu as besoin d'aide?

—J'ai juste fait tomber une pomme de terre sur le carrelage, mais comme c'est la tienne, ce n'est pas grave.

Lauren éclate de rire.

— Donc, oui, je loue en attendant de décider ce que je vais faire. Je suis de retour depuis quelques mois seulement, et, pour l'instant, ça me convient. Mais ensuite, quand mes enfants viendront me rendre visite et que…

Lauren prend une grande inspiration, attendant qu'il continue, sans être non plus vraiment certaine de vouloir entendre la suite.

— Enfin, j'espère qu'ils auront envie de passer du temps avec moi, donc…

— Il te faudra sans doute un jardin, enchaîne-t-elle pour compléter sa phrase.

— Un jardin ? (Il éclate de rire.) Ce n'est pas franchement la priorité de mon fils de seize ans. Je redoute plutôt qu'il profite de tout ce que le centre de Londres peut lui offrir.

— Seize ans ? (Elle se sent un peu essoufflée, sans comprendre pourquoi.) Et ton autre fils, quel âge a-t-il ?

— Il vient de fêter ses dix-huit ans.

Et, à cet instant, il revient avec deux assiettes remplies d'un rôti braisé traditionnel.

— Oh ! s'exclame-t-elle.

— Quoi, tu n'aimes pas la viande ? Ne me dis pas que tu es devenue végétarienne.

— Euh, non… non, ça a l'air délicieux. Donc tu as eu tes enfants très vite après…

— Oui.

Elle ne sait trop si cela la surprend agréablement ou la déçoit.

— Bien sûr, je ne le regrette pas, mais j'aurais préféré attendre un peu.

— Pourquoi ?

Il s'assied lourdement en face d'elle.

— J'aurais dû prendre plus de temps pour… pour me remettre de toi, de nous…

Lauren scrute son assiette.

— Pourtant, de façon égoïste, je me dis que si je les avais eus plus tard, j'aurais encore des bambins qui courraient partout, au lieu de mes deux colosses de quatre-vingt-dix kilos.

Lauren lui sourit, mal à l'aise. Elle sent comme un étau se refermer autour d'elle.

— Donc, deux fils, c'est ça?

Justin hoche la tête.

— Et toi, pourquoi tu n'as pas eu d'enfants, finalement? Ou bien c'est une question trop personnelle?

Une pomme de terre reste coincée dans la gorge de Lauren tandis qu'elle cherche sa réponse. C'est le moment ou jamais d'être honnête. Si elle lui dit la vérité maintenant, il est possible qu'il lui pardonne. Si elle laisse passer l'occasion, il n'y aura plus moyen de revenir sur son mensonge.

Elle s'éclaircit la voix, puis repose son couteau et sa fourchette.

— Justin, il faut que je te dise quelque chose.

Il se redresse et l'imite, se tamponnant la bouche avec sa serviette.

— En fait, j'ai des enfants.

Et elle laisse glisser son regard sur le Tower Bridge, derrière la fenêtre.

— Mais je pensais que…

— Je ne sais pas pourquoi je t'ai dit le contraire.

Elle est toujours incapable de croiser son regard, par crainte sans doute de n'y voir un jugement.

— Quand je t'ai vu… je… enfin, j'ai paniqué, et tout est allé de travers…

— Mais pourquoi ne me l'as-tu pas dit, tout simplement?

Il a l'air aussi déconcerté qu'elle.

— C'est juste que... Je suis désolée, vraiment, je ne sais pas pourquoi j'ai menti.

Elle s'efforce alors de le regarder, s'attendant à déceler de la haine sur son visage, mais la tendresse qu'elle y voit la surprend. Sous l'impulsion d'un regain d'espoir, elle poursuit :

— J'ai trois enfants : Noah, Emmy et Jude.

Justin s'adosse à sa chaise. S'il ressent la même chose qu'elle, il doit avoir perdu l'appétit.

— Et peux-tu...

Il s'étrangle et reprend :

— Je peux te demander leur âge ?

Elle tend le bras pour lui prendre la main, sachant ce qu'il doit penser.

— Noah a cinq ans, Emmy dix-huit mois et Jude vient d'en avoir cinq.

Il se pince l'arête du nez.

— Donc, tu es en couple ?

Elle hocha la tête.

Justin se lève et va se planter devant la baie, face à la Tamise.

— Je pensais que je ne serais jamais capable de te pardonner ce que tu avais fait, dit-il, mains sur les hanches. Je t'ai tellement détestée.

Sans mot dire, Lauren repousse sa chaise et va le rejoindre. Elle pose la main dans son dos.

— Et pourtant, je suis avec toi, aujourd'hui, et de toute évidence encore amoureux de toi, poursuit-il.

— Pourquoi m'en as-tu voulu à ce point ?

— Tu sais bien pourquoi.

Sa voix est soudain tendue, comme s'il luttait pour paraître normal.

Elle se place juste devant lui, dans sa ligne de mire, attendant qu'il lui tire dessus à boulets rouges.

— Qu'espérais-tu que je fasse ? dit-elle en lui prenant les mains.

— On aurait dû prendre cette décision ensemble, répond-il d'une voix étranglée.

Elle retire sa main de la sienne et fronce malgré elle les sourcils.

— Ç'aurait été le cas, si tu étais resté !

Il émet un rire désabusé.

— Tu plaisantes, j'espère ?

— Tu m'as abandonnée au moment où j'avais le plus besoin de toi, dit-elle, consciente du changement d'atmosphère. Je t'ai supplié d'en discuter, mais tu m'avais rayée de ta vie. Je n'existais plus pour toi.

— Effectivement, dit-il, visage fermé.

Une larme inattendue roule sur la joue de Lauren. Elle s'empresse de l'essuyer.

— Très bien, je m'en vais, dit-elle, tremblante. Mais sache une chose : je n'ai jamais cessé de t'aimer et, honnêtement, je pense que, si tu étais resté avec moi, notre bébé serait grand, aujourd'hui.

Il lui saisit le bras au moment où elle passe devant lui et lui fait faire volte-face.

— Tu t'étais débarrassée de lui avant même que j'aie l'occasion de te parler. Je ne vois pas en quoi ma présence aurait fait la différence.

— Quoi ? s'écrie Lauren. (Elle se dégage de sa prise.) Mais qu'est-ce que tu racontes ? Je t'ai supplié de venir me voir chez mes parents pour qu'on discute. Je leur ai juré que tu me soutiendrais, qu'on s'en sortirait, toi et moi, ensemble, mais tu m'as quittée, et j'ai dû affronter tout cela seule.

Cette fois, elle laisse couler ses larmes, tout en tambourinant son buste de ses poings.

— J'avais besoin de toi, mais tu n'étais pas là. Pourquoi n'étais-tu pas là ?

Justin la saisit par les bras et plonge un regard intense dans le sien.

— On m'avait dit que tu avais déjà avorté, dit-il d'une voix forte. C'est pour cela que je suis parti. Tu avais décidé pour nous deux.

— Non, non, non ! s'écrie Lauren en secouant la tête avec véhémence. Ça ne s'est pas passé ainsi. Tu m'as quittée avant que je prenne ma décision. Et, sans toi, je ne pouvais pas...

Leurs regards se croisent et ne se lâchent plus. Tous deux ont les pupilles dilatées, sous le choc. Ils viennent de se rendre compte qu'on s'est joué d'eux, qu'on leur a rapporté des propos erronés sur l'autre.

Justin prend la tête de Lauren entre ses mains et l'embrasse avec passion, comme s'il tentait de combler toutes les années de chagrin et de frustration qui se sont écoulées.

— Je te jure que..., commence Lauren en écartant le visage du sien.

Mais il reprend sa bouche et, cette fois, elle lui répond. Sa langue, ses caresses, son odeur, tout en lui la ramène aux heures les plus heureuses, mais aussi les plus sombres, de sa vie.

— Je n'ai jamais cessé de t'aimer, dit-il dans un souffle.

Et, de ses lèvres, il suit la courbe de son cou. On dirait une plume effleurant sa peau.

— Fais-moi l'amour, murmure-t-elle, en larmes.

Il la soulève, et elle passe ses jambes autour de sa taille, sans cesser de l'embrasser, jusqu'à ce qu'il la dépose doucement sur le lit. Le désir qu'elle éprouve pour lui est d'une telle évidence que c'en est douloureux.

— Tu es certaine ?

Elle hoche la tête, comme la dernière fois qu'il lui a posé la question, vingt-deux ans plus tôt.

35

KATE

—J'ai besoin du papier sur le mannequin glamour, crie Lee, de la salle de rédaction.

Kate regarde l'horloge au mur. Il est 19 heures passées, et elle n'a pas encore eu le temps de se concentrer sur le plus important. À la place, elle a dû faire une interview aussi déprimante qu'elle le redoutait avec une femme qui, âgée de quarante-cinq ans, en est à sa cinquième mammoplastie. Elle doit sans doute devenir cynique ou avoir les dents trop longues pour trouver encore en elle l'énergie d'écrire des articles aussi insipides.

—Ça vient! répond-elle sur le même ton.

Dès qu'elle appuie sur Envoi, elle saisit son téléphone et se réfugie dans la cage d'escalier, où elle aura un peu d'intimité.

—Salut, Nancy, c'est Kate! Je me demandais si vous aviez les résultats pour les échantillons d'ADN que je vous ai envoyés hier soir.

—Oh! Bonsoir, Kate. Non, pas encore, mais ça ne va plus être long. J'espère les avoir dans deux ou trois heures.

—Parfait. Vous pouvez m'appeler, quand vous les recevez?

—Pas de problème, dit Nancy.

Et elle raccroche.

Kate se tapote alors le menton avec son téléphone. Que va-t-elle faire si les résultats correspondent à ses attentes ?

Sa mère ne sera certainement pas surprise – juste choquée que Kate ait eu recours à de telles extrémités pour obtenir la vérité. Cela dit, si Rose avait été honnête dès le début, sa démarche n'aurait pas été nécessaire. Lauren, en revanche, va être stupéfaite de la tournure des événements. Et Jess aussi, sans aucun doute.

Encore une fois, elle ressent du soulagement à l'idée que son père ne soit plus là pour être témoin de l'arrivée de Jess dans leurs vies. Même si associer un tel sentiment au décès de son père lui est affreux. Elle continue néanmoins de s'interroger. Si son père ignorait vraiment les agissements de Rose, à l'époque, qu'aurait-il ressenti en apprenant que la femme qu'il avait aimée et chérie pendant quarante ans lui avait été infidèle et déloyale de la plus cruelle des façons ?

Que s'était-il passé pour que leur mère en vienne à tromper le meilleur des maris ? Que pouvait donc bien avoir fait son père qui aurait pu justifier le comportement de Rose ?

S'il était toujours vivant, elle lui aurait posé la question. Soudain, elle regarde son sac, à ses pieds. Finalement, c'est peut-être encore possible…

À toute vitesse, elle ramasse son énorme fourre-tout et se met à fouiller dedans. Comment a-t-elle pu oublier la lettre qu'elle a subtilisée dans l'armoire de ses parents ? Coincée entre une facture d'électricité et un mouchoir usagé, l'enveloppe contient peut-être des réponses, ou du moins des indices susceptibles d'expliquer la situation dans laquelle ils se retrouvent actuellement. Elle porte la trace d'un rouge à lèvres qui a perdu son bouchon dans son sac. Le poids symbolique de ce rouge sang qui macule le papier blanc tombe lourdement sur les épaules de Kate. Elle parcourt la lettre.

Cher Harry,

Je sais que ce que j'ai fait n'est pas bien, mais tu ne m'as pas laissé le choix. Comment aurais-je pu réagir autrement ? On pourra surmonter ce qui s'est passé, je sais qu'on y arrivera, tous les deux, avec les filles. Nous formons une famille et, un jour, dans un avenir proche, je prie pour que tu trouves en ton cœur la force de me pardonner, comme moi je te pardonnerai.

Avec tout mon amour,

Rose

Voilà qui soulève plus de questions que cela n'en résout. Kate éprouve le besoin urgent de savoir ce qui leur était nécessaire de se pardonner mutuellement.

Finalement, elle ne va pas passer la soirée tranquille qu'elle espérait avec Matt ! Et, bien qu'elle se sente coupable de lui faire faux bond, elle a en l'occurrence des problèmes bien plus importants à gérer. Elle lui écrit en se dirigeant vers la station :

On va devoir remettre notre soirée à plus tard. J'ai un contretemps.

Elle saute dans le métro juste avant la fermeture des portes et se retrouve coincée entre deux hommes imposants. Le seul air qui lui parvient passe par leurs aisselles, précisément au niveau de son nez. L'odeur qui émane d'eux lui donnant la nausée, elle tente de se tourner. C'est alors qu'elle sent qu'on tire sur sa jupe et voit une main surgir d'entre les corps serrés des passagers. Quelqu'un cherche-t-il des bâtons pour se faire battre? Suivre du regard où mène cette main, c'est comme vouloir comprendre qui est qui dans une mêlée.

—Ma belle! Vous voulez vous asseoir?

Une voix bourrue vient de sortir des limbes. La main tire toujours sur sa jupe, cherchant désespérément à attirer son attention.

—Poussez-vous et laissez passer cette dame pour qu'elle s'asseye!

Elle hésite entre la reconnaissance éternelle et la légère gêne, car c'est bien d'elle qu'on parle. Elle sourit cependant à l'homme coiffé d'une casquette de baseball qui se lève de son siège tout en enlevant sa cigarette roulée de derrière son oreille pour la mettre à sa bouche. Kate perçoit le frémissement de surprise qui parcourt la foule face au contraste patent entre les manières de l'homme et ses actes.

Les apparences sont souvent trompeuses, c'est ce que son père avait l'habitude de dire, et elle gardait cette phrase à l'esprit, ce qui lui permettait souvent d'être agréablement surprise par quelqu'un qu'elle avait jugé trop vite. Mais que se passe-t-il quand c'est l'inverse qui se produit? Quand on a affaire à un loup déguisé en agneau?

Kate sonne à la porte de ses parents, ne sachant trop, au fond, si elle a envie que sa mère soit là. Comme celle-ci ne vient pas lui ouvrir, elle entre et l'appelle, au cas où. Mais le plus grand silence règne dans la maison, signe évident qu'elle est vide.

Elle monte l'escalier quatre à quatre, en évitant la planche qui craque. La force de l'habitude. Une fois dans la chambre de ses parents, elle se dirige droit vers le placard et fait doucement coulisser la porte. Elle déplace le sac qui se trouve devant la boîte à chapeaux. Et sent, avant même de le constater visuellement, qu'elle n'y est plus.

Elle cherche frénétiquement derrière le casier des chaussures de sa mère, fouille dans les pulls empilés. Elle doit bien être quelque part, cette boîte !

Ayant ratissé tous les placards, Kate essaie la coiffeuse, sachant d'avance qu'il est impossible que celle-ci ait pu entrer dans les tiroirs étroits. Elle cherche sous le lit, avant de jeter son dévolu sur l'armoire séchante, sur le palier, tout en se demandant pourquoi sa mère aurait-elle subitement ressenti le besoin de la déplacer. Elle cherche derrière les piles impeccables de serviettes, fait courir sa main sur les tuyaux, au fond, se brûlant les doigts au passage sur l'arrivée d'eau chaude.

— Merde ! s'écrie-t-elle à voix haute, sans savoir si c'est à cause de la douleur ou de la frustration.

La perche à crochet qui permet d'ouvrir la trappe du grenier est à deux pas. Elle lance un coup d'œil vers le plafond.

Serait-ce possible ?

Sa mère se serait-elle donné la peine de la monter au grenier ? Et, si oui, pourquoi ?

Tandis qu'elle déplie l'échelle, lui reviennent en mémoire toutes les histoires que son père lui a racontées sur le monstre du grenier, dont tout le monde avait peur. Mais, au cœur de la nuit, quand chacun était endormi, ce monstre sortait et facilitait en réalité la vie de toute la famille, lui assurait-il. Kate lançait alors à son père un coup d'œil sceptique, jusqu'au soir où elle était allée au lit sans avoir fait une maquette demandée, en histoire.

— Il est trop tard pour s'y mettre maintenant, avait dit son père en bordant sa fille désespérée.

— Mais je vais avoir une punition ! (Et elle s'était mise à pleurer, incapable de comprendre comment elle avait pu oublier son travail.) Et ce sera écrit sur mon bulletin.

— Eh bien, peut-être que cela t'apprendra à mieux t'organiser, à l'avenir, avait-il dit.

Le lendemain matin, au petit déjeuner, elle avait découvert sur la table de la cuisine un château extrêmement ouvragé, entièrement construit en carton recyclé. Dans des tubes de rouleau de papier toilette enveloppés de papier aluminium, on avait découpé des créneaux pour les tours et fabriqué un pont-levis, qui s'actionnait avec de la ficelle, à partir d'une boîte de céréales.

— Mais d'où ça vient ? avait demandé Kate, des larmes de bonheur roulant sur les joues.

Son père avait haussé les épaules avec nonchalance.

— Aucune idée, avait-il dit en dépliant son journal. Sans doute du monstre du grenier.

Un sourire aux lèvres, Kate grimpe à présent à l'échelle, stupéfaite d'avoir alors cru son père, mais, visiblement, tout ce qui sortait de sa bouche était parole d'évangile, pour elle. Et l'ironie de cette réflexion s'abat comme une chape sur ses épaules.

La lumière rudimentaire jette une lueur menaçante sur les combles. Kate avance avec prudence sur les poutres, se penchant pour atteindre le fond, là où tout semble stocké. Son dos lui fait mal quand elle allume la torche de son téléphone portable dans le noir, elle a besoin de se remettre debout. Soudain, elle voit la boîte tant convoitée posée sur une autre, plus grande, et tend les bras pour l'attraper.

— Eh, oh !

La voix de sa mère lui arrive de quelque part, sous la trappe.

Sursautant, elle se cogne la tête.

—Il y a quelqu'un?

Kate hésite à répondre. Mais, compte tenu de la situation, elle doute que ne pas réagir jouerait en sa faveur.

—Maman, c'est moi! lui crie-t-elle.

—Kate? Mais qu'est-ce que tu fiches là-haut?

Elle a besoin de trouver rapidement une réponse. Elle jette un coup d'œil à la boîte sous son bras, puis à un sac rempli de guirlandes. Et si elle en échangeait les contenus? Les lettres dans un sac seraient moins visibles.

—Je suis… euh… Je regarde les vêtements de bébé que tu as conservés, dit-elle. Ce ne sera pas long, je redescends.

—Je n'en ai pas conservé, dit Rose. Où as-tu la tête? Monter là-haut dans ton état?

Et zut!

—Je suis enceinte, pas handicapée, dit Kate.

—Peut-être, mais tu n'aurais pas dû monter au grenier, d'autant plus que tu es seule dans la maison. Il peut t'arriver n'importe quoi. Redescends, maintenant. Je tiens l'échelle pour toi.

Kate se demande ce qui est pire. Prendre les lettres et affronter le courroux de sa mère si elle découvre pourquoi elle était dans le grenier, ou les laisser et ne jamais vraiment connaître la vérité. Elle est allée trop loin pour ne pas courir le risque.

—Je tiens l'échelle, dit Rose, quand Kate apparaît dans l'ouverture de la trappe. Passe-moi ton sac.

Mais Kate s'y accroche avec détermination.

—Donne-moi le sac, répète Rose. Tu pourras mieux te tenir.

Il s'ensuit une petite bagarre pour le sac apparemment innocent, ce qui déstabilise Kate. Elle n'a plus à présent que quelques échelons à descendre, néanmoins, si elle tombait, cela pourrait causer de sérieux dégâts. Résignée, elle le lui donne. Mais, au moment où Rose s'en empare, les lettres se répandent sur le tapis. Les deux femmes se regardent mutuellement, de toute évidence trop choquées l'une comme l'autre pour parler.

—Que… qu'est-ce qui se passe? demande Rose en se penchant pour les ramasser. Que fais-tu avec ces lettres?

Kate regarde le sol, les joues rouges de honte.

—Je… Enfin, c'était juste… Juste…

—Juste quoi? demande Rose acerbe.

—Je voulais juste…

Rose pose la main sur sa tête.

—Que cherches-tu, Kate? Qu'espères-tu trouver?

—Je veux simplement savoir la vérité.

—Et qu'en feras-tu, une fois que tu l'auras, cette vérité, si elle ne correspond pas à ce que tu as envie d'entendre?

—Qu'est-ce que papa avait à te pardonner? questionne Kate en sortant de sa poche la lettre soigneusement pliée.

—Tu n'avais pas le droit de prendre ça, dit Rose en essayant de la lui arracher des mains.

Mais Kate la tient hors de sa portée.

—Donne-la-moi, dit Rose. Ce ne sont pas tes affaires.

—Qu'est-ce que papa avait à te pardonner? répète Kate.

—Tu dois arrêter, maintenant, pour notre salut à tous.

—Jess est ta fille, maman. Je le sais bien. Mais ce que j'ignore, c'est pourquoi tu l'as fait adopter.

Une main sur le cœur, Rose reprend sa respiration.

—Il faut que tu arrêtes, Kate.

—Jamais. Pas tant que je ne connaîtrai pas la vérité!

—Même si cela détruit cette famille? (Rose regarde sa fille avec intensité.) Même si cela détruit la famille de Lauren?

Kate la regarde, surprise. Parmi toutes les personnes affectées par cette triste affaire, sa sœur est bien la dernière à l'être!

— Lauren? reprend-elle prudemment. Qu'est-ce qu'elle a à voir avec tout ça?

Rose détourne les yeux, pensant sans doute qu'ainsi il lui sera plus facile de ne pas répondre.

— Qu'est-ce que Lauren a à voir avec ça? redemande Kate, plus fort.

Rose braque un regard fixe sur elle et déclare:

— Ce n'est pas moi qui étais enceinte, mais elle.

36

LAUREN

— Tu te sens coupable ? demande Justin.

Il est en train de caresser les cheveux de Lauren, qui a posé tête sur son torse.

C'était comme si les vingt ans qui les avaient séparés s'étaient évaporés. Comme si elle avait de nouveau seize ans, avec les mêmes espoirs et aspirations face à la vie inconnue qui l'attendait. Elle avait alors cru dur comme fer qu'ils pourraient fuir ensemble, vivre quelque part sur une île déserte, où personne ne les retrouverait… Elle tressaute. La question l'a ramenée sur terre.

— Coupable ? Non. Effrayée ? Oui, dit-elle avec sincérité.

— De quoi as-tu peur ? demande-t-il en lui relevant le menton.

— De ce que j'ai fait et de ce que cela signifie.

— Et qu'est-ce que cela signifie ?

Elle se redresse sur un coude, exposant sa poitrine. Aussitôt, elle saisit le drap pour s'en couvrir. Justin l'écarte doucement.

— Cela signifie que je suis une épouse infidèle et une mère égoïste. Que je ne vaux pas mieux que le mari que je me suis mise à détester au fil du temps.

Et elle se retient de pleurer. Elle ne se posera pas en victime. Elle a agi de son plein gré et doit assumer la responsabilité de sa décision.

— Et lui, il t'a déjà trompée ? questionne Justin en suivant du doigt le contour de son visage.

— Je ne sais pas, répond-elle en toute honnêteté. Qu'il m'ait été infidèle ou pas, ce n'est pas pour cette raison que je le déteste.

— Il te maltraite ?

Elle hoche la tête.

— Il est malheureux, alors il s'en prend à moi.

— Physiquement ?

— Parfois. Mais la maltraitance psychologique est aussi dure à encaisser. Cela dit, je ne le laisserai pas me briser, parce que je dois penser aux enfants. Ils représentent tout pour moi.

— Tu serais prête à le quitter ?

Son ton est des plus sérieux.

Elle se laisse retomber sur l'oreiller et soupire.

— Si j'en avais le courage… Mais cela briserait le cœur des enfants, et je ne peux pas leur infliger cela.

— J'ai cru que rester avec ma femme jusqu'à ce que mon cadet entre au lycée serait la meilleure chose à faire, dit Justin. Mais, en réalité, cela a juste prolongé la souffrance de chacun de nous. Les garçons m'ont tous les deux avoué qu'ils auraient préféré qu'on en finisse bien avant, pour leur épargner nos disputes et nos lourds silences.

— Ils m'ont l'air très raisonnables.

— Effectivement, dit Justin en souriant, et je m'en réjouis.

Lauren se redresse et s'assied sur le bord du matelas.

— Je dois y aller. Il faut que je rentre à la maison avant Simon.

Justin fait glisser son doigt dans son dos. Tout son corps en frissonne.

—Où est-il, selon toi ?

—Il ne sait pas que je suis sortie. Il travaillait en ville, cette nuit, dans un centre de sports, et j'espère vraiment qu'il n'en saura pas davantage quand il rentrera.

—Peut-être que lui non plus n'est pas là où il t'a dit qu'il serait.

Et, sur ces mots, Justin hausse les sourcils.

Lauren enfile promptement sa combinaison, ne souhaitant pas que Justin en voie plus qu'il en a déjà vu.

—Tu ne crois pas que je suis déjà familier avec tout ça ? demande Justin comme s'il lisait dans ses pensées.

Lauren rit nerveusement.

—Tu parles de mon corps ou du corps féminin en général ?

—Du tien ! dit-il avec un sourire. Tu ne crois pas que je ne connais pas le moindre centimètre de ton corps ?

—C'était il y a longtemps.

—Et tout est resté exactement pareil.

Elle s'apprête à répondre par une remarque dépréciative sur elle-même, puis se ravise. À la place, elle lui sourit. Finalement, Kate a peut-être eu de l'influence sur elle. À la pensée de sa sœur, elle se sent submergée par une vague de douleur et de regrets. Nu-pieds, elle fait le tour du salon pour trouver son sac, consciente que Justin scrute le moindre de ses mouvements.

—Quand puis-je te revoir ? s'écrie-t-il.

À cet instant, elle regarde son téléphone et voit six appels manqués de Kate et deux de Simon.

—Oh non ! s'exclame-t-elle.

Et elle a l'impression de manquer d'air.

—Il est arrivé quelque chose!

—Qu'est-ce qui se passe? demande Justin.

—Il faut que j'y aille.

Aveuglée par la panique, elle enfile ses chaussures.

—Je ne devrais pas être ici.

Justin bondit du lit et la prend dans ses bras, la suppliant de le regarder. Elle secoue la tête.

—Je n'aurais pas dû venir. Qu'est-ce qui m'a pris?

—Allons, tout ira bien, dit-il.

Elle a le pressentiment qu'une catastrophe va s'abattre sur elle, elle ne peut plus penser.

—Facile à dire pour toi!

Et elle s'écarte de lui.

Il a l'air blessé. La bulle de bonheur qu'ils venaient de créer vient d'éclater pour de bon.

—Ne pars pas comme ça, lui dit-il.

Mais elle doit s'en aller. Partir d'ici, retourner voir ses bébés. Sa place est auprès d'eux.

—C'était une erreur, dit-elle brusquement. Une terrible erreur.

—Ce n'est pas mon impression, dit Justin en enfilant un pantalon de jogging.

—C'est parce que tu n'es pas marié, avec des enfants en bas âge, répond-elle sèchement, au bord des larmes. Qui en ce moment précis ont besoin de leur mère.

—Calme-toi, dit-il. Ne tire pas de conclusions hâtives.

—Regarde! hurle-t-elle en lui montrant son téléphone. Il est arrivé quelque chose, et je n'étais pas là parce que j'étais en train de baiser avec toi.

Visiblement, ses paroles font à Justin l'effet d'une gifle.

—Quel genre de mère cela fait-il de moi?

—Il ne s'agit ni de toi et ni de moi. Il faut que tu sépares les deux choses.

—C'est pareil! répond-elle en se précipitant vers la porte. Si Simon découvre que j'étais là, il me tuera juste après t'avoir tué.

—Ne laisse pas les autres nous séparer, dit-il d'un ton suppliant. Ils l'ont déjà fait une fois, et regarde tout ce que nous avons manqué.

À ces mots, elle s'immobilise sur le seuil de la pièce et se retourne lentement, les yeux emplis de larmes.

—Je suis désolée pour ce que mon père a fait, dit-elle en pleurant. Je ne lui pardonnerai jamais de t'avoir menti et de t'avoir dit que j'avais avorté. Mais nous nous faisons des illusions si nous croyons que, aujourd'hui, nous serions toujours ensemble s'il n'avait pas agi ainsi.

Justin lui lance un regard blessé.

—Nous étions jeunes, poursuit-elle, sans se rendre compte de son expression à présent sidérée. Tu étais mon premier amour et je t'aimerai toujours, mais nous avons eu tort de croire que nous pourrions retrouver le passé.

—Prends tout le temps qu'il te faut pour repenser à cela, dit-il. Sache juste que je serai là et que je t'attendrai.

Elle le regarde, consciente qu'il est sincère. S'il était possible pour un cœur de se briser en mille morceaux, elle serait certaine d'avoir senti le premier craquement. Elle l'embrasse longuement, profondément. Comme si c'était la dernière fois qu'elle le voyait. Puis elle ouvre la porte et s'élance dans le couloir.

—Lauren, s'écrie-t-il alors dans son dos. Ce n'est pas ton père qui m'a parlé, à l'époque, mais ta mère.

37

KATE

—Lauren! hurle Kate à travers la boîte aux lettres tout en cognant de toutes ses forces contre la porte. Ouvre!

La rage qu'elle est parvenue à contenir en sortant de chez sa mère menace de la submerger. Comment a-t-on pu lui cacher un secret d'une telle ampleur depuis tout ce temps? Alors que Kate courait désespérément aux quatre coins du pays pour trouver la vérité et innocenter son père, Lauren et Rose savaient depuis le début qui est Jess.

Et soudain tout s'explique. La complicité entre sa mère et sa sœur, les disputes épouvantables qu'elle entendait, le rapprochement apparemment naturel entre Lauren et Rose d'une part, et Kate et Harry d'autre part. Tout est clair comme de l'eau de roche. Sauf que, à présent, au lieu de croire que la relation spéciale qu'elle a eue avec son père relevait de la volonté de ce dernier, il lui semble qu'il y a été contraint. Car il était mis au ban par sa femme et sa fille aînée. Comment ont-ils tous pu faire une chose pareille? Abandonner Jess à une vie de foyers d'accueil et de misère? Pas étonnant qu'elle ait cherché des réponses, prête à renverser quiconque se mettrait en travers de son chemin vers la vérité.

Des larmes de fureur roulent sur son visage alors qu'elle continue de cogner de la paume contre la porte.

— Lauren! hurle-t-elle.

La porte s'ouvre, et Kate tombe presque dans les bras de la femme sur le seuil. Mais ce n'est pas Lauren.

— Kate! Que se passe-t-il?

— Toi? hurle-t-elle. Qu'est-ce que tu fiches ici?

Jess pose un doigt sur ses lèvres.

— S'il te plaît, je viens juste de rendormir Jude.

— Quoi? Tu es toute seule? Où est Lauren?

— Elle est sortie. Avec Simon.

— Et c'est toi qui gardes les enfants? demande-t-elle sans le croire.

Jess baisse les yeux.

— Eh bien, oui…

Kate émet un rire faux.

— C'est incroyable. Tout cela n'a aucun sens. Donc tu es au courant? Tu es dans le secret? Tout le monde sait sauf moi…

Elle déglutit avec difficulté. Elle a un goût âcre dans la bouche, comme si elle était en train de se noyer.

— Où est-elle? demande Kate en baissant la voix par égard non pour Jess, mais pour les enfants. Où est Lauren?

— Je… Je ne sais pas, balbutie Jess. Elle est sortie pour deux ou trois heures. Elle ne m'a pas dit où elle allait. Je suppose qu'elle est partie rejoindre Simon en ville.

Kate secoue la tête d'un air hébété tout en appelant Lauren pour la septième fois.

— Que se passe-t-il? questionne Jess. Il est arrivé quelque chose de grave?

— Qui es-tu? demande Kate entre ses dents.

Et elle se rapproche de Jess.

—Je… Je suis désolée. Je ne…

—Tu n'es pas Jess Linley. Avoue!

Jess se replie sur elle-même et recule. Kate la suit dans le salon.

—Je suis allée voir une vieille amie à toi, à Bournemouth.

Jess écarquille les yeux.

—Vraiment? Pourquoi?

—Parce que je savais que quelque chose clochait. Ton histoire ne collait pas, et maintenant, je sais pourquoi.

Jess hausse les sourcils d'un air interrogateur, mais elle ne semble pas vouloir entendre la réponse.

—Il était impossible que mon père ait fait ce dont tout le monde l'accusait.

—Mais Harry était mon père, dit Jess avant de rire nerveusement. Le test ADN le prouve.

Kate la regarde alors comme si elle voyait en elle pour la première fois la jeune femme vulnérable qu'elle est.

—Elles ne t'ont donc rien dit? demande-t-elle, incrédule.

Et c'est surtout à elle-même qu'elle pose la question.

—Mais qu'est-ce qui se passe, bon sang? hurle Lauren en pénétrant à son tour dans la maison.

La porte était ouverte, Kate n'ayant pas encore eu le temps de la refermer. La colère qu'elle ressent envers sa sœur ne connaît pas de limite.

—Comment as-tu pu faire ça? demande-t-elle avec dureté.

—Faire quoi? s'écrie Lauren d'une voix aiguë. Jess, pourquoi est-ce que tu n'as pas répondu à mes appels? J'ai essayé de te joindre des dizaines de fois.

Le regard de Jess passe d'une sœur à l'autre. Elle semble confuse.

—Je suis désolée, mon téléphone devait être dans mon sac.

—Où sont les enfants ? Ils vont bien ?

Jess hoche la tête.

—Oui, bien sûr, tout est OK.

Les épaules de Lauren s'affaissent, comme si toute l'adrénaline qui la maintenait debout venait de la déserter.

—Ouf! Je pensais qu'il leur était arrivé quelque chose, dit-elle dans un souffle. Que se passe-t-il, alors? Qu'est-ce que tu fais là, Kate? Pourquoi est-ce que tu m'as appelée autant de fois?

—Si tu avais répondu, tu aurais su.

—S'il te plaît, dit Lauren en se frottant le front. Dis-moi juste ce qui s'est passé. C'est Simon? Où est-il?

—Oh! s'exclame Jess. Je pensais qu'il était avec toi.

Lauren secoue la tête.

—Euh… non, il travaille. Je suis sortie avec une amie.

—Je reviens de chez maman…, commence Kate.

Lauren hausse les sourcils, attendant la suite.

Kate lance un regard en coin à Jess. Et fait appel à toute la force de sa volonté pour ne pas attaquer Lauren avec virulence. Ce ne serait pas juste pour Jess, se dit-elle malgré elle, avant de se souvenir que celle-ci n'a pas forcément été fair-play. Les jeux demeurent donc ouverts.

—Elle m'a dit ce qui s'était passé quand tu avais seize ans, dit Kate d'un ton entendu.

—Que… Quoi?

Lauren s'en étrangle.

—Est-ce que Jess est au courant? s'écrie alors Kate, incapable de se contenir plus longtemps.

Lauren lui adresse un regard suppliant, comme si elle lui enjoignait en silence d'arrêter.

—Est-ce que Jess sait quoi? demande-t-elle.

—Que tu as donné l'ADN d'Emmy au lieu du tien?

—Quoi? s'exclame Lauren.

Elle ment remarquablement bien, Kate doit le reconnaître. Mais la vérité est indéniable, à présent. Et tout devient parfaitement cohérent.

—Pourquoi aurais-je fait cela?

—Parce que cela aurait été la seule façon de présenter Jess comme ta demi-sœur. Ce qu'elle n'est pas.

Jess regarde Lauren, puis Kate, l'air complètement affolé.

—Mais qu'est-ce que vous racontez? balbutie-t-elle. Qu'est-ce qui se passe?

—Lauren a utilisé l'ADN de son propre enfant pour prouver qu'il correspond au tien.

Lauren secoue la tête en lançant un regard implorant à Jess, puis tend la main vers les siennes.

—Ne l'écoute pas, elle ne sait pas de quoi elle parle.

—Donc tu étais prête à traîner le nom et la réputation de papa dans la boue en lui inventant un passé qu'il n'a pas pour protéger le tien?

—Mais que se passe-t-il, à la fin? s'écrie Jess, hébétée.

—Tu vas lui dire ou je m'en charge?

—Me dire quoi?

Kate regarde Lauren, qui se contente de hausser les épaules. Elle ne lui laisse donc pas le choix.

—Tu n'es pas la fille de Harry, dit-elle à Jess. (Elle émet un rire sarcastique, secoue la tête.) Tu n'es même pas celle de Rose.

—Quelqu'un peut-il m'expliquer ce qui se passe? demande encore Jess.

Kate hausse les sourcils à l'intention de Lauren, lui laissant une dernière chance. Sa sœur demeure silencieuse.

—Tu es *sa* fille, dit Kate.

Lauren écarquille les yeux. Jess tourne immédiatement la tête vers elle, ouvre la bouche, la referme, mais aucun son n'en sort.

— Comment peux-tu… Tu ne peux pas croire que c'est vrai, quand même, balbutie Lauren.

Et son regard passe de Kate à Jess.

— Tu étais enceinte à l'âge de seize ans, réplique Kate d'un ton cinglant.

La colère qu'elle ressent face à l'injustice subie par son père affleure de nouveau.

— Jess a vingt-deux ans, toi trente-huit. Fais le calcul.

— Tu penses vraiment que j'ai fait entrer Jess dans la famille sous un mauvais prétexte ? Que je l'ai fait passer pour la fille de papa, alors que je savais depuis le début c'était la mienne ?

— Si tu voulais retrouver Jess et qu'elle fasse partie de ta vie sans reconnaître ton rôle dans sa venue au monde, alors oui. Je pense que tu aurais été capable de tout.

Ahurie, Jess s'écroule sur canapé, puis regarde Kate et Lauren se quereller.

— Est-ce que… c'est vrai ? finit-elle par demander.

— Mais bien sûr que non ! s'exclame Lauren. Comment peux-tu penser que j'aurais fait une chose pareille ?

— Pour te venger de papa, dit Kate, d'un ton brusque. De moi. Tout en gardant ton secret.

Lauren porte la main à sa bouche, effondrée.

— Je n'arrive pas à croire que tu penses que j'aie pu agir ainsi.

Kate a soudain du mal à respirer. Pour la première fois depuis le début de la soirée, elle se rend compte des conséquences de ses actes. Une larme roule sur sa joue à la pensée que sa relation avec Lauren ne sera jamais plus la même.

— Je ne sais plus *qui* est capable de quoi, dit-elle.

38

Lauren

—Je ne sais pas quoi dire, murmure Lauren.

Comment est-il possible qu'elle se retrouve dans cette situation? Comment sa propre mère a-t-elle pu la trahir si cruellement?

—Tu pourrais commencer par expliquer la raison de ton mensonge, dit Kate. Il est insensé de nier à Jess le droit de connaître sa mère biologique.

—Je ne suis pas sa mère, dit Lauren. (Elle s'essuie les yeux avec un mouchoir en papier, puis se tourne vers Jess.) Je ne suis pas ta mère.

—Qu'est-ce qui nous le garantit? s'écrie Kate. Quelle preuve peux-tu nous donner que tout cela n'a pas été arrangé à ton avantage?

Lauren la regarde droit dans les yeux, lèvres tremblantes.

—Parce que j'ai subi une IVG.

Après avoir prononcé cette phrase à voix haute, elle redoute de s'effondrer. Ce sont des mots qui n'ont jamais franchi ses lèvres, et, maintenant, qu'elle les a formulés, elle se tient debout, comme si elle attendait que le diable la condamne à l'enfer.

—J'ai avorté, répète-t-elle, les larmes aux yeux.

— Mais ce qu'a dit maman impliquait que…, commence Kate.

À la mention de sa mère, Lauren a la sensation que ses entrailles se tordent. Elle a du mal à respirer.

— Maman a suggéré beaucoup de choses, souffle-t-elle.

Elle ne tient pas à en révéler davantage, car elle devrait alors admettre où elle était.

Stupéfiée par ce que lui a lancé Justin alors qu'elle se précipitait hors de chez lui tout à l'heure, elle s'est immobilisée au milieu du couloir.

— Qu'est-ce que tu viens de dire ? a-t-elle demandé en se tournant lentement vers lui.

— Que ce n'est pas ton père qui m'a dit que tu avais avorté, mais ta mère.

Lauren a secoué la tête.

— C'est impossible. Maman m'avait dit qu'elle me soutiendrait, quelle que soit ma décision. Et ce n'était pas ce que j'avais décidé de faire, lui assura-t-elle, les larmes aux yeux. Je voulais mettre notre enfant au monde, Justin, je le voulais vraiment.

— Alors que s'est-il passé ? lui a-t-il demandé en l'attirant à lui.

Elle s'est alors fait violence pour revenir à ce passé enfoui dans les oubliettes de sa mémoire.

— Quand je le leur ai annoncé, je me doutais qu'ils le prendraient mal. Quels parents ont envie d'entendre que leur fille de seize ans est enceinte ? Sur les deux, mon père est celui qui a semblé le mieux réagir à la nouvelle. Pourtant, deux ou trois jours après, il m'a demandé de m'asseoir et m'a dit que, selon lui, une IVG était la meilleure solution.

— Et quelle était la position de Rose ? a demandé Justin.

—Papa était censé être le porte-parole des deux, mais, comme je te l'ai dit, elle m'avait assuré qu'elle voulait seulement mon bonheur et me soutiendrait, quelle que soit ma décision. Elle craignait pourtant que celle-ci ne soit pas entendue.

—Par ton père ?

—Oui.

—Je t'assure que c'est bel et bien ta mère qui me l'a dit. Je ne l'oublierai jamais. La veille encore, dans ta chambre, on avait décidé de garder le bébé. Tu m'avais même appelé le lendemain soir pour me dire combien tu m'aimais.

Lauren a hoché la tête. Elle s'en souvenait.

—Et pendant ce laps de temps, tu avais déjà avorté – du moins, c'est ce que Rose m'a dit.

—Mais cela n'a aucun sens, a protesté Lauren. Ça s'est passé *après* que tu m'as dit que tu ne m'aimais plus et que tu as refusé de prendre mes appels.

—Parce que tu avais avorté. On m'avait dit que tu l'avais fait sans moi, que tu avais pris ta décision toute seule.

—Mais tu sais bien que je n'aurais jamais agi ainsi !

—Dans ce cas, ta mère devra répondre de ses actes…

—De toute façon, je me fiche de ce que maman a laissé entendre, déclare à présent Lauren à Kate. Je lui parlerai le moment venu de ce qu'elle a fait. Mais toi, il faut que tu comprennes que Jess est la fille de papa.

—Lauren l'a vu avec moi, intervient Jess.

Un commentaire dont Lauren aurait préféré qu'elle s'abstienne.

—Pardon ? Quoi ? demande aussitôt Kate.

—Quand j'étais bébé, Lauren l'a vu dans la rue, poussant un landau, avec ma mère.

Kate se tourne immédiatement vers elle, le rouge aux joues.

—C'est vrai ?

Son ton est si tendu que Lauren a l'impression de manquer d'air. Elle regarde alors Jess, qui semble exulter. Soudain, elle prend conscience que les deux femmes en face d'elle attendent chacune une réponse très différente. Elle est peinée de ne pouvoir satisfaire les deux.

Elle hoche la tête, espérant qu'aucune ne demandera d'explications supplémentaires.

— Et tu as attendu tout ce temps pour me le dire ? dit Kate.

— Je ne voulais pas te blesser.

Kate émet un rire sarcastique.

— Donc tu as décidé de foncer et de déterrer le passé en invitant Jess dans la famille à peine un an après la mort de papa ? Tu as pensé aux autres, Lauren ? En tout cas, certainement pas à moi. Ni à maman.

— Maman savait déjà.

— Quoi ?

— Je l'ai dit à maman, à l'époque. (Au point où elles en sont, peu importe qui sait quoi et quand.) Après les avoir vus ensemble, précise-t-elle.

— Donc Rose savait que ton père avait une liaison ? demande Jess d'une voix aiguë.

Lauren hoche la tête.

— Je lui ai dit ce que j'avais vu.

— Alors elle était au courant, pour moi ? questionne Jess.

— Je n'avais pas compris ce que tout cela signifiait. Je ne pense pas non plus que nous l'ayons compris jusqu'à maintenant. Mais, oui, je lui ai dit que j'avais vu papa avec une femme et un bébé.

— Et il ne t'est jamais venu à l'idée de m'en parler ? s'étrangle Kate. Avant qu'une fille surgisse sur le pas de notre porte en affirmant être ma demi-sœur.

—Je suis désolée. J'aurais dû te le dire, mais ce n'était pas pour te blesser que je me suis tue. Je n'ai pensé qu'à moi. Je me demandais si j'avais vraiment un frère ou une sœur.

—Je ne te suffis donc pas ?

Lauren lui lance un regard exaspéré.

—Regardons les choses en face, Kate. Il y a longtemps que nous ne sommes plus proches l'une de l'autre. D'ailleurs, on peut faire remonter les problèmes à avant la naissance de Noah. Je pensais que mes enfants nous rapprocheraient, mais cela nous a encore plus éloignées.

—Et tu ne t'es jamais demandé pourquoi ?

Lauren sait ce qu'il en est, mais elle doit formuler sa réponse avec délicatesse. Si elle se trompe dans le choix de ses mots, leur relation risque de se dégrader davantage.

—Nous vivons aux antipodes l'une de l'autre, Kate. Je ne pense pas que tu comprennes ce que c'est d'avoir un enfant. Tu mènes une vie insouciante, dans un monde glamour. Tu peux à tout instant t'envoler à Los Angeles pour te retrouver entourée de gens passionnants. Rendre visite à ta sœur dans sa maison mitoyenne de la banlieue de Londres ne figure pas en haut de la liste de tes priorités. Cela, je le comprends tout à fait. Mais, à ton avis, qu'est-ce que *moi* je ressens ?

Voilà ! Elle a dit ce qu'elle pensait depuis des années… Et, curieusement, cet aveu lui procure le plus grand bien.

Kate se frotte le front.

—Tu crois vraiment que je trépigne à l'idée de prendre un long-courrier pour aller interviewer la vedette d'une émission de téléréalité dont le seul exploit consiste à figurer sur une sextape diffusée supposément à son insu ? Pendant que je suis assise en face d'elle, à poser des questions qui sont une insulte à l'intelligence et que je me débats avec

351

le décalage horaire, mon mari se trouve à des milliers de kilomètres, ce qui signifie aussi que nous ratons le laps de temps où l'on peut faire un enfant, dans un mois. J'aurais tant aimé être à ta place. Tu ne sais pas ce que c'est de ne pas pouvoir tomber enceinte !

Et elle se met à pleurer.

Lauren prend une longue inspiration.

— Je suis désolée, dit-elle, incapable de trouver autre chose. Je l'ignorais.

— Bon, cela n'a de toute façon plus d'importance, puisque, après trois ans de FIV, je suis enfin enceinte.

Lauren en a le souffle coupé. Elle avait toujours cru que Kate se consacrait entièrement à sa carrière. Qu'elle était ravie d'ignorer un éventuel désir d'enfant pour dénicher un scoop auprès des people. Son cœur se serre. Elle s'est vraiment trompée sur toute la ligne.

— Oh, mais c'est merveilleux ! s'écrie-t-elle en réagissant enfin à la nouvelle de sa grossesse.

Et elle se dirige vers Kate qui, en dépit de son expression renfrognée, la serre elle aussi très fort dans ses bras.

— Je suis désolée que cela ait été si difficile pour vous.

— Félicitations, dit timidement Jess.

Lauren se tourne vers cette dernière.

— Tout cela est ma faute. C'est moi qui ai déclenché tous ces problèmes.

— Oui, mais, sans toi, je ne saurais toujours pas qui je suis, dit tranquillement Jess.

— Tu ne crois tout de même pas que tu vas t'en sortir comme ça ? poursuit Kate. Moi, j'ai l'impression que tu t'éloignes chaque jour de la vérité.

— C'est-à-dire ? questionne Lauren.

—Son vrai nom, c'est Harriet Oakley. Elle a été placée en foyer la plupart de sa vie et n'est pas allée à l'université, en dépit de ce qu'elle affirme.

Les yeux de Jess se remplissent de larmes sous le regard fixe de Lauren, qui en est restée bouche bée.

—Ce n'est pas possible, finit par dire Lauren. C'est la colocataire de Jess qui s'appelle Harriet Oakley. Jess a été adoptée par une famille aimante. C'est bien ça, Jess?

Celle-ci baisse les yeux.

—Ce n'est pas vrai? s'écrie Lauren.

—Je… Je suis désolée, dit Jess en reniflant.

—Quoi? s'étrangle Lauren. Mais je pensais que…

—Je voulais que tu croies que j'avais eu une vie parfaite!

Jess est en pleurs.

—Je n'avais pas envie que tu aies pitié de moi, ou que tu penses que je m'étais manifestée pour une autre raison que celle de connaître ma famille.

—Mais tu as dit que tes parents…

—Je sais, et je suis désolée de t'avoir menti.

—Tout ce qu'elle t'a raconté est un tissu de mensonges, assène Kate sans ressentir la satisfaction attendue.

—C'est vrai? demande Lauren, sidérée, plus blessée que furieuse.

Jess hoche la tête.

—Donc, Harriet Oakley est ton vrai nom?

—C'est mon nom d'adoption, dit Jess. Les Oakley m'ont adoptée quand j'avais six ans. J'ai vécu chez eux pendant un an ou deux avant de retourner dans le circuit des services sociaux.

—Pourquoi as-tu changé de nom pour te présenter à nous?

—Je voulais un nouveau départ, explique Jess. Effacer le passé, repartir de zéro.

—Mais tu ne peux pas t'inventer des diplômes et donner la référence d'universités où tu n'as pas étudié, dit Kate. Cela s'appelle frauder.

—Comment se fait-il que tu sois allée à l'université de Bournemouth ? demande Jess.

—Je suis journaliste. Quand je sens quelque chose de louche, j'enquête.

—Et qu'as-tu trouvé ? demande Jess.

—Disons juste que tu as fait beaucoup de victimes dans ton sillage. Nous, tes employeurs… Tu nous as raconté un tissu de mensonges.

—Je voulais juste me donner la chance de construire une nouvelle vie.

—Je ne comprends pas pourquoi tu as menti, dit Lauren. Quelle différence cela aurait-il fait à nos yeux, aux miens, selon toi ?

—Je voulais que vous m'aimiez. Il me semblait que, si je vous disais la vérité, vous me jugeriez indigne de vous. Vous avez toutes les deux des vies si formidables – des emplois, des maris, des enfants ! Vous vivez dans des mondes parfaits. Il allait déjà être assez difficile pour vous de m'accepter en tant que telle, sans que je charge la barque avec une enfance passée dans des foyers d'accueil et une éducation scolaire minimale. Je voulais que vous pensiez que j'étais aussi avenante et éduquée que vous. Pas du mauvais côté de la barrière.

Lauren sent une boule se former dans sa gorge et lui remonter dans la tête, mettant tous ses sens en alerte. Elle n'arrive pas à croire que, une heure plus tôt, elle était dans les bras de Justin et n'avait qu'un seul problème. À savoir comment elle allait bien pouvoir se tenir à distance du seul homme qu'elle ait jamais aimé. Elle se disait alors que c'était une épreuve insurmontable. Mais, maintenant, elle aimerait que ce soit la seule.

— Écoutez, il est tard, dit Lauren en levant les mains en signe de défaite. Je crois que nous devons toutes prendre le temps de digérer tout cela.

— Mais qu'est-ce qui va se passer, maintenant? (Jess a l'air éperdu.) Maintenant que vous savez la vérité.

— Rien ne va changer, dit gentiment Lauren.

Elle s'avance vers Jess et lui cale une mèche de cheveux derrière l'oreille.

— Mais tu m'aideras à trouver ma mère? Il se peut qu'elle soit toujours en vie.

Lauren sent Kate se hérisser, à côté d'elle.

— Je ferai tout ce qui est en mon pouvoir pour t'aider, mais, maintenant, je dois parler à Kate.

Jess lui adresse un regard implorant.

— Tu m'appelleras demain matin? demande-t-elle d'une voix presque inaudible.

— Oui.

— Promis? insiste Jess, comme une petite fille.

— Promis, répond Lauren, le cœur brisé.

39

KATE

—Et donc, où étais-tu, ce soir? demande Kate.

Elles ne sont peut-être pas aussi proches qu'autrefois, mais elle connaît suffisamment sa sœur pour savoir quand elle ment.

Lauren va dans la cuisine et revient avec un verre d'eau pour Kate et une bouteille de vin rouge déjà ouverte pour elle. Elle s'en sert un verre généreux et s'écroule sur le canapé.

Kate la regarde.

—Lauren, je te connais. Tu n'aurais jamais laissé tes enfants seuls avec une quasi étrangère s'il n'y avait pas eu urgence. Alors? Qu'est-ce que tu faisais?

Elle hausse les sourcils, attendant la réponse.

Lauren avale une bonne gorgée de vin.

—J'ai besoin de savoir ce que maman t'a raconté, exactement, dit-elle. Sur moi, ma grossesse… Parce que je ne comprends pas pourquoi cela ressort maintenant.

Kate la scrute attentivement, incapable de croire que Lauren ait gardé pendant si longtemps un tel secret.

—Et moi, je ne comprends pas comment tu as pu ne jamais en parler.

— C'est le plus grand regret de ma vie, ça a été difficile. Mais le fait d'avoir mes trois enfants m'a enfin permis de surmonter ce qui m'est arrivé.

— Donc, maman et papa ne voulaient pas que tu le gardes.

— Papa, non, c'est sûr, et, apparemment, maman non plus.

— Comment ça ?

Lauren vide son verre avant de répondre.

— Peu importe. Remettons cette conversation à plus tard.

— Tu as dit à papa ce que tu ressentais ? insiste Kate. Tu lui as dit que tu voulais le garder ?

— J'ai essayé, et il a essayé de m'écouter. (Lauren émet un rire méprisant.) Et, pendant un temps, j'ai vraiment cru l'avoir convaincu. Il était sous le choc, bien sûr, nous l'étions tous, mais il m'avait assuré que, même si tel n'était pas son souhait, qu'il n'avait pas prévu cela pour moi, une fois que j'aurais évalué toutes les conséquences de mon choix, il me soutiendrait.

— Pourquoi les choses ont-elles changé, alors ? demande Kate.

Lauren hausse les épaules.

— Honnêtement, je n'en sais rien. Je ne l'ai jamais su. Mais, subitement, je n'ai plus eu le droit de décider et j'ai dû me conformer à sa décision sans autre question.

— Ça ne ressemble pas à papa, dit doucement Kate en voyant les larmes se former dans les yeux de Lauren. Il était sensible, compatissant…

Lauren rit de nouveau, désabusée, cette fois.

— Je n'avais pas la même relation que toi avec lui.

— Oui, mais il était vraiment ainsi.

— Peut-être que c'est à moi qu'il a montré son vrai visage, objecta Lauren d'un ton brusque en regardant Kate droit dans les yeux. Et que celui qu'il te réservait était hypocrite, parce que, deux ou trois ans après, je me souviens de lui comme d'un homme autoritaire, qui voulait toujours que les choses se passent comme il l'entendait.

Kate n'arrive pas à croire ce qu'elle entend. C'est une description si éloignée de l'homme qu'elle a connu.

— Il m'a alors interdit de sortir, poursuit Lauren. Il a choisi les camarades que je devais fréquenter, m'a forcée à passer un bac général alors que je n'en avais aucune envie…

— Mais…, commence Kate.

Pour elle, tout cela évoque plutôt un père aimant et soucieux du bien-être de sa fille.

Lèvres pincées, Lauren se verse le reste du vin.

— Il m'a même fait interner pendant deux semaines.

Le cerveau confus de Kate lui semble alors se figer.

— Quoi ?

— Oui, il estimait que je devais être admise dans un établissement de soins spécialisés.

— Pour quelle raison ?

Lauren change de position sur le canapé.

— Il pensait que j'avais des troubles de l'alimentation.

Kate se souvient alors que, quand elle-même avait quatorze ou quinze ans, Lauren était effectivement partie pendant quelque temps. Elle pensait que sa sœur était en vacances avec des amies. En fait, elle est certaine que c'était ce que sa mère lui avait dit.

— C'était le cas ? demande-t-elle.

— J'ai eu pendant un certain temps une relation compliquée à la nourriture, mais il n'était pas nécessaire que j'entre en clinique. Cela aurait pu se régler à la maison.

Kate voit soudain émerger le schéma d'une jeune femme effrayée, perdue et mal dans sa peau, et d'un père qui s'efforce de la protéger au mieux. Mais elle peut aussi comprendre que Lauren ait vu un homme machiavélique dans ce père qui s'efforçait d'assumer ses responsabilités.

—T'es-tu jamais demandé… (Elle hésite, sachant qu'elle doit aborder le sujet avec délicatesse afin que Lauren ne se ferme pas.)… si maman n'était pas celle qui le poussait à agir ainsi ?

Lauren carre les épaules et lui lance un regard vif.

—Que veux-tu dire, au juste ?

—Eh bien, tout comme tu avais de bonnes raisons de ne pas t'entendre avec papa, je ne me suis pour ma part jamais sentie proche de maman.

—Peut-être les affinités se sont-elles imposées de façon naturelle.

—Peut-être. Mais je me demande quand même si elle n'avait pas plus de pouvoir que nous le pensons. Au vu de ce que je viens d'apprendre.

Lauren se penche en avant.

—Continue, l'encourage-t-elle.

Kate se rappelle alors la dispute à laquelle elle avait assisté, quand elle était plus jeune, et dont elle comprend désormais bien mieux le contexte.

—Nous étions à New Forest…

Lauren fronce les sourcils.

—C'était au moment où ça bardait parce que j'étais tombée enceinte.

Lauren hoche la tête et regarde le mouchoir en lambeaux qu'elle tient à la main.

Kate pose les coudes sur la table et les doigts sur ses tempes, s'efforçant désespérément de rassembler ses souvenirs. Elle a le contour général, il faut juste qu'elle se rappelle les détails…

—Nous étions dans la maison, et tu en es sortie en trombe.

—Ça, c'est quand Justin et moi avions décidé de le garder, dit Lauren.

Kate est prise de court en entendant le nom de son petit ami.

—Papa et maman se sont ensuite disputés. Elle l'accusait de ne pas en faire assez.

—C'est-à-dire?

—Je ne sais pas. J'ai cru qu'elle lui reprochait de ne pas avoir fait l'impossible pour te retenir. Elle lui a dit quelque chose du genre: «Si tu ne mets pas un terme à ça, je ne réponds pas de mes actes.»

Lauren plisse le front.

—Elle devait lui demander de ne plus me traiter comme une enfant, d'arrêter de me dicter ma conduite.

C'est une éventualité, mais cela ne semble pas la bonne à Kate.

—Je me demande si elle ne parlait pas plutôt de toi et de Justin. Du fait que papa n'en avait pas fait assez pour te dissuader de le voir ou…

Elle s'interrompt, redoutant de formuler ce qui paraît pourtant l'évidence même.

Lauren la regarde fixement, avec dureté.

—Ou…?

—Ou peut-être qu'elle estimait qu'il n'avait pas été assez ferme pour te convaincre d'avorter.

—Non, ça n'a aucun sens. Elle m'a dit qu'elle était désolée, mais qu'elle n'avait rien pu faire. Que papa avait pris sa décision et qu'il avait été impossible d'en discuter.

Des battements sourds résonnent dans le crâne de Kate.

—Mais après, quand maman est partie à ta recherche, j'ai surpris papa en larmes. Il était dans son bureau. Tu te souviens de cette pièce, au fond du couloir, avec une énorme cheminée ?

Lauren hoche la tête.

—Pourquoi pleurait-il ?

—Il m'a juste dit qu'il était triste que nous ne soyons plus ses petites filles. Que tout ce qu'il voulait, c'était notre bonheur.

—Il avait sans doute des remords.

Kate secoue la tête.

—Arrête. Tu l'as déjà vu pleurer ?

—Non.

—Je t'assure qu'il sanglotait comme un homme brisé.

—Ce n'est pas ma faute s'il ne pouvait pas supporter la décision qu'il avait prise.

—Je ne pense pas que c'était la sienne.

Et Kate regarde Lauren droit dans les yeux quand elle ajoute :

—Je pense que c'est maman qui lui a dit de mettre un terme à la situation.

—Non, je crois qu'elle parlait plutôt de sa liaison. Tout est arrivé à peu près en même temps.

Kate avale une gorgée d'eau. Si seulement c'était une potion magique qui lui avait permis de retrouver sa famille d'avant ! En réalité, la vie était bien plus simple quand les secrets étaient encore cachés.

—Tu lui as dit que tu avais vu papa avec une autre femme, à l'époque ?

Lauren réfléchit, puis répond :

—Non, je lui ai dit après les vacances d'été, quand j'étais en première.

—Pourquoi as-tu fait une chose pareille? demande alors Kate, incapable de ne pas prendre un ton accusateur. Alors que tu ignorais ce qui se passait vraiment.

—Parce qu'il venait de jouer les moralisateurs avec moi, s'écrie-t-elle. Tu trouves ça juste qu'il m'ait forcée à avorter alors que *lui* avait un bébé dont nous ignorions l'existence? Comment pouvait-il jouer les pères de famille exemplaires, alors qu'il tenait une bombe dans les mains?

—Comment a réagi maman?

—Elle a botté en touche, et m'a dit que ce n'était pas ce que je croyais. Qu'elle connaissait cette femme.

—Eh bien, tu vois! dit Kate en poussant un soupir de soulagement. Quelle preuve de plus te faut-il pour comprendre que papa ne la trompait pas? Ni elle ni nous.

—Je te rappelle que l'ADN prouve que Jess est notre demi-sœur.

—J'ai aussi envoyé des échantillons d'ADN à l'analyse, dit alors Kate.

Lauren la regarde d'un air dubitatif.

—Dans quel but?

—Juste pour être sûre, dit Kate. J'attends les résultats à l'heure où nous parlons.

—En tout cas, si tu as envoyé l'ADN de papa en espérant qu'il ne correspondra pas à celui de Jess, je suis désolée de t'apprendre que tu vas être amèrement déçue.

Kate regarde Lauren droit dans les yeux.

—Ce n'est pas celui de papa, mais de maman, que j'ai fait analyser.

—Mais tu es devenue complètement folle! Tu ne peux quand même pas croire une chose pareille?

—Si, et je l'ai cru dès l'instant où Jess a débarqué à la maison, dit Kate avec assurance. C'est pourquoi j'ai été si furieuse quand tu as soutenu avec insistance que c'était la fille de papa, outre le simple fait que je n'avais pas envie qu'elle le soit. Tu as peut-être vu certaines choses, mais moi aussi.

Lauren déglutit avec difficulté.

— Tu penses vraiment que maman cache quelque chose ?

— Oui, répond Kate sans hésitation. Seulement, je ne sais pas quoi.

40

KATE

—Kate, mais qu'est-ce qui se passe? demande Matt quand elle rentre enfin chez elle. Même une saisie de drogues à Hollywood ne t'aurait pas accaparée si longtemps!

Il baisse le volume de la télévision et se redresse sur le canapé, une bière à la main.

—J'étais avec Lauren et Jess.

Matt repose sa canette sur la table et la regarde d'un air grave.

—Et?

—Elle veut retrouver sa mère.

—Je sais, dit Matt. C'est elle qui a écrit l'article dont je t'ai parlé.

—J'en étais sûre! Dès que tu m'as dit que tu avais un tuyau pour un papier sur l'ADN, j'étais certaine qu'elle allait écrire sa propre histoire.

—Eh bien, tu en savais plus que moi! Pour ma part, je ne m'en suis rendu compte que cet après-midi.

Kate a la sensation que son cœur va s'arrêter de battre.

—Tu ne peux pas le publier!

Matt se lève et s'avance vers elle.

—J'en suis conscient. Il était prévu pour demain, mais je vais le retirer. J'ai vu que ton propre scoop n'a pas non plus été publié aujourd'hui.

Et il hausse les sourcils, pas dupe, puis il sourit gentiment en lui prenant la main.

Elle hausse les épaules, penaude.

—Je suis désolée…

—Ce n'est pas grave. (Il l'attire à lui et l'embrasse sur le haut du crâne.) Je comprends pourquoi tu as agi ainsi, mais j'aurais préféré que tu me dises la vérité. (Il essaie d'en rire.) On aurait pu adresser un avis de recherche à la nation entière pour la mère de Jess.

Kate toussote comme si elle avait quelque chose de coincé dans la gorge.

—On sait déjà qui c'est.

Il incline la tête de côté, stupéfait.

—Ah bon?

—Ouais, dit-elle au moment où son portable sonne. (Voyant que c'est Nancy, de DS Labs, elle lève une main.) Désolée, je dois vraiment prendre cet appel.

—Salut, Kate, c'est Nancy. J'ai reçu les premiers résultats.

Elle retient sa respiration, sachant que, en général, ils sont assez fiables. Elle a déjà envoyé plusieurs tests à la demande de femmes prétendant avoir un enfant avec un homme célèbre. L'allégation en elle-même lui permettait déjà d'écrire un bon papier, mais pouvoir le prouver, c'était publier un article sensationnel. Le problème étant que, chaque fois, les résultats prouvaient le contraire.

—Bien…, dit Kate, hésitante.

Et son cœur bat à tout rompre tandis que les implications des informations que Nancy est sur le point de lui livrer s'infiltrent dans son cerveau.

— Donc les premiers tests montrent…

Elle aimerait que Nancy soit plus rapide, mais, en même temps, elle n'a pas tellement envie d'entendre les paroles qui s'apprêtent à sortir de sa bouche.

— … l'absence de lien de parenté.

Kate a l'impression que les mots flottent devant elle, qu'elle essaie de les remettre en ordre. Il faudrait juste remplacer le préfixe « ab » par « pré » pour que ce soit la phrase qu'elle attend.

— Vous… Vous en êtes absolument certaine ? balbutie-t-elle.

Le choc qu'elle ressent remonte littéralement de son estomac pour se déverser dans ses veines. Elle est stupéfaite de son intensité. Incapable de comprendre pourquoi cela la perturbe tellement de savoir que c'est son père qui a conçu l'enfant et non sa mère. Pourquoi lui avait-il paru plus simple d'accepter que c'était cette dernière qui avait accouché de Jess ?

— À quatre-vingt-dix-neuf pour cent, dit Nancy. Mais, dès que nous avons les résultats définitifs, je vous les envoie.

— Mer… merci, dit Kate.

Elle met fin à la communication et regarde Matt, sonnée.

— Qui c'était ?

— Finalement, tu devrais peut-être publier l'article de Jess.

41

LAUREN

Lauren n'arrive pas à dormir. Elle regarde encore l'heure sur son téléphone. Elle a la sensation que les chiffres la provoquent, à mesure qu'ils se rapprochent de l'aube. Ses paupières sont lourdes, mais, chaque fois qu'elles se ferment, elle se voit dans les bras de Justin. Comment a-t-elle pu faire une chose pareille ? Évidemment, c'était merveilleux, mais elle est mariée et a trois enfants en bas âge qui dépendent entièrement d'elle. Ils méritent une mère sur qui ils peuvent compter, pas une femme prête à les laisser avec une personne dont elle ne connaît visiblement rien ! Tout cela pour tenter de retrouver sa jeunesse perdue ! C'est pathétique.

Elle a la nausée à la pensée du chaos qu'elle a déclenché en attirant Jess dans la famille. Naïve, elle a cru que ce serait une bonne chose. Que cela les rapprocherait tous. Or, apparemment, elle a obtenu l'effet inverse.

Elle retient son souffle en entendant Simon rentrer. Ses bottes de travail crissent sur le lino usagé. Il est sans doute en train de se préparer une boisson chaude dans la cuisine. Il n'y a que quelques heures qu'ils ne se sont pas vus, mais tant de choses ont changé depuis. Elle-même a changé.

—Qu'est-ce qu'il se passe? demande-t-il d'un ton bougon dès qu'il entre dans la chambre plongée dans le noir.

Sous la couette, Lauren fait mine de dormir, mais elle est certaine qu'il va entendre son cœur cogner à tout rompre.

—Lauren! aboie-t-il.

—Quoi? demande-t-elle d'une voix rauque, la gorge sèche. Qu'est-ce que tu as?

—Il s'est passé quoi, hier soir, bordel?

Tous les muscles de son corps sont hyper tendus. De quoi parle-t-il, exactement?

—Comment ça? Rien, pourquoi?

Son esprit mouline. Il est impossible qu'il sache quoi que ce soit.

—Où étais-tu?

Elle a la sensation d'avoir été touchée par un pistolet paralysant. En revanche, ses pensées ne cessent de courir dans tous les sens.

—J'étais ici, dit-elle avec un rire nerveux. Où voulais-tu que je sois?

Elle reste sous la couette, pas assez courageuse, juste peut-être incapable d'en sortir.

Simon allume la lumière et s'assied lourdement sur le bord du lit.

—Mais qu'est-ce qui se passe? dit-elle en mettant la main en visière.

Il tape sur une touche de son téléphone et le porte à l'oreille de Lauren. Le message résonne alors sur haut-parleur, dans la chambre.

—Simon, c'est Kate. Lauren est avec toi? Il faut que je lui parle de toute urgence et elle ne répond pas, ni sur le mobile ni sur le fixe. Je vais bientôt arriver chez vous, mais, si elle est avec toi, tu peux lui dire de me rappeler?

Lauren voudrait lui arracher le téléphone des mains et stopper ce message.

— Donc, je te le redemande : où étais-tu hier soir ?

— Je… Je suis rapidement passée chez maman.

— Et pourquoi tu n'as pas décroché ton téléphone ?

Elle s'efforce de trouver un motif plausible, mais elle n'arrive pas à penser vite.

— Je ne l'ai même pas entendu sonner. Il devait être sur silencieux.

Simon se saisit alors du portable de Lauren qui se trouve sur la table de nuit et tente de faire le code. Elle tressaille quand le message « Recommencer » s'affiche sur l'écran, sachant qu'il va être encore plus suspicieux en se rendant compte qu'elle en a changé. Ce qu'elle redoute bien plus que ce qu'il pourrait éventuellement trouver, puisqu'elle a pris grand soin d'effacer toute trace d'échanges entre Justin et elle.

« Recommencer ».

« Recommencer ».

Elle a la nausée quand il tourne le regard vers elle.

— Mais putain, ça veut dire quoi ?

Cette fois, elle s'assied et tend la main vers lui en espérant qu'il ne voit pas qu'elle tremble.

— Je l'ai changé, dit-elle.

— Pourquoi as-tu jugé nécessaire de faire ça ?

— Parce que Noah le connaissait, répond-elle d'un ton aussi léger que possible. Il le prenait pour jouer chaque fois que j'avais le dos tourné.

Elle aurait aimé dire à la place : « Mais cela ne te regarde pas, merde ! C'est mon téléphone et tu n'as pas le droit de le prendre. »

Mais elle sait que cela ne sert à rien de s'opposer à lui quand il est de cette humeur-là.

— Donc, c'est quoi, le nouveau code ? demande-t-il en le gardant à la main.

— Donne-le-moi, je vais le faire.

Il plisse les yeux.

— Tu peux très bien me le dire, je le composerai.

— Très bien : 1921.

Un sourire de satisfaction s'affiche sur son visage quand le téléphone s'allume, mais bien vite son expression s'assombrit.

— Tu as eu huit messages en absence de Kate et cinq de moi.

Merde ! Elle a oublié de supprimer ça.

— Ah bon ? Je ne m'en suis pas rendu compte.

— À quelle heure es-tu rentrée de chez ta mère ?

— Euh… je ne sais pas, dit-elle. Vers 20 heures, mais ensuite Kate est venue à la maison, donc on s'est parlé.

Il regarde toujours intensément le téléphone, et Lauren a les nerfs en pelote.

— Qu'y avait-il de si urgent ? demande-t-il sans lever les yeux.

— Quoi ?

Il se plante devant elle.

— Qu'est-ce que Kate avait à te dire de si urgent ?

Elle se glisse sous la couette.

— Oh, c'était juste à propos de Jess ! dit-elle en faisant mine de bâiller. Tu connais Kate et ses obsessions.

— Donc à quelle heure elle est arrivée ?

Ses questions lui donnent l'impression qu'elle est sur la sellette, devant un juge et un jury. Elle a besoin d'agir prudemment, car, comme un excellent avocat avec ses clients, Simon est très fort pour repérer si elle ment ou pas.

— Je ne sais plus, dit-elle. Vers 21 heures.

Simon fronce les sourcils.

—C'est curieux, parce qu'elle a laissé ce message sur mon téléphone à 21 h 30.

Une onde de chaleur submerge Lauren, et elle se met à transpirer par tous les pores.

—Et elle a essayé de te joindre une dernière fois vers 22 heures. Donc ça ne correspond pas à tes dires.

—Je suis fatiguée, dit Lauren en remontant la couette sur sa tête. On peut voir ces détails demain matin ?

—C'est le matin !

Et Simon retire la couverture.

—Et je veux savoir où tu étais !

—Je t'ai déjà dit que j'étais chez maman.

—Jusqu'à 22 heures ?

—Je ne me souviens plus exactement, mais si c'est l'heure du dernier appel de Kate, oui.

—Donc tu as emmené les enfants ?

Il sait que jamais elle ne les aurait mis au lit si tard.

—Non, dit-elle d'un ton hésitant. Je les ai laissés ici… sous la surveillance de Jess.

Simon bondit du lit.

—Quoi ? Tu as laissé les enfants avec une étrangère ?

—Ce n'est pas une étrangère, c'est ma sœur.

—Tout ça pour aller chez ta mère ?

Simon serre les mâchoires en secouant la tête.

—Non, je ne te crois pas.

Lauren déglutit avec difficulté et s'adosse contre la tête de lit.

—Tu sais où je pense que tu es allée ? Je crois que tu as finalement fait cette garde.

—Quoi ?

Mais de quoi parle-t-il, maintenant ?

— Cette garde pour laquelle cette femme t'a appelée, hier, continue-t-il. Sheila, ou un truc comme ça.

Lauren ignorait que l'on pouvait éprouver à la fois un sentiment de soulagement et l'impression d'une catastrophe imminente en même temps. Elle soupèse la meilleure réponse, celle qui fera retomber sa colère le plus vite possible. Elle finit par entrevoir une issue.

— Je… Je ne voulais pas que tu te mettes en colère. Ce n'était que pour quelques heures, et je me suis dit que l'argent nous serait toujours utile.

— Et à ton avis, pourquoi je n'étais pas là, cette nuit ? Pour nourrir ma famille, justement !

— Oui, je sais, dit Lauren en lui saisissant les bras. Et je t'en suis très reconnaissante, mais un petit extra ne peut pas faire de mal, si ?

Il se laisse lourdement tomber sur le lit.

— Je ne veux pas que tu aies à travailler. Ta place est ici, avec les enfants.

Elle approuve avec ferveur.

— Tu as raison, et je suis désolée.

Elle ignorait qu'elle pouvait être aussi manipulatrice.

— Et moi, je suis désolé de t'avoir réveillée, dit-il d'un ton soudain conciliant. J'étais juste inquiet.

— Ce n'est rien, dit-elle. Bon, je ferais mieux d'aller prendre ma douche avant que Jude se réveille.

Son téléphone est sur le lit, mais comme elle n'a aucune bonne raison de l'emporter avec elle dans la salle de bains, elle le laisse là où il se trouve.

Elle prend une douche aussi rapidement que possible, puis, dès qu'elle a fini, elle passe la tête par l'entrebâillement de la porte pour vérifier si elle entend du bruit du côté des enfants.

Même avec Simon dans la maison, elle a toujours l'impression qu'ils relèvent de sa seule responsabilité. Elle ne sait pas si c'est dû à l'instinct maternel ou à Simon lui-même.

Mais le silence règne. Elle profite alors des quelques minutes de paix avant que commence une journée épuisante avec trois enfants. Néanmoins, elle redoute que ce qui l'occupe le plus aujourd'hui ne soit le bruit incessant de ses pensées. Si seulement elle pouvait oublier les délicieuses caresses de Justin. Le fait que ses lèvres sur les siennes lui ont paru la chose la plus naturelle du monde.

Assez!

Maintenant, c'est fait, mais cela ne doit pas se reproduire. C'était une erreur. Il lui faut désormais se concentrer sur sa famille et son mari, qui fait son possible pour maintenir le bateau à flot.

À peine a-t-elle chassé Justin de ses pensées qu'une autre question vient la tourmenter. Elle se sèche les cheveux, fébrile, tout en pensant au pacte qu'elle avait passé avec son père et sa mère, des années auparavant. Tous les trois s'étaient juré de ne jamais en reparler, ni entre eux et encore moins avec un tiers. Pour autant qu'elle sache, son père a tenu sa promesse. Mais sa mère l'a brisée de la façon la plus cruelle possible. Comment a-t-elle pu? Lauren ne laissera pas passer cela. Hors de question. Elle ira la voir dès qu'elle aura déposé Noah à l'école.

Elle pensait que Simon dormirait pendant deux ou trois heures, mais leur chambre est vide quand elle y rentre. Donc, finalement, Jude s'est bien réveillé. La combinaison-pantalon noire qu'elle portait la veille est suspendue dans son placard ouvert, en évidence. Sa mauvaise conscience revient au galop. Elle range la tenue au fond, sachant qu'elle ne pourra plus jamais la remettre.

Enfilant sa tenue d'intérieur habituelle, composée d'un legging et d'un tee-shirt ample, elle se dépêche de faire le lit, secoue la couette. Soudain, elle entend quelque chose tomber lourdement par terre. Elle sait d'instinct que c'est son téléphone. Oh non! Il a atterri face contre terre... Prudemment, Lauren le retourne, redoutant le prix d'un éventuel remplacement. Mais quand elle voit ce qui est écrit sur l'écran, elle comprend qu'aucune somme d'argent ne pourrait réparer le dommage.

42

KATE

La une s'étale en double page dans *L'Écho*.

«J'AI RETROUVÉ MA SŒUR, MAIS OÙ EST MA MÈRE?»

—Ça rend bien, observe Matt.

Appuyé contre le comptoir de la cuisine, il mange ses corn-flakes.

Voir la photo de Jess figée sur l'écran de Matt agace Kate. Elle préfère ne pas se demander si elle a eu raison de l'inciter à publier l'article.

—Alors on sort le papier? Tu en es certaine? lui a-t-il demandé, tard hier soir.

Elle a encore réfléchi deux ou trois secondes, sachant que, une fois qu'elle lui aurait donné son feu vert, il presserait le bouton qui l'enverrait à l'impression. Tous deux étaient tombés d'accord sur le fait que, ne pouvant éteindre le feu, il était préférable de le garder sous contrôle.

—Pour le meilleur ou pour le pire, nous savons maintenant que Jess est la fille de mon père, a-t-elle dit, résignée. Elle a le droit de rechercher sa mère, et espérons que cet article lui permettra de la retrouver.

C'est alors que le téléphone de Kate sonne. Elle le regarde vibrer sur son bureau, à quelques mètres d'elle.

—C'est ta sœur, annonce Matt.

—Ah! dit Kate en reprenant sa respiration. Bon, c'est parti!

Elle a été tentée d'appeler Lauren hier soir pour l'avertir que l'histoire de Jess allait être publiée, mais il était tard. En outre, elle n'imaginait pas que cela lui poserait de problème. En réalité, elle pensait que Lauren serait ravie que des jalons soient posés pour aider Jess à retrouver sa mère. N'est-ce pas ce qui l'anime depuis le début?

—Kate! Kate! hurle Lauren au bout du fil. Il a pris les enfants. Je ne sais pas quoi faire.

Kate regarde Matt, les yeux écarquillés.

—Comment ça?

Elle a l'impression de manquer d'air.

—Simon! Il a pris les enfants, et je ne sais pas où il est.

—Tu es chez toi? demande Kate.

Et elle court dans sa chambre pour enfiler le premier pantalon de sport qui lui tombe sous la main.

—Oui, sanglote Lauren. Je ne sais pas quoi faire.

Kate met maintenant un tee-shirt.

—Bien, reste où tu es. Je suis en chemin.

Quand elle saisit ses clés et sort de l'appartement, Matt lui emboîte le pas sans mot dire.

Sans surprise, Lauren est dans tous ses états quand ils arrivent chez elle, dix minutes plus tard. Dès le seuil, elle s'effondre dans les bras de Kate.

—Que s'est-il passé? demande-t-elle. Que se passe-t-il?

— Il est parti et il a pris les enfants avec lui ! hurle Lauren.

Kate entraîne sa sœur vers le canapé où elles étaient assises la veille au soir. Comment l'atmosphère a-t-elle pu changer à ce point en si peu de temps ?

— Mais pourquoi a-t-il fait ça ? Où est-il parti ?

Lauren donne son téléphone à sa sœur et redouble de sanglots.

— Tu veux que j'appelle la police ? demande Matt.

Kate secoue la tête en lisant les textos sur le portable de Lauren.

Lauren : Ravie d'avoir pu te donner un coup de main, hier soir.

Sheila : Un coup de main ? Je n'appellerai pas cela ainsi ! Je n'arrête pas de penser à toi. J'espère que tout va bien chez toi ?

Lauren : J'ai besoin de te revoir.

Sheila : Tu ne peux imaginer le bonheur que tes mots me procurent. Quand ?

— Désolée, mais je ne comprends pas, dit Kate en relisant les messages. Qui est Sheila ? Et qu'a-t-elle à voir avec Simon et les enfants ?

Lauren enfouit la tête dans ses mains.

— Sheila, c'est Justin.

— *Ton* Justin ?

Kate a du mal à suivre.

Lauren hoche la tête.

— Tu continues de le voir ? demande Kate, incrédule.

Certaines pièces du puzzle commencent malgré tout à se mettre en place.

— Juste deux fois, admet calmement Lauren.

— Donc c'est avec lui que tu étais, hier soir ? Et maintenant, Simon a vu vos messages ?

—Il n'y avait pas de messages. Il m'a soumise à un interrogatoire en règle en rentrant du travail ce matin, et, pendant que j'étais sous la douche, il a dû commencer cette discussion, pour vérifier si mon histoire collait. Je lui avais dit que Sheila était une sage-femme et que je la remplaçais pour une garde, hier soir.

—Merde !

—Et quand je suis ressortie de la salle de bains, il était parti avec les enfants.

—Je suppose que tu as essayé de l'appeler, dit Matt.

Lauren acquiesce et se mouche.

—Je ne sais pas ce qu'il va faire. Ce qu'il est capable de faire.

—Comment ça ? demande Kate, stupéfaite.

—Tu ne le connais pas.

Lauren semble brisée.

—Il a un sale caractère, même s'il fait des efforts pour se maîtriser.

—Tu es en train de dire que tu as peur de lui ?

Lauren acquiesce.

Kate reste sans voix. Comment a-t-elle pu ne pas se rendre compte de ce que sa sœur endurait ?

—S'il a osé lever la main sur toi…, commence Matt, les narines frémissantes.

Lauren baisse les yeux, comme honteuse. Kate en hait d'autant plus Simon !

—Lauren, pourquoi ne m'as-tu pas parlé de cela avant ? questionne Kate. Je pensais que tu étais heureuse. Que tu avais une famille parfaite.

—C'est curieux que nous ayons chacune pensé la même chose de l'autre.

C'est un commentaire en passant, mais les deux femmes se regardent comme si chacune voyait l'autre pour la première fois. La vérité que contiennent les paroles de Lauren s'enfouit profondément dans l'esprit de Kate.

— Bon, que fait-on? demande Matt, brisant le sorti-lège. Je ne crois pas que la police intervienne pour l'instant. Pour eux, Simon est un père qui a emmené ses enfants faire un tour.

Soudain, des freins crissent à l'extérieur. Tous trois se figent et se regardent. Matt est le premier à se diriger vers la porte, qu'il ouvre à la volée, la laissant rebondir sur ses gonds.

— Sois prudent! lui lance Kate.

— Où est ma femme? hurle Simon en sortant de la voiture.

Et il fonce vers Matt, s'arrêtant à seulement quelques centi-mètres de lui.

Kate pose la main sur le bras de Matt pour se rassurer, mais elle a les jambes en coton.

— Et si on se calmait tous pour comprendre ce qui se passe? dit Matt.

— Se calmer? crie Simon. Ma femme couche avec un autre, et tu voudrais que je me calme?

Voyant les enfants dans la voiture, Kate se dirige vers eux, Lauren sur les talons. Elle sent la respiration de sa sœur dans son cou. Elle admire sa retenue. S'il s'agissait de ses enfants, elle pousserait des cris d'orfraie. Mais, manifestement, Lauren sait comment gérer au mieux son mari. Et cela peine Kate de constater que sa sœur a de toute évidence des années de pratique derrière elle.

— Entre, dit Matt en prenant Simon par le bras. Nous allons parler de tout cela.

Simon se dégage de la prise de son beau-frère et s'avance vers Lauren, les yeux brillants. Kate se redresse et se plante entre eux, lui bloquant le passage.

— Depuis combien de temps ça dure ? hurle-t-il. Tu croyais vraiment t'en sortir comme ça ? Que je ne m'en rendrais pas compte ?

Il fait un pas supplémentaire. D'instinct, Kate pose la main sur son ventre.

— Qui c'est ? crie de nouveau Simon. Dis-moi qui c'est ! Je vais lui faire la peau, je te le garantis !

Il lève le bras et Kate sent, comme dans un film au ralenti, un courant d'air quand il le laisse retomber. Elle baisse bien vite la tête, écarte Lauren et attend, fébrile et les yeux fermés, le contact de sa main. Ces quelques fractions de seconde lui semblent une éternité, ne sachant qui son beau-frère va frapper et où. Elle sent un autre courant d'air, entend le bruit d'une claque, mais ce n'est pas elle qui l'a reçue. C'est Matt quand il a saisi le bras de Simon au moment il allait la frapper.

— Je vais le tuer, ensuite ce sera ton tour, hurle Simon tandis que Matt lui bloque un bras derrière le dos et l'entraîne au pas de charge vers la maison.

— Maman ! appelle Noah, en larmes, à l'intérieur de la voiture.

Lauren ouvre la portière et prend son petit garçon dans ses bras.

— Tout va bien, lui dit-elle, des larmes roulant sur ses joues. Tout va bien se passer.

Kate constate que Jude et Emmy se sont endormis sur la banquette arrière. Ils sont parfaitement inconscients que le mariage de leurs parents vient de s'achever. Même si, visiblement, il y a longtemps que c'était le cas.

— Tu ne peux pas rester ici, dit Kate en frottant le dos de Lauren.

— Je sais… Je vais aller chez maman en attendant que ça passe.

—Je t'accompagne, dit Kate.

—Non, ça va aller. Va travailler.

—Je suis certaine que les people peuvent attendre.

Et Kate lui sourit.

—Tiens, dit Matt en lui lançant les clés.

—J'emmène tout le monde chez maman. Ça va aller pour toi ?

Il hoche la tête.

—Assure-toi que Lauren et les enfants sont en sécurité.

Une onde de chaleur traverse Kate quand elle se rend compte à quel point Matt est altruiste. C'est dans ses gènes, et c'est pour cette raison qu'elle est tombée amoureuse de lui. En silence, elle lui présente des excuses pour l'avoir soupçonné d'être celui qu'il n'est pas.

—Sois prudent !

—Appelle-moi une fois que vous serez chez ta mère, dit-il.

Et c'est ce qu'elle aurait fait si Rose ne les avait pas accueillies sur le seuil en disant :

—Mais qu'est-ce que vous avez fait, bon sang ?

43

KATE

L'Écho est sur la table de la cuisine. Le regard de Jess, sur la photo, les transperce toutes.

La ressemblance entre cette dernière et Lauren est frappante. Leurs cheveux blonds qui tombent sur les épaules, leurs nez parfaits, leurs yeux écartés qui leur donnent l'air à la fois vulnérable et agressif.

— Je n'arrive pas à croire que tu aies fait une chose pareille, dit Rose. Mais enfin, qu'est-ce qui t'a pris ?

Lauren tourne le journal vers elle.

— Ça alors ! (Elle a la voix rauque à force d'avoir pleuré.) Quand Jess a-t-elle accepté cela ?

— Il y a deux jours.

Lauren la regarde, perplexe.

— Il se trouve qu'elle travaille pour *L'Écho*, ajoute Kate en guise d'explication. Avec Matt.

Sa sœur cligne frénétiquement des paupières. De toute évidence, elle essaie de trouver un sens à ces paroles.

— Mais…

Et elle ne peut en dire plus.

— Elle est allée avec lui à Birmingham, dit Kate.

Lauren se recouvre tout de suite la bouche de la main. Elle cherche le regard de Kate, qui lit tout de suite dans ses pensées, et précise :

— Non, ce n'est pas ce que tu crois.

— Mais elle m'a dit qu'elle était là-bas avec son patron. Il y a quelque chose entre eux, je t'assure.

— Elle sort avec l'assistant de Matt, dit Kate, heureuse qu'elle et lui en aient discuté la veille au soir, au lit. Il s'appelle Ryan, et apparemment elle l'a dragué ouvertement.

Elle lui adresse un petit sourire, espérant avoir été aussi désinvolte que possible.

Lauren pousse un soupir de soulagement.

— Mais pourquoi tu ne m'as rien dit ? Quand je t'ai raconté que... Tu as dû penser que...

— Exact, reconnaît Kate. Bon, maintenant, c'est réglé. J'avais tiré des conclusions hâtives, et ce n'était pas ce que je croyais. Heureusement.

— Je suis vraiment désolée, j'ignorais tout cela. Si j'avais su qu'ils travaillaient ensemble, jamais je n'aurais...

— Je sais, dit Kate.

Instinctivement, elle lui touche l'épaule. Elle avait oublié comme cela faisait du bien d'être proche de sa sœur, aussi bien sur le plan physique qu'affectif.

— Le sait-elle ? Je veux dire, que Matt est ton mari ?

— Nous ne le croyons pas. Elle n'a en tout cas jamais abordé le sujet avec lui, et même si j'ai eu des doutes sur la raison de sa présence au journal de Matt, il faut encore les confirmer. Je préfère penser qu'il s'agit d'une heureuse coïncidence.

— Oui, je ne vois pas ce que cela pourrait être d'autre, dit Lauren d'un ton désinvolte, comme s'il n'y avait vraiment aucune autre possibilité.

Kate aimerait beaucoup partager sa naïveté.

— Pourquoi l'as-tu laissée faire une chose pareille ? s'écrie Rose, s'interposant entre elles. Quel est le but de cet article ?

— Nous savons maintenant qu'elle est bien la fille de papa, dit Kate.

Et chaque mot qu'elle prononce s'immisce dans son cœur tel un couteau.

— Mais il n'est plus ici. Donc laisse-la trouver sa mère.

— Je vous ai déjà dit que sa mère était morte.

Rose a parlé d'un ton amer.

Involontairement, Kate sent ses mâchoires se serrer. Elle va poser une question qu'elle préférerait garder pour elle.

— Tu crois que… Serait-il possible qu'il y ait eu quelqu'un d'autre ?

Rose en reste bouche bée.

— Comment peux-tu me demander une chose pareille ?

— Parce que j'ai mené une enquête sur Helen Wilmington avant que Matt publie l'article.

— Et ? demande Lauren, pleine d'espoir.

— J'ai fait chou blanc. Il n'y avait qu'une seule Helen Wilmington à Harrogate, et tu as raison, maman : elle est morte il y a quatre ans. J'ai vérifié le registre des naissances pour Wilmington et Alexander. Aucun bébé n'a été enregistré sous un de ces noms autour de cette date. C'est pourquoi je pensais que l'article serait une bonne idée, pour voir si quelqu'un sort du bois.

— Mais de cette façon ? s'exclame Rose d'un ton cinglant. (Elle se saisit alors du journal infamant, puis le repose en le lançant sur la table.) Tu crois vraiment que la meilleure façon de trouver la vérité, c'est d'étaler son linge sale en public ?

—Rien dans cet article ne permet de nous identifier, dit Kate. Nos noms ont été changés.

—Elle dit qu'elle est née à Harrogate, répond Rose d'une voix aiguë. Les gens ne mettront pas longtemps à faire des déductions.

—Maman…, commence Lauren d'un ton hésitant. Penses-tu que la femme avec qui je l'ai vu était Helen Wilmington?

Rose lui lance un regard noir.

—Quoi? Quelle femme?

—La femme dont je t'ai parlé, dit Lauren. La femme avec le landau.

Rose rentre les lèvres, exposant alors ses gencives.

—Je ne vois vraiment pas ce que tu veux dire.

Lauren la regarde, abasourdie.

—Mais, maman, tu t'en souviens forcément. Tu ne peux pas avoir oublié une chose pareille. J'avais dix-sept ans…

—Tu dois faire une erreur, dit Rose avec emphase. Selon toi, je devrais me rappeler cette scène, mais je ne m'en souviens pas. Donc…

Lauren prend la main de sa mère dans la sienne.

—Je sais combien cela doit être difficile pour toi, et j'en suis vraiment désolée, mais nous nous devons d'aider Jess. Te souviens-tu de quoi que ce soit concernant cette époque?

Rose secoue la tête.

—Non, il y a juste eu Helen, dit-elle. Votre père n'était pas un coureur de jupons qui couchait avec la première venue dès que j'avais le dos tourné. (Un sanglot lui échappe.) Peut-être qu'elle a déclaré l'enfant sous son nom de jeune fille, ou sous celui de son petit ami. Je suis certaine qu'elle en avait un, à l'époque.

Kate n'a pas la force de leur dire que Matt a parlé à des anciens voisins de Helen, la veille au soir, et qu'ils ne se rappelaient pas l'avoir jamais vue avec un enfant.

—Il a fait une erreur, poursuit Rose en reniflant. (Elle prend d'une main tremblante le mouchoir sur ses genoux.) Un moment d'égarement avec une femme qui a profité de lui. Il en avait tiré la leçon et avait promis de ne plus jamais recommencer, et il a tenu sa promesse. Aussi, si vous pensez qu'il ne nous aimait pas et semait à tout-va, vous vous trompez. (Une larme coule sur la joue de Rose. Elle l'essuie rapidement.) Il n'était pas ce genre d'homme.

Ironiquement, c'est à ce moment précis que Kate se rend compte que *si*, son père était exactement ce genre d'homme. Et en le regardant tomber du piédestal sur lequel elle l'a mis pendant trente-quatre ans, elle sent son cœur se briser en deux.

44

LAUREN

— Quel affreux gâchis ! s'exclama Lauren en poussant un lourd soupir, une fois Kate partie. Je suis vraiment désolée.

Rose la regarde, les larmes aux yeux.

— Écoute, je suis désolée de ce que je vais te dire, mais si tu n'avais pas remué tout cela, nous ne serions pas dans cette situation. Tout le monde a le droit d'avoir des secrets, Lauren. Ce n'est pas ton rôle de révéler ceux des autres.

— Tu m'ôtes les mots de la bouche. Tu peux m'expliquer pourquoi tu as éprouvé le besoin de parler à Kate de… (Elle se racle la gorge. Malgré tous ses efforts, elle trouve encore extrêmement difficile de prononcer ces fichus mots.)… de ce qui s'est passé quand j'avais seize ans.

Rose s'enfouit la tête dans les mains.

— Honnêtement, je ne sais pas ce qui m'a pris. Elle me harcelait au sujet de papa, et je ne voulais pas la blesser plus qu'elle ne l'était déjà. C'est sorti comme ça, je suis vraiment désolée.

— Mais nous avions juré tous les trois de garder le secret, protesta Lauren avec circonspection. Et Justin, bien sûr.

—Celui-là, il a pris le large, dit Rose d'un air pincé. Je me demande ce qu'il est devenu. Pas grand-chose, j'imagine, s'il s'enfuit toujours au moindre problème.

Sa mère va-t-elle continuer à persister dans son mensonge?

—Regrettes-tu de m'avoir contrainte à avorter? demande-t-elle.

Elle sent l'indignation la gagner peu à peu.

—Oh, ma chérie, ne reparlons plus de cette histoire! Ça remonte à si longtemps.

—Mais cela a représenté un événement énorme dans ma vie. Il a déterminé celle que je suis aujourd'hui.

—Tu sais comme ton père pouvait être. J'essayais de le raisonner, mais il était si obstiné, parfois.

—C'est ce que tu dis. Cependant, j'ai repensé à toute cette affaire, dernièrement, et tu sais quoi?

Rose hausse les sourcils.

—J'ai passé des années à croire que papa m'avait forcée à le faire, que c'était lui, le coupable. Pourtant, j'ai beau me creuser les méninges, je n'arrive pas à me rappeler qu'il m'ait dit une seule fois que je devais le faire.

—Il a tenté de te persuader que c'était pour le meilleur, dit Rose. Que ta vie serait très différente, si tu avais un bébé.

—Mais il ne m'a pas dit une seule fois que je *devais* avorter. (Lauren scrute Rose d'un regard noir.) J'ai fait cette IVG uniquement parce que Justin a soudain refusé d'avoir le moindre contact avec moi, et que je ne voyais pas comment m'en sortir sans lui. J'ai maudit papa pendant toutes ces années, pensant que nos disputes reposaient sur le fait qu'il m'avait contrainte à une chose que je ne voulais pas. Alors que, en réalité, il souhaitait seulement m'expliquer les conséquences de mes actes.

—C'était un expert pour imposer sa volonté, dit Rose. C'est pour cette raison qu'il était si bon dans son domaine. On ne se rendait même pas compte de ce qui se passait.

—Donc, tu me dis qu'il ne voulait pas que j'aie ce bébé?

—Bien sûr que non, s'exclame Rose. Tu étais trop jeune. Tu avais toute la vie devant toi. Pourquoi te serais-tu mis un tel boulet au pied, à cet âge?

—C'était l'opinion de papa ou la tienne?

—Ma chérie, tu sais bien que j'ai toujours voulu ton bonheur, et si le fait d'avoir un bébé à seize ans l'avait été, je t'aurais soutenue jusqu'au bout dans ton choix. J'ai d'ailleurs plaidé ta cause auprès de ton père, mais, avec le recul, je me rends compte qu'il avait sans doute raison.

—Ce qui veut dire? demande froidement Lauren.

—Eh bien, regarde comme Justin s'est défilé! Dès qu'il a compris que la situation se corsait, il est parti. Tu aurais vraiment voulu passer ta vie avec un homme comme lui?

—Mais je l'aimais.

—Tu croyais l'aimer, nuance Rose d'un ton autoritaire. Seulement, tu étais jeune – vous l'étiez tous les deux. Tu ne savais pas ce qu'est l'amour.

Lauren se rappelle ce qu'elle a ressenti la veille au soir, dans les bras de Justin, alors qu'elle avait la tête posée sur son torse. Elle était bien consciente qu'elle n'aurait pas dû être là, et pourtant elle n'arrivait pas à s'en aller. Elle se souvient de l'intensité de son regard, quand ils ont fait l'amour, elle en a pleuré. Son cœur cogne plus fort dès qu'elle pense à lui. Vingt-deux ans se sont écoulés, et pourtant rien n'a changé entre eux. C'est cela, l'amour, que l'on ait seize ou trente-huit ans.

—Je l'ai revu, dit alors calmement Lauren, comme si elle se parlait à elle-même.

Rose cligne plusieurs fois des yeux.

—Oh! dit-elle avec un sourire figé. Il était à l'étranger, finalement?

Lauren acquiesce.

—Alors, qu'a-t-il fait de sa vie? demande Rose. Pas grand-chose, je suppose.

—Il s'est marié, a eu deux enfants et occupe un poste de cadre dans une entreprise américaine.

Elle refuse de donner à sa mère la satisfaction d'apprendre qu'il est maintenant divorcé et que ses deux fils vivent à l'autre bout du monde.

—Voyez-vous ça! dit Rose, presque triomphante. Si tu étais restée avec lui, tu aurais fini aux États-Unis. Tu n'aurais pas connu ton merveilleux mari, et tu n'aurais pas tes trois magnifiques enfants...

—Je vais quitter Simon, déclare Lauren d'un ton catégorique.

Elle ignorait qu'elle allait prendre cette décision jusqu'à ce qu'elle la formule à voix haute.

L'expression de Rose se fige, comme si elle était incapable d'assimiler ce qu'elle entend.

—Que... Quoi?

—Je vais quitter Simon.

—Mais... mais pourquoi? demande Rose en s'étranglant. Je pensais... Enfin, je veux dire, vous allez si bien ensemble.

Vraiment? D'un point de vue extérieur, peut-être. C'est fou ce que les gens s'imaginent alors qu'ils n'ont pas la moindre idée de ce qui se passe derrière les portes closes. Ils ont sans doute pris la façon dont elle regardait son mari pour de la fierté. Or il s'agissait juste du besoin désespéré de le satisfaire. Et ils se sont trompés sur le ton agréable avec lequel elle s'adressait à lui, y voyant la preuve d'une égalité au sein de leur couple, quand celui-ci reflétait juste le ton conciliant d'une femme qui a appris à être soumise.

— Non, ça ne va plus entre nous.

— Mais tout avait l'air d'être au beau fixe, objecte Rose. Je pensais sincèrement que vous étiez heureux.

Il est clair que tu ne me connais pas autant que tu le crois, a envie de lui hurler Lauren. *Parce que Justin m'a rendue heureuse par le passé. Et c'est encore le cas aujourd'hui.*

Rose prend les mains de Lauren dans les siennes.

— Je suis vraiment désolée. Comment puis-je t'aider ?

Lauren se rappelle alors une soirée, il y a fort longtemps, où sa mère lui a posé la même question.

— Dis-moi ce que je peux faire pour t'aider, avait-elle murmuré alors que Lauren pleurait sur son épaule.

— Fais en sorte que Justin me revienne.

— Je suis désolée, ma chérie, mais je ne peux pas l'obliger à faire ce qu'il ne veut pas faire.

— Mais il disait qu'il m'aimait, avait répondu Lauren, toujours en larmes. Il m'avait dit qu'il serait à mes côtés et que nous aurions cet enfant ensemble.

— Je suis désolée que tu aies appris de cette façon que les garçons font beaucoup de promesses qu'ils ne tiennent pas.

La poitrine de Lauren s'était soulevée de manière convulsive, ses épaules s'étaient affaissées.

— Je ne peux pas avoir ce bébé sans lui, avait-elle sangloté.

— Bon, je pense que tu as ta réponse. Mais ne t'inquiète pas, je serai à tes côtés à chaque étape.

Et ç'avait été le cas, Lauren ne pouvait pas lui reprocher de ne pas avoir tenu sa promesse. Sa mère avait été le liant grâce auquel sa famille avait tenu le coup, même si la relation de

Lauren avec son père n'avait plus été aussi étroite, après. Et elle a la nausée de penser que, pendant toutes ces années, elle lui en a voulu alors qu'il n'était pas fautif.

—Oui, tu peux faire quelque chose pour m'aider, reprend Lauren.

Rose incline la tête, sourcils haussés.

—Je peux te laisser les enfants un moment ?

De toute évidence, les épaules de Rose se détendent.

—Bien sûr, ma chérie. Tu vas aller voir Simon ? Tu ne dois pas tirer un trait sur toutes ces années sur un coup de tête. C'est un homme bien.

Lauren sourit et secoue la tête.

—Tu n'as pas beaucoup d'intuition en ce qui concerne la psychologie humaine, maman.

—Comment ça ?

Elle semble vexée.

—Tu as parié sur le mauvais cheval, dit Lauren.

Puis elle se lève et se dirige vers la porte.

—Une seconde. Où vas-tu ?

—Rejoindre Justin, dit Lauren. L'homme auprès de qui j'aurais dû passer toutes ces années. Celui que tu as éloigné de moi.

45

KATE

— Kate, c'est moi, dit Matt.

Il a un ton abattu, au téléphone.

— Oui, dit-elle avec lassitude.

Ces derniers jours ont été épuisants. Elle a l'impression qu'elle pourrait dormir debout. Et pourtant, curieusement, quand elle a eu la possibilité de dormir, elle est restée très longtemps éveillée, cherchant éperdument des excuses à son père. Mais, maintenant, ce n'est de toute évidence plus nécessaire. Il est bien celui que Lauren lui reprochait d'être depuis le début. Elle toussote, comme pour se débarrasser du nœud douloureux qui lui étreint la gorge.

— Tu as une minute? demande Matt.

— Bien sûr. Vas-y.

— Non, je veux dire, tu peux passer ici? À mon bureau?

Kate se redresse, immédiatement sur la défensive.

— Pourquoi? demande-t-elle.

— C'est à propos de l'article de Jess, explique Matt. Il y a dans les locaux une personne à qui, selon moi, tu devrais parler. Je t'expliquerai quand tu seras là.

— OK, j'arrive, dit-elle.

Et, prenant son sac, elle se dirige vers la porte.

Durant le court trajet jusqu'au journal de Matt, elle se demande de qui il peut s'agir. Elle est agacée d'avance à l'idée d'une usurpatrice qui s'amuserait à clamer qu'elle est la mère de Jess. Et qui, pendant une bonne partie de la matinée, se serait concocté un passé dans l'espoir qu'il passe pour plausible. Cependant, Matt a vu suffisamment d'impostures de ce genre pour en détecter une sur-le-champ. Non, il ne la dérangerait pas pour ça.

Elle le voit, de dos, dans l'entrée. Il est en train de parler à un homme et une femme. Elle s'immobilise tout de suite en déduisant que ce sont des policiers. L'homme, légèrement plus petit que Matt et vêtu d'un pantalon en coton bleu marine et d'un tee-shirt blanc, lève alors les yeux vers elle, ce qui la pousse à reprendre sa marche. Elle est juste à quelques pas de la policière quand celle-ci tourne la tête vers elle.

— Euh… Kate, dit Mark d'un ton gêné, je te présente l'inspectrice Connolly.

Kate échange une poignée de main avec elle.

— Et l'enquêteur Stephen, dit ce dernier en tendant la sienne.

— Ravie de faire votre connaissance, dit Kate, qui sent sa bouche s'assécher instantanément et ses lèvres devenir collantes comme du chewing-gum.

Elle lance un regard prudent à Matt, lui demandant en silence ce qu'ils font ici et si cela a un rapport avec Jess. L'inspectrice Connolly est la première à répondre.

— Nous avons lu l'article de Jessica Linley, dans *L'Écho* d'aujourd'hui.

Kate hoche la tête, sans oser parler.

— Mmm, finit-elle par dire.

—Je leur ai dit que Jess, *Jessica*, travaille ici, mais qu'elle n'est pas au bureau, dit Matt pour lui venir en aide.

Elle le scrute avec attention. Dit-il la vérité ? Impossible à deviner.

—M. Walker nous a indiqué que vous étiez personnellement liée à Mlle Linley, enchaîne l'inspectrice.

—Euh, c'est possible, en effet, dit Kate. C'est encore un peu contestable.

Aussitôt, elle se mord la langue. Jamais on ne s'exprime ainsi devant des policiers. C'est s'exposer à un flot de questions.

L'inspectrice Connolly hausse les sourcils, l'air intéressé, comme si cela confirmait ce qu'elle pense.

—Vraiment ? Et en quoi ?

Kate regarde tour à tour les policiers.

—Puis-je simplement vous demander de quoi il s'agit ?

—Nous menons des investigations sur des affaires non élucidées et classées sans suite, l'informe l'enquêteur Stephens. Et cet article a éveillé notre intérêt. Acceptez-vous de répondre à quelques questions ?

Kate hoche la tête.

—De quelle affaire s'agit-il ?

Sa voix chevrote.

L'enquêteur Stephens regarde sa supérieure pour savoir si elle lui donne la permission de parler. Elle acquiesce.

—Nous recherchons la trace d'un bébé abandonné à Harrogate en 1996, dit-il. Et Mlle Linley affirme y être née, aux environs de cette date, de parents inconnus. Est-ce vrai ? demande l'enquêteur.

—C'est ce qu'elle affirme, *elle*, dit Kate.

Et elle sent la chaleur lui remonter lentement le long du corps, la brûlant à l'intérieur.

—Que voulez-vous dire par là? questionne l'inspectrice Connolly.

—Que c'est ce qu'elle considère comme vrai, dit Kate. Ce qui n'est pas forcément le cas, mais c'est ce qu'elle croit pour l'instant, en fonction des informations auxquelles elle a accès.

N'en dit-elle pas trop? N'exprime-t-elle pas, en un flot de paroles trop abondantes, ce qui peut l'être en moins?

—Vous connaissez cette ville?

Kate hoche la tête, tandis qu'elle se sent transpirer par tous les pores.

—J'y ai passé mon enfance, dit-elle en s'efforçant d'ignorer le regard éclair qu'échangent les deux policiers.

—Pouvez-vous nous dire à quelle période, exactement? demande Stephens.

Kate lève les yeux vers le plafond haut de trois mètres, puis les laisse courir sur les piliers recouverts de marbre qui les soutiennent.

—Euh... Je suis née là-bas en 1984 et j'ai quitté la ville en 1996 pour venir à Londres.

—Donc aux alentours de la date où est née Mlle Linley? questionne Stephens avec insistance. Vous avez emménagé à Londres avec toute votre famille?

Kate en perd presque la faculté de répondre, comme si sa gorge se refermait.

—Mmm.

—Et votre famille se composait de...?

—Euh, moi, ma sœur, ma mère et mon défunt père.

—Puis-je noter leurs noms? demande Stephens en glissant la main dans sa poche pour en sortir un carnet.

Elle jette un coup d'œil à Matt, dont l'air imperturbable envoie immédiatement des ondes de calme dans son cerveau confus.

—Ma sœur s'appelle Lauren Carter, ma mère Rose, et mon père s'appelait Harry.

—Quel est le nom de famille de vos parents ?

Stephens tient son stylo juste au-dessus du carnet, prêt à noter.

—Cela vous dérange-t-il si l'on s'assied ? demande Kate.

Elle se sent vaciller.

—Elle est enceinte, précise Matt.

Et, lui prenant le bras, il l'accompagne jusqu'au canapé en cuir moderne qui semble presque trop petit pour cet immense espace. Kate le suit des yeux quand il va lui chercher un verre d'eau, le suppliant en silence de faire plus vite.

—D'après ce que j'ai compris, poursuit Stephens, Mlle Linley a publié son ADN sur un site de généalogie génétique et a découvert qu'elle avait une demi-sœur. Celle-ci serait donc Mme Carter ?

Kate acquiesce.

—Et vous-même, bien sûr, même si j'ai constaté que vous ne figuriez pas dans l'article.

Kate demeure silencieuse.

—Vous n'acceptez pas aussi bien la situation que Mme Carter ?

—Eh bien, ce n'est pas vraiment l'idéal, reconnaît Kate en s'éclaircissant la voix.

—Le fait que votre père était aussi le sien ?

—Oui, dit Kate d'un ton tranquille. Il n'est pas facile d'accepter que votre père ait eu une liaison.

—Surtout de le découvrir après son décès, j'imagine, dit Stephens presque pour lui-même.

Kate se hérisse face à sa tentative maladroite de sincérité.

—Mais vous reconnaissez que c'est bien le cas ? poursuit-il.

—Je ne peux pas contester la science, dit-elle avec un sourire tendu.

Stephens lui rend son sourire, même s'il n'atteint pas ses yeux.

—Avez-vous des raisons de croire que votre père connaissait l'existence de sa troisième fille ?

Oui. Non. Je ne sais pas.

Toutes les réponses résonnent, tournant en boucle dans sa tête, ainsi que les différentes théories de Lauren, sa mère et elle-même.

—Non, dit-elle.

Cela lui semble la réponse la plus exacte à donner sur ce qui se passe. Elle est soulagée lorsque Matt revient avec le verre d'eau et s'assied près d'elle.

—Et vous ne vous rappelez pas le cas d'un bébé abandonné quand vous habitiez encore Harrogate ?

—Non, dit-elle en toute sincérité.

—Vous aviez alors onze, douze ans ? dit Stephens.

Comme s'il était utile de le lui rappeler.

—Exact.

—Et votre sœur, Lauren ?

Il regarde son carnet.

—Elle a quelques années de plus que vous.

—Oui, quatre.

Elle craint maintenant que ses réponses ne soient trop courtes et saccadées.

—Il est donc possible qu'elle ait quelques souvenirs de cette affaire. Et donc, votre mère, Mme… (Il baisse de nouveau les yeux vers son carnet.) Je suis désolé, mais je n'ai pas bien compris le nom de vos parents.

—Alexander.

— Mme Alexander vit-elle toujours à Londres ?

Kate hoche la tête.

— Pouvez-vous me donner son adresse, je vous prie ? Il se pourrait que nous ayons besoin de lui poser quelques questions.

— À quel sujet ? demande-t-elle, parcourue de frissons, le cœur battant à tout rompre.

— Dans le cadre de notre enquête préliminaire, nous devons interroger chaque personne en relation avec l'affaire pour ne retenir que les suspects, dit Stephens comme s'il lisait sur un prompteur.

— Une enquête sur quoi ? demande Kate, voix nouée. Sur quoi portent au juste vos investigations ?

L'inspectrice Connolly la regarde.

— Un meurtre, madame Walker. Nous enquêtons sur un meurtre.

46

LAUREN

—Je suis vraiment désolé, dit Justin.

Et il prend la main de Lauren dans la sienne. Ils sont dans un café, au bord du Shard.

—J'ignorais que c'était avec lui que j'échangeais des messages.

—Comment aurais-tu pu le savoir?

Elle essuie ses larmes, sans savoir si elle pleure son mariage ou pour la nouvelle vie dans laquelle elle vient de s'embarquer.

—C'est ma faute, j'ai été stupide. Jamais je n'aurais dû laisser le téléphone à sa portée.

Même si, en prononçant ces mots, elle a parfaitement conscience qu'elle n'a pas eu le choix.

Justin la regarde d'un air intense.

—Au fond, c'est peut-être une bonne chose.

Elle émet un rire désabusé.

—Comment peut-on qualifier de bonne chose le fait que des parents se séparent?

—Parce qu'il est violent et te maltraite, Lauren! Les enfants et toi serez bien mieux loin de lui.

Elle acquiesce. Bien sûr, il a raison. Malgré tout, elle ne sait pas si, tout au fond de son cœur, elle est entièrement d'accord.

—Je veux prendre soin de toi, Lauren. Si c'est aussi ce que tu souhaites.

—J'ai beaucoup de choses à régler, sur le plan pratique et affectif, mais quand le moment sera venu, oui.

—Alors nous saurons nous organiser. Mais procédons étape par étape. Où les enfants et toi allez-vous vivre en attendant ?

Lauren le regarde, les yeux écarquillés, soudain submergée par l'énormité de la situation dans laquelle elle se retrouve. Elle était restée dans ce mariage toxique pour des raisons pratiques. Notamment pour que ses enfants aient un toit au-dessus de leurs têtes.

—Je vais demander des conseils, dit-elle.

Et elle sent de nouveau les larmes lui venir aux yeux en se rendant compte que son seul vrai avocat n'est plus là depuis longtemps. Comme elle aimerait être un an en arrière, quand son père était toujours en vie ! Ou même mieux, vingt-deux ans en arrière, à une époque où elle était juste la fille de son père, comme Kate. Avant qu'elle tombe enceinte, avant que Justin la quitte, avant qu'elle renonce à leur bébé et en veuille à son père. À présent, elle découvre que le ressentiment qu'elle nourrissait envers lui depuis tout ce temps ne visait pas la bonne personne. Oui, il avait eu une liaison, et oui, il semblerait qu'il ait eu un enfant avec sa maîtresse. Mais cela ne l'empêchait pas d'être le père qu'il était avec elle – ou celui qu'il essayait si fortement d'être, malgré son entêtement à elle. Désormais, il est trop tard pour les remords.

Il ne saura jamais combien elle aurait aimé l'accompagner au bureau chaque fois qu'il le lui demandait, au lieu de rester à la maison et de pleurer d'avoir refusé. Ni combien elle aurait aimé qu'il débarque chez elle à l'improviste, en rentrant d'un match de football, au lieu d'aller toujours chez

Kate. Ni combien elle regrette de ne pas lui avoir dit qu'elle l'aimait, croyant naïvement qu'elle avait tout le temps devant elle.

— Tu veux dire des conseils juridiques?

La question de Justin la ramène sur terre...

Elle hoche la tête.

— Je peux rester chez maman un certain temps, mais ce n'est pas l'idéal, étant donné les circonstances. Et Kate n'a pas assez de place chez elle pour nous tous.

— Écoute, si tu as besoin d'un endroit où loger, mon appartement est très grand.

Elle le regarde comme s'il était fou.

— Mais enfin, je ne peux pas emménager chez toi avec mes trois enfants. Ce n'est pas à toi de prendre en charge mon problème.

— Tes problèmes sont les miens. Je veux t'aider de toutes les façons possibles. Si mon appartement n'est pas la bonne solution, ce que je peux concevoir, alors permets-moi de te trouver un endroit à louer le temps que tu te retournes.

— Je ne travaille pas en ce moment, dit Lauren. Je n'ai pas les moyens de payer un loyer.

— Je t'aiderai, jusqu'à ce que tu retombes sur tes pieds.

— Justin, c'est très gentil à toi, mais, en toute franchise, je n'ai pas besoin que tu...

— Et moi, je le veux, dit-il en lui étreignant la main. Ce pourrait être un nouveau début pour tous les deux, et...

La sonnerie du portable de Lauren l'interrompt. Elle lui lance alors un regard désolé.

— Navrée, je dois prendre l'appel.

Elle sort du café pour se retrouver au milieu du flot des gens qui sortent de la bouche de métro, à London Bridge.

—Salut, dit-elle en s'efforçant de ne pas être bousculée.

—Tout va bien ? demande Kate.

—Jusqu'ici, oui. Et toi ?

—Écoute, j'ai du nouveau à te raconter. Tu pourrais me rejoindre à Canary Wharf ?

D'instinct, Lauren regarde sa montre, sans même savoir pourquoi.

—Là, maintenant ?

—Oui, si tu peux. C'est important.

Il ne vient pas à l'idée de Lauren de poser d'autres questions. Sans doute par peur des réponses. Elle ne sait pas vraiment ce qu'elle est capable de supporter en ce moment.

—Désolée, Justin, je dois y aller, dit-elle en rentrant dans le café.

—Tout va bien ? demande-t-il. Tu veux que je t'accompagne ? Je ne veux pas que tu l'affrontes seule.

—Ce n'est pas Simon, c'est Kate. Je te rappellerai plus tard.

Lauren se demande, alors qu'elle est sur la Jubilee Line pour trois stations, ce que Kate a de si important à lui dire. Elle espère que celle-ci ne va pas démolir son père, car, pour la première fois, elle n'en a pas envie. Elle a passé de nombreuses années à attendre que tout le monde éprouve la même chose qu'elle, et, maintenant que c'est le cas, elle le regrette. Kate, de son côté, vient de voir la confiance inconditionnelle qu'elle avait en son père s'effondrer. Quelle ironie du sort…

Quinze minutes plus tard, Lauren pénètre dans l'impressionnante entrée de *L'Écho*. Immédiatement, elle ne se sent pas à sa place. Elle n'a pas envie d'être ici, même si elle s'efforce de se convaincre du contraire. L'endroit lui semblait élégant et prestigieux chaque fois que Kate en parlait, mais, dans la réalité, il lui apparaît menaçant et chargé de tensions. Son anxiété retombe un peu quand elle aperçoit Kate, qui lui fait signe de la rejoindre.

—Que se passe-t-il ? lui demande-t-elle aussi discrètement que possible en s'approchant du groupe de quatre personnes.

—Lauren, je te présente l'inspectrice Connolly et l'enquêteur Stephens, dit Kate. Ils sont…

—Merci, dit l'inspectrice en l'interrompant. Nous menons pour l'instant une enquête préliminaire, madame Carter, mais nous aimerions malgré tout vous poser quelques questions.

—Bien sûr, dit Lauren.

Yeux écarquillés, elle regarde Kate, s'efforçant de lire dans ses pensées.

—Ils enquêtent sur le meurtre d'une femme survenu à Harrogate en 1996, dit rapidement Kate en réponse à sa question silencieuse.

Lauren sent tout de suite ses paumes devenir moites.

—D'après l'article, vous avez publié votre ADN sur un site de généalogie génétique, dit Stephens. Saviez-vous que vous pouviez avoir un autre frère ou une autre sœur ?

—N… non. C'était juste pour m'amuser, vraiment. Je n'avais pas de but précis, à part peut-être étoffer l'arbre généalogique de notre famille.

—Par conséquent, vous avez été surprise de voir que l'ADN de Mlle Linley correspondait au vôtre ?

Pas le moins du monde, a-t-elle envie de répondre. Mais, à la place, elle dit :

—Absolument.

—Donc, il ne vous est jamais venu à l'esprit que votre père, M. Harry Alexander, ait pu avoir un autre enfant ?

—Non, dit-elle, nauséeuse. Pas du tout.

Les deux policiers se regardent. Lauren a l'impression qu'ils savent déjà tout, et qu'ils cherchent juste à voir combien de temps il lui faudra pour passer aux aveux.

—Votre père était-il d'un tempérament violent? demande l'inspectrice Connolly, l'arrachant à ses pensées.

—Attendez une minute, intervient Kate. Quoi qu'il se soit passé, cela n'a rien à voir avec notre père.

Lauren lance tour à tour un regard paniqué à sa sœur et à la policière.

—Je suis certaine que non, dit l'inspectrice. Comme nous le disions, le but de l'enquête préliminaire est de ne retenir que les suspects.

—Non, dit Lauren avec sincérité.

Stephens note sa réponse dans son carnet.

—Excusez-moi, mais pouvez-vous me dire de quoi il s'agit, exactement? finit par demander Lauren, qui venait de retrouver sa voix.

Elle ne permettra pas que l'on accuse son père à tort. Elle s'en est déjà suffisamment chargée pour tout le monde.

—En 1996, une femme a été agressée chez elle, a subi de graves blessures à la tête et est décédée peu après, explique l'inspectrice Connolly.

—Et vous pensez que Jess est son bébé?

La question a fusé malgré elle.

Elle est aussi consciente, avant même que les deux policiers se regardent en haussant les sourcils, qu'elle vient de commettre une bourde...

—Son bébé? demande Stephens, les yeux plissés.

—Le bébé de la femme, dit-elle. (Une chaleur oppressante est en train de monter en elle.) Vous avez bien dit qu'elle avait un bébé, non?

Elle sent les yeux de Kate fixés sur elle comme des lasers.

—Son bébé a en effet été retrouvé abandonné peu après le meurtre, dit Stephens. Puis-je vous demander comment vous saviez que la victime avait un enfant?

Lauren regarde tour à tour l'enquêteur et Kate.

—Je... Nous... Jess et moi sommes allées là-bas... en début de semaine.

—Dans quel but? questionne l'inspectrice.

—Nous nous étions dit que ce serait une bonne idée d'aller frapper à quelques portes pour voir si quelqu'un se souvenait de mon père ou de Jess. Nous voulions juste voir si nous pouvions trouver quelqu'un qui nous conduirait jusqu'à la mère de Jess.

—Et?

—Nous avons discuté avec une dame qui nous a parlé des Woods. Elle nous a dit qu'il avait tué sa femme et avait disparu.

L'inspectrice hausse un sourcil.

—C'était l'une des théories, mais nous avons à présent d'autres pistes à explorer.

—Pourquoi? Apparemment, tout le monde savait qu'il était violent. Il avait des antécédents, et puis il a disparu immédiatement après le meurtre de sa femme. Il est évident que c'est lui, non?

—M. Woods a été innocenté depuis de toute implication, dit l'inspectrice.

Lauren a soudain l'impression d'être au bord d'un précipice. Elle essaie de lutter contre l'oscillation intérieure qui s'est emparée d'elle et menace de la faire plonger.

—Depuis quand? parvient-elle à demander, la langue pâteuse.

—Depuis son retour au Royaume-Uni, deux ans après le meurtre. Il a fourni son ADN et un alibi, lui répond l'inspectrice.

—Pourquoi avez-vous attendu tout ce temps pour rouvrir l'enquête?

—Eh bien, nous avions toujours cru que le bébé abandonné était celui de M. Woods, mais il se trouve que non. Nous devons donc découvrir quel peut bien être le mobile du crime.

Elle surprend Kate en train de fermer les yeux.

—Et donc, qu'allez-vous faire, à présent? questionne Lauren.

—Il faut que nous interrogions Mlle Linley pour voir si elle veut bien que l'on analyse son ADN afin de le comparer à celui de Julia Woods, répond l'enquêteur. Puis nous vérifierons de nouveau que l'ADN de Mlle Linley est bien le même que celui de votre père.

—Et s'il apparaît que Jess est leur fille? questionne Matt.

—Alors nous n'aurons pas seulement un nouveau mobile, mais un nouveau suspect, dit l'inspectrice.

47

KATE

— Kate ! Kate ! Tu m'entends ?

Elle a l'impression que Matt l'appelle de très loin, et pourtant elle voit le contour de son visage, et même la couleur de ses yeux quand il se penche tout près d'elle.

— Avez-vous besoin d'aller à l'hôpital ? demande une voix de femme.

Malheureusement, ce n'est pas celle de Lauren, lui semble-t-il. Cela signifie qu'elle n'a peut-être pas rêvé ce qui vient d'arriver.

— Voulez-vous que j'appelle une ambulance ? reprend la même voix.

Son cœur flanche. Ce n'est pas Lauren, mais l'inspectrice Connolly. Et tout espoir que cette conversation soit sortie de son imagination est réduite à néant.

— Non, je vais bien, finit par dire Kate. Sincèrement, ça va.

— D'accord, mais on pourrait quand même s'arrêter là, maintenant, suggère Matt.

Kate ne sait plus à qui il s'adresse. Elle regarde vaguement autour d'elle ; tous les visages penchés au-dessus d'elle l'oppressent.

— Bien sûr, dit l'inspectrice Connolly. Nous allons partir, si Mme Walker est remise.

— Oui, ça va aller, dit Matt.

Le sang bat à ses tempes alors qu'on aide Kate à se relever et se rasseoir sur un siège dont elle ne se rappelle pas être tombée. Lauren lui saisit la main en prenant place près d'elle, et toutes deux regardent les deux policiers s'éloigner.

— Que se passe-t-il? demande Lauren, le souffle court. Que sous-entendent-ils? Que papa a quelque chose à voir avec cette histoire? (Elle sourit nerveusement.) Comme si c'était possible. Je suis sûre que tous les doigts pointent vers le mari de cette femme. Il avait fait preuve de violence avant. La voisine m'a dit qu'ils avaient dû appeler la police plusieurs fois.

Plus Lauren parle, plus Kate ressent une impression de claustrophobie.

— Nous devons retrouver Jess, dit-elle enfin, d'une voix rauque, pour elle-même. Nous avons besoin de la joindre avant que la police le fasse.

Elle se tourne vers Matt.

— Où est-elle?

— Je ne sais pas, dit-il. Elle a appelé ce matin pour dire qu'elle était malade.

— Appelle-la, Lauren, dit Kate, d'un ton autoritaire, cette fois.

Elle se lève et se dirige d'un pas instable vers la porte tambour. Matt et Lauren lui emboîtent immédiatement le pas.

— Trouve où elle est.

Lauren compose son numéro tandis que le trio passe devant Cabot Square d'un pas cadencé.

Occupé. Elle recommence. Occupé.

— Merde! dit Kate quand ils arrivent à la station. Quel est le trajet le plus rapide pour aller à Hackney?

414

—De DLR à Stratford, répond Matt.

—Elle ne mérite pas ça, dit Lauren.

Ils descendent maintenant l'escalator qui mène au métro Canary Wharf.

—Elle se sent seule et est déjà assez perdue. Si ces deux policiers lui racontent ce qu'ils viennent de nous dire…

—C'est pour cela que nous devons la retrouver en premier, dit Kate, quand Matt lui prend la main.

Elle se sent aussitôt plus forte.

—Et que vas-tu lui dire ? demande Lauren.

—Elle ignore ce que nous savons, dit Kate, essoufflée. Donc, nous avons l'avantage.

Le téléphone de Kate sonne alors qu'ils arrivent sur le quai. C'est Jared. Elle fait glisser le bouton pour répondre.

—Je dois prendre cet appel, marmonne-t-elle.

Et la voix de Jared résonne tout de suite à son oreille.

—Bonjour, Kate, c'est moi. Je voulais te joindre le plus vite possible pour te dire ce que j'ai trouvé sur cette fille, jusqu'ici.

Malgré elle, Kate s'interroge sur la pertinence de cet appel.

—Et ? demande-t-elle d'un ton plus sec que voulu.

—Eh bien, elle a été adoptée à l'âge de six ans par M. et Mme Oakley à Bournemouth, et il semble qu'elle ait gardé leur nom, même après son retour en foyer, peu de temps après. Apparemment, elle y est revenue en raison de la santé problématique de ses parents adoptifs.

—OK, dit Kate.

Il ne lui apprend rien qu'elle ne sait déjà. Elle se demande si c'est bon signe ou pas.

—Cependant, reprend Jared, avant d'être adoptée, elle a vécu en foyer dans le nord de l'Angleterre.

— Ça semble correspondre. Sais-tu sous quel nom ?

— Oui, elle a visiblement gardé son nom de naissance jusqu'à son adoption, dit Jared.

— Qui était ?

Kate a la gorge subitement nouée.

— Qui était… (Jared semble chercher dans ses notes, inconscient de son état d'anxiété.) Ah, j'y suis…

Elle entend un bruissement de papier, et ne sait plus au juste si elle veut qu'il aille plus vite ou ralentisse.

— Woods, déclare-t-il, sans mesurer la portée de ce que l'information signifie. Son nom de naissance est Harriet Woods.

Elle termine la communication et regarde Matt. À en juger par la façon dont il se tient la tête, il est évident qu'il a déjà compris.

— C'est elle, n'est-ce pas ? dit-il.

Kate tape « Meurtre Woods Harrogate » dans son moteur de recherche. Un flot d'articles archivés s'affiche.

« MEURTRE D'UNE FEMME – DISPARITION DU MARI ET DU BÉBÉ »

« LE MARI, SUSPECT N° 1 »

« ENFANT RETROUVÉ ABANDONNÉ »

« AFFAIRE WOODS – MARI DISCULPÉ »

Les unes les plus indécentes sont en grande partie celles du journal local, le *Yorkshire*, mais le titre de « Tueur en cavale » revient à son propre journal.

— Merde ! dit-elle avant de lire l'article à Lauren et Matt. « Frank Woods, le mari de Julia Woods retrouvée assassinée chez elle, à Harrogate, dans le Yorkshire, il y a deux ans, vient d'être disculpé. M. Woods était suspecté du meurtre de sa femme depuis qu'il avait pris la fuite. Il a été arrêté en Espagne et extradé. Suite à son interrogatoire par la police du Yorkshire, celle-ci a déclaré qu'il ne faisait plus partie des suspects. Les recherches se poursuivent pour retrouver le tueur de Mme Woods. »

Personne ne dit mot. Cela se passe de tout commentaire.

48

Lauren

Maintenant que Lauren a cessé de bouger, elle transpire de partout. Elle sent la sueur lui ruisseler dans le dos. D'une main, elle tire sur le col de son chemisier pour s'éventer, de l'autre, elle compose le numéro de Jess, pas certaine d'avoir envie qu'elle décroche.

Jess répond à la troisième sonnerie. Seulement, maintenant qu'elle l'a au bout du fil, Lauren ne sait pas quoi dire. Elle regarde Kate en écarquillant les yeux, l'air interrogateur.

— Essaie de savoir où elle est, dit Kate à voix basse.

— Dis-moi, Jess, où es-tu ? commence Lauren. Il faut que je te voie.

— Tu as lu l'article ? questionne Jess sans répondre.

— Oui.

— Cela a fait des vagues, dit-elle, tendue.

Lauren veut lui demander en quoi, mais elle ne souhaite pas l'alarmer sur une situation qu'elle connaît déjà.

— C'est certain, dit-elle.

D'un signe de la main, Kate l'incite à en venir au but.

— Écoute, j'ai besoin de te voir. *Nous* avons besoin de te voir.

—*Nous*?

Lauren plisse le nez. Elle aurait dû faire plus simple, ne pas dramatiser, même s'il y a de quoi. De son côté, on dirait que Kate retient son souffle.

—Oui, Kate et moi. Tu es chez toi?

—Waouh, ce que je suis populaire! D'abord la police, et maintenant Kate et toi.

Lauren est certaine que son cœur va s'arrêter de battre.

—La police? dit-elle, abasourdie.

Kate ferme les yeux et incline la tête en arrière.

—Que veulent-ils?

—Ils pensent qu'il pourrait y avoir du nouveau sur ma mère, dit Jess.

Lauren entre en mode combat, à moins que ce ne soit en mode avion. Elle a l'impression que son cerveau se bat contre lui-même pour décider de ce qu'il convient de faire. Offre-t-elle à cette jeune fille du réconfort dans un monde qui a été si cruel avec elle? Ou protège-t-elle sa famille à tout prix, peu importe ce qu'ils ont fait?

—Ah bon? C'est une bonne nouvelle, dit-elle en s'efforçant de paraître enthousiaste.

Mais elle doute qu'elle ait donné le change.

—Ouais, approuve Jess d'un ton sombre. Je dois aller au commissariat, car ils veulent prélever un échantillon de mon ADN et m'informer de ce qui se passe.

—Et si je t'accompagnais? propose-t-elle, perdue.

Elle ne peut laisser Jess, pour qui elle éprouve à présent une grande affection, apprendre seule la nouvelle du meurtre de sa mère.

—Dis-moi où tu es et je te rejoins. Tu ne dois pas y aller toute seule.

Jess émet un rire ironique.

— À t'entendre, je suis un agneau qui va à l'abattoir. Sais-tu des choses que j'ignore ?

Une bouffée de chaleur étouffe Lauren, reconnaissante du courant d'air qu'apporte le train entrant dans la station. Kate et Matt la regardent, sourcils levés. Doivent-ils monter ou non ?

— Mais non, enfin, dit maladroitement Lauren en haussant les épaules. Je pense juste que quelqu'un devrait t'accompagner. Dis-moi à quel commissariat tu vas et je t'y retrouve.

— Oh, c'est vraiment gentil à toi ! commence Jess. Je vais au…

— Jess ? demande Lauren quand un silence s'installe sur la ligne. Jess ?

— Que se passe-t-il ? s'enquiert Kate. Où est-elle ?

Les portes du métro commencent à se refermer.

— Lauren, où est-elle ? crie Kate.

Et elle met le pied entre les portes pour les maintenir ouvertes.

— Eh, dit Matt en tirant Kate vers l'arrière. Rien ne vaut la peine que tu risques ta vie. On prendra le prochain.

— Merde, merde, merde ! dit Lauren.

Et elle donne de petits coups sur son téléphone, juste pour entendre le son occupé.

— Elle est partie au commissariat, mais je ne sais pas du tout lequel.

— Bon, elle va devoir apprendre la nouvelle toute seule, maintenant, constate Kate. Et nous, nous devons réfléchir à la manière de limiter le plus possible les dégâts, en ce qui nous concerne.

— Que veux-tu dire ?

Lauren se demande comment ils peuvent éviter de tomber dans le précipice, au bout du chemin. Même si Jess accuse bien le choc, la police va revenir frapper à leur porte, pour de plus amples renseignements. Ce qui avait commencé comme l'aventure d'une autre personne semble devenir le propre cauchemar de Lauren.

— Je crois que nous devons aller chez maman, dit Kate. Il faut la préparer à ce qui l'attend peut-être.

— Entièrement d'accord, dit Lauren, le souffle court.

Le trio traverse à présent d'un bon pas la passerelle pour se rendre sur le quai opposé, où un train en direction du sud de Londres les attend.

— Mais comment va-t-on lui dire que la femme avec qui son mari a eu un enfant a été assassinée ? poursuit-elle.

— Tu crois que papa savait ? questionne Kate en s'engouffrant dans le métro juste au moment où retentit le signal de fermeture des portes.

— Qu'il avait un enfant ou que la mère de l'enfant a été tuée ?

— Les deux.

— Je suis toujours certaine de l'avoir vue avec une femme et un bébé, et de l'avoir répété à maman, même si elle ne s'en souvient pas.

— Donc, s'il était au courant pour l'enfant, il ne pouvait pas ignorer que sa mère était morte. Même s'ils n'étaient plus ensemble – et même s'ils ne se parlaient plus : c'était dans tous les journaux.

Lauren laisse tomber sa tête contre la cloison vitrée.

— Tout cela n'augure rien de bon, n'est-ce pas ? (Elle n'a aucune envie de dire l'évidence, mais ne peut pas non plus la passer sous silence.) D'autant plus que nous avons déménagé à Londres cette année-là.

Et soudain, elle se dit que tout est sa faute. Si elle n'avait pas posté son ADN sur ce site, ni insisté pour inclure Jess dans la famille, si elle n'avait pas harcelé Kate et sa mère pour qu'elles écoutent l'histoire de Jess… Maintenant, tout est révélé, et voilà ce qui arrive. Lauren suffoque à l'idée d'avoir livré la tête de son père sur un plateau d'argent.

— Ne tirons pas de conclusions hâtives, dit Matt d'un ton peu convaincu. Je suis sûr qu'il y a une explication à tout cela. Laissons la police éclaircir l'affaire. En ce moment, l'enquête n'écarte aucune piste, donc il suffit que nous leur disions ce que nous savons… et que l'on soutienne votre mère jusqu'à ce qu'ils comprennent qu'ils ont fait fausse route.

Il leur adresse un sourire rassurant, mais Lauren reste sombre.

— Tu crois qu'ils ont déjà une idée de qui l'a tuée ? demande Kate.

Matt la regarde.

— Je crois qu'ils ont l'ADN d'une autre personne que le mari.

— Donc, maintenant, il ne leur reste plus qu'à trouver à qui il appartient, dit Lauren un peu naïvement.

— Tout ce dont ils ont besoin, c'est d'un nom, renchérit Kate d'un air sombre.

Il est insupportable à Lauren d'imaginer que c'est un nom qu'ils connaissent.

Une fois à Greenwich, ils marchent en silence vers la maison familiale, et Lauren anticipe les minutes qui vont suivre.

Elle s'attend à ce qu'il lui revienne de raconter à sa mère les secrets du passé. De détruire l'amour qu'elle a eu pour son mari pendant ces années. Quel que soit l'angle sous lequel on examine cette histoire, dans le meilleur des cas, leur père était un coureur de jupons – d'abord Helen Wilmington, puis Julia Woods, et qui sait combien d'autres femmes encore ? Ce sont des faits, durs et froids. Et ils vont dynamiter le monde de sa mère. Quant au pire des cas, elle n'ose même pas l'imaginer.

Sa bouche s'assèche dès qu'ils bifurquent dans l'impasse tranquille où se dresse la maison de ses parents. Quand ils arrivent devant la porte, Lauren n'est plus en mesure de déglutir. Sous les rayons du soleil, avec son jardin parfaitement entretenu et ses jardinières de fleurs suspendues, le pavillon incarne pourtant le rêve de la banlieue chic. Elle frissonne en imaginant ce qui va se passer derrière la façade parfaite.

49

KATE

— Maman ! appelle Kate en ouvrant la porte avec ses propres clés.

Elle entend tout de suite Noah pleurer, réclamant sa mère.

— Doucement, dit Rose. Calme-toi, ça va aller.

— Mais je veux ma maman, crie le petit garçon.

Kate tourne la tête vers sa sœur, et elles échangent un bref regard empli de confusion. Lauren s'élance alors en courant vers le salon.

— Noah ! crie-t-elle.

Kate fonce derrière elle. En découvrant la scène une seconde plus tard, ses jambes se raidissent, son cœur se met à battre violemment dans sa poitrine. Plantée au beau milieu du salon, Jess tient Jude dans ses bras.

— Jess ! s'exclame Kate, incapable de comprendre ce qu'elle voit.

Rose est assise par terre, recroquevillée dans un angle, Noah sur les genoux. Emmy est près d'eux, levant vers Jess un regard fasciné.

— Maman ! hurle Noah à travers ses larmes.

— Reste là ! ordonne Rose brusquement au petit garçon en le retenant par le bras.

— Mais je veux maman, insiste-t-il en tentant de se lever.

— Ne t'approche pas! prévient Jess quand, d'instinct, Lauren se dirige vers son fils dont les bras sont grands ouverts.

— Quoi? s'exclame Lauren, qui a l'impression qu'on lui compresse la gorge avec un étau. Que… que fais-tu? Donne-moi mon bébé.

— Reste où tu es, dit Jess en serrant Jude plus fort.

— Jess, s'il te plaît! hurle Lauren.

— Je suis sérieuse!

Kate se dégage de l'étreinte de Matt et s'avance, mains tendues.

— Jess, qu'est-ce qui se passe? Que fais-tu? demande-t-elle.

— Je me suis dit que j'allais rendre une petite visite à ta mère, dit Jess d'un ton acerbe.

— Mais je croyais que tu allais au commissariat… (Kate choisit prudemment ses mots.) Je pensais qu'on devait te prélever un échantillon d'ADN.

— Pour quoi faire? Pour voir si je suis la fille de ma mère?

Elle émet un rire creux qui ricoche dans tout l'être de Kate.

— Je n'ai pas besoin de test ADN pour prouver qui je suis.

— Je… Je ne comprends pas, balbutie Lauren.

Kate ignore ce qui se passe, mais elle a besoin de reprendre le contrôle de la situation avant qu'elle n'empire.

— Jess, donne-moi Jude, s'il te plaît.

Elle s'efforce de s'exprimer sur un ton conciliant, alors que, en réalité, elle a envie de hurler, tout en avançant d'un pas vers son précieux neveu, qui gazouille, tout content, visiblement imperméable à l'hostilité ambiante.

— Je te préviens, dit Jess, reste où tu es.

Kate soupèse le pire que Jess puisse faire si elle plonge vers Jude pour le lui arracher des bras. Elles pourront se battre quelques secondes, le bébé s'agitera peut-être, mais il ne lui faudra pas très longtemps pour venir à bout de Jess, à la silhouette frêle.

Elle fait un bond en avant, prête à contrer la résistance qui l'attend. C'est alors que Jess lève la main droite. Et Kate s'immobilise net, si près de cette dernière qu'elle sent son souffle sur son visage. Et la scène lui semble subitement se dérouler au ralenti : un rayon de soleil, à travers les voilages, vient de faire briller une lame en métal. À cet instant, elle se demande vraiment comment une telle séquence peut bien être en train de se dérouler derrière la porte d'une maison si ordinaire.

— Kate ! dit sèchement Matt.

Et il la sort de sa transe momentanée.

— Tiens, Matt ! s'exclame Jess.

— Donc tu sais depuis le début qui je suis ? demande-t-il.

Jess émet un rire cynique.

— Eh bien, quoi ? Vous pensiez être les seuls à avoir les cartes en main ?

Kate retient son souffle. Elle a l'impression que ses poumons vont éclater.

— Je…, commence-t-il. Je ne comprends pas.

— Au fond, peut-être que tu n'es pas un aussi bon journaliste que tu le crois ! siffle Jess.

— Quel que soit le problème, tu dois arrêter, maintenant, la prévient-il.

Elle émet un rire sec et serre Jude contre elle.

— Ça fait mal, n'est-ce pas, de ne pas savoir ce que quelqu'un va faire à un enfant sans défense ?

Kate se rappelle la chambre dans l'appartement de Jess. Parfaitement préparée pour l'arrivée d'un petit enfant, avec ses vêtements de bébé et ses couches. Était-ce le plan de Jess depuis le début ? Œil pour œil, dent pour dent ? Le sacrifice d'un bébé contre celui d'un autre ?

— Bon, écoute-moi, dit Kate calmement en essayant de faire abstraction des sanglots désespérés de Lauren. Rien de bon ne pourra ressortir de tout cela. Quoi que tu veuilles, nous devons nous asseoir et discuter

— Je veux la vérité ! hurle Jess.

Et son visage glacé montre, l'espace d'un instant, une émotion à vif.

— Et nous allons la trouver, renchérit Kate. Mais pas de cette façon.

Les épaules de Jess s'affaissent. Kate s'apprête à bondir pour lui arracher Jude. C'est alors que Jess secoue la tête et que tout espoir d'une trêve s'envole.

— Ceci, dit-elle en pointant le couteau vers Jude, est la seule façon pour moi d'apprendre ce qui s'est vraiment passé. Parce que cela semble être la manière dont vous réglez les problèmes, par ici. Vous pensez que les bébés sont des dommages collatéraux. Qu'ils peuvent être sacrifiés si cela vous permet d'atteindre votre but.

Lauren, derrière Kate, laisse échapper un gémissement déchirant.

— Nous allons trouver la vérité ensemble, dit Kate d'une voix tremblante. Quoi que tu veuilles, nous allons t'aider.

Jess émet un ricanement.

— C'est amusant comme la vérité vous intéresse, subitement. Maintenant que vous avez quelque chose à perdre.

— Laisse-nous t'aider, dit Kate.

— Toi, m'aider ? (Jess ricane.) Tu n'as fait que me mettre des bâtons dans les roues, depuis le jour où je suis arrivée.

Kate peut difficilement le nier. Elle va falloir qu'elle essaie par une autre voie.

—Je te comprends, dit-elle en s'avançant lentement, espérant que Jess ne s'en rendra pas compte. Nous détenons maintenant la preuve indubitable que tu es bien la fille de notre père, et je ferai tout ce qui est en mon pouvoir pour t'aider à trouver ce que tu cherches.

—Je t'en ai déjà donné l'opportunité il y a trois mois, répond sèchement Jess.

Kate secoue la tête, perplexe. Un seul mois s'est écoulé depuis que Jess est apparue sur le seuil de cette maison.

—Je suis venue à ton journal pour te proposer un sujet – mon histoire, poursuit Jess avec un rire sec.

Kate a l'impression que sa tête va exploser.

—Tu ne t'en souviens pas ? Je t'ai dit que ma mère avait été assassinée et que j'avais été abandonnée.

Kate se creuse désespérément les méninges en quête d'une réminiscence qui colle.

—Donc, tu sais depuis le début qui est ta mère ? demande Lauren, incrédule.

—Était, rectifie-t-elle d'une voix sèche. Je sais qui *était* ma mère. Parce qu'elle est morte, non ?

Une expression fulgurante de douleur traverse le visage de Jess. Cependant, elle se ressaisit bien vite.

—Quand… quand t'en es-tu aperçue ?

Kate n'arrive pas à rassembler ses pensées.

—À l'âge de dix-huit ans, quand j'ai pu obtenir un certificat de naissance, dit Jess. Il ne me restait plus qu'à mener l'enquête pour comprendre ce qui s'était passé.

Lauren la regarde, bouche bée.

Jess se tourne vers Kate.

—Je t'ai demandé de m'aider à retrouver le meurtrier de ma mère, en précisant qu'il y avait un nouvel angle valable pour aborder le sujet, mais tu m'as repoussée d'emblée, sous prétexte que des gens prétendant avoir de quoi faire la prochaine une venaient te voir tous les jours.

Cela, Kate s'entend le dire.

—Je t'ai donné l'occasion de narrer notre propre histoire, mais tu n'étais pas intéressée. Alors j'ai cherché un moyen pour le faire moi-même.

—Et donc, tu as menti afin de t'introduire dans le journal de Matt ? dit Kate, incapable de masquer son mépris. Pour te venger de moi ?

—En partie, dit Jess. Mais il ne s'agissait pas seulement de toi. J'avais besoin que cette histoire soit publiée.

—Pourquoi n'es-tu pas allée directement voir la police ? demande Matt.

—Je l'ai fait, répond Jess. Dès que j'ai découvert qui était ma mère. Mais l'histoire ne les a pas intéressés. C'était une affaire classée sans suite, ont-ils dit. Ils avaient des ressources réduites... Pas assez d'hommes pour enquêter... Ce n'était pas d'intérêt public... (Elle rit.) Eh bien, on dirait que si, maintenant.

Kate sent Matt remuer près d'elle alors que tous les deux comprennent qu'ils sont tombés, tête la première, dans le piège que Jess leur a tendu.

—Et as-tu parlé à la police, aujourd'hui ? demande Kate. Depuis que l'article est sorti ?

—Ils m'ont appelée et m'ont demandé de passer au commissariat. (Elle regarde Matt.) Je suppose que toi aussi, tu leur as parlé.

—Ils nous ont pris de vitesse, répondit-il.

Et Kate croise les doigts pour qu'il en reste là. C'est *le* moment de Jess – on doit le lui laisser.

—Si seulement vous m'aviez écoutée, reprend celle-ci d'un ton menaçant. Rien de tout cela ne serait arrivé.

—Je suis désolée, dit Kate. Nous sommes désolés. Mais maintenant nous t'écoutons.

—Ce n'est pas à moi de parler, déclare alors Jess. N'est-ce pas, Rose?

Cette dernière serre plus étroitement Noah et Emmy contre elle.

—Je ne sais pas ce que vous voulez dire, dit-elle d'une voix tremblante.

—Pourtant, vous devez bien avoir quelque chose à nous raconter, dit Jess. Vous saviez que votre mari avait une liaison, qu'il avait eu un bébé…

—Non, dit Rose en secouant la tête frénétiquement. Non, j'ignorais tout.

—Bien sûr que vous le saviez, rétorque Jess.

Et elle serre si fort Jude qu'il se met à pleurer. Kate a l'impression qu'on lui enfonce un couteau dans le cœur.

—Lauren m'a dit qu'elle m'avait vue avec Harry et ma mère, n'est-ce pas, Lauren?

Kate tourne la tête vers cette dernière, yeux écarquillés, ne sachant quelle réponse elle a envie d'entendre.

—Oui, gargouille Lauren comme si elle avait du sang plein la bouche.

—OK, je le soupçonnais en effet d'avoir une aventure, avoue Rose, mais je jure que j'ignorais tout de vous.

—Vous en êtes certaine? questionne Jess.

Ce qui fait pleurer Jude encore plus fort.

—Dis-lui! hurle Kate, incapable d'écouter plus longtemps les sanglots désespérés de son neveu. Parle-lui du bracelet d'hôpital.

Rose la regarde, sidérée.

—Je ne sais pas…, commence-t-elle.

—Je l'ai vu! s'exclame Kate.

Elle se retient de hurler pour ne pas effrayer les enfants plus qu'ils ne le sont déjà.

—Il y a la date de naissance de Jess, dessus. Dis-lui juste ce que tu sais.

Alors Rose laisse tomber la tête, et sa poitrine se soulève spasmodiquement.

—Je suis désolée, dit-elle en pleurant.

—Donc, tu savais que la mère de Jess n'était pas Helen Wilmington? insiste Kate, mâchoires serrées dès qu'elle commence à entrevoir la vérité.

Rose fait un drôle de bruit de gorge.

—Tu nous as donné ce nom, espérant que ce serait suffisant pour nous détourner de la bonne piste. Que nous goberions le mensonge, découvririons qu'elle était morte et que le chapitre serait clos!

Rose la regarde d'un air implorant, la priant en silence de comprendre pourquoi.

—Donc tu savais depuis le début que la mère de Jess était Julia Woods? Que la maîtresse de papa avait été assassinée?

Un sanglot échappe à Rose.

—Oui. Seulement, je ne voulais pas que vous l'appreniez et que vous commenciez à poser des questions auxquelles je n'aurais pas pu répondre.

—Que savez-vous sur ma mère? demande Jess.

—Pas grand-chose, gémit Rose. Rien du tout, en fait.

—Et comment avez-vous appris tout ça? insiste-t-elle.

—Par les journaux, comme tout le monde.

—Donc Harry et vous n'avez jamais discuté de ce qui est arrivé?

Rose secoue la tête avec emphase.

— Non, jamais. Je savais que son mari était en fuite et je pensais qu'il avait emmené le bébé.

— Donc, vous saviez que votre mari avait eu une liaison avec une femme retrouvée assassinée, et vous pensiez que l'enfant avait disparu avec un autre homme que son père. Jamais il ne vous est arrivé d'envisager l'affaire sous un autre angle ?

— Eh bien… Je… Je pensais qu'elle était terminée, balbutie Rose.

— Donc, vous ignoriez que le mari de ma mère avait été entièrement disculpé ?

Rose ouvre de grands yeux.

— Oui. Je l'ignorais.

— Il ne vous est pas venu à l'idée de lire les journaux pour rester au courant de l'avancée de l'affaire, au fil des ans ? demande Jess d'un ton sarcastique. Pourtant, c'est écrit partout sur Internet, Rose.

Celle-ci garde les lèvres pincées.

— Et maintenant, la police a un nouvel indice, en l'occurrence *moi*, et elle va venir fouiner autour de vous et votre famille jusqu'à ce qu'elle trouve ce qui s'est vraiment passé.

Rose regarde tour à tour Jess, Lauren et Kate, battant furieusement des paupières.

— J'ai juste voulu vous protéger.

— Nous n'avons pas besoin de protection ! s'écrie Lauren. Mais de connaître la vérité. Parce que le plus tôt nous la saurons, le plus tôt je récupérerai mes enfants. (Lauren a l'impression qu'on lui arrache les entrailles.) Je t'en prie, maman.

Rose ferme les yeux, prend une lourde aspiration.

— Votre père n'a pas toujours été celui que vous croyez.

Kate adresse un regard méprisant à sa mère.

—Il n'était pas toujours l'homme qu'il semblait être, poursuit Rose. Il pouvait être manipulateur et autoritaire. C'est pour cette raison qu'il excellait dans son métier. Mais, parfois, il ramenait ce visage-là à la maison.

Kate secoue la tête. Elle ne peut pas se rappeler un moment, un seul, où son père n'a pas été la personne la plus aimante, la plus attentionnée du monde.

—Ce n'est pas vrai, dit-elle. Il nous a toujours aimées inconditionnellement.

—Si tout allait dans son sens, renchérit Rose. Demande donc à Lauren ce qu'elle en pense.

Kate regarde Lauren, sourcils haussés. Sa sœur sera-t-elle assez courageuse pour dire la vérité?

—Dis-le, insiste Rose en regardant Lauren. Dis-lui ce qu'il t'a fait faire.

—À propos de l'avortement?

Rose l'encourage en hochant la tête.

—Et que veux-tu que je dise? Qu'il ne m'a pas donné le choix, qu'il a manipulé toute cette histoire, qu'il a prévenu le père du bébé que j'avais déjà avorté alors que ce n'était pas le cas?

—Exactement, dit Rose en regardant Kate d'un ton implorant. Je suis désolée, ma chérie. Je me rends compte combien tout cela a été dur pour toi, mais c'est le genre d'homme qu'il était parfois.

—Sauf que ce n'est pas vrai! s'écrie Lauren en ravalant ses larmes. Il n'a jamais été comme ça. C'était ta marionnette, et quand tu lui disais de sauter, la seule question qu'il te posait, c'était: de quelle hauteur?

Rose tourne les yeux vers Lauren, l'air confus.

—Je sais tout, maman, lui dit-elle. Je sais que tu étais derrière tout cela, que tu tirais les ficelles, tout en m'assurant que j'aurais dû faire ce que *moi* je voulais.

Rose secoue la tête.

—Non, ma chérie, ce n'est pas ce qui s'est passé. Tu vois comme il était tyrannique? C'était ce qu'il voulait que tu penses. Je souhaitais juste que tu sois heureuse.

—Et tu crois qu'avoir éloigné Justin de moi m'a rendue heureuse? s'écrie Lauren en pleurant.

—Bien sûr que non. Mais j'ai eu beau tenter de discuter avec ton père, je n'arrivais pas à lui faire entendre raison. Je ne savais même pas qu'il avait appelé Justin. Pas même après, quand il était trop tard.

Lauren se précipite vers sa mère et, instinctivement, Kate la saisit par le poignet pour la retenir.

—Tu étais l'instigatrice! s'écrie Lauren. Tu ne voulais pas que *mon* erreur bouleverse l'équilibre de la famille parfaite que tu pensais avoir?

—Il ne s'agissait pas de moi, dit Rose, accablée. Tu étais trop jeune pour t'encombrer d'un enfant, et ce garçon était incapable de subvenir à vos besoins. J'ai fait ce qu'il convenait de faire.

—Sauf que tout cela m'a fait dérailler et a poussé ton mari dans les bras d'une autre femme.

Les lèvres de Rose se mettent à trembler. Elle serre Noah et Emmy tout contre elle, comme pour provoquer Lauren.

—Les femmes étaient le talon d'Achille de votre père.

—Ne t'avise pas de justifier tes actes en le blâmant *lui*! Tout ce qu'il voulait, c'était aider les gens.

Rose lui lance un regard amer.

—Oh oui, il était très bon pour aider les autres, surtout les femmes battues par leur mari! Votre père aimait jouer les bons Samaritains et être disponible pour ses clientes quand elles sortaient de l'hôpital.

—Est-ce que vous faites référence à ma mère? demande Jess.

Kate avait presque oublié qu'elle était là.

Rose regarde Jess. Ses yeux disent «oui» en silence.

—Donc, vous connaissiez ma mère? dit Jess.

—J'avais entendu parler d'elle, rectifie-t-elle.

—Pourquoi est-ce que vous mentez? demande Jess. Pour votre mari ou vous-même?

—Votre père allait nous quitter pour vivre avec Julia, dit Rose en regardant Kate droit dans les yeux. Il voulait vivre avec elle et son bébé, et je ne pouvais pas le ramener à la raison.

Kate se glace.

—Il ne nous aurait jamais laissées! hurle-t-elle. Tu sais bien que non!

—C'est pour cela que je ne voulais rien vous dire, dit Rose en pleurant. Pour vous éviter de souffrir. Je vous cachais le vrai visage de votre père pour vous protéger. Mais, en réalité, Julia et lui avaient l'intention de mener une nouvelle vie ensemble à Londres, avec le bébé.

Elle lance un regard dédaigneux à Jess.

—Et que s'est-il passé? insiste celle-ci alors qu'il semble que Rose a dit tout ce qu'elle avait à dire.

—Eh bien, c'est tout! balbutie cette dernière. Votre mère a été tuée, et je présume que c'était par son mari qui a découvert tout ce qu'elle avait planifié.

Kate considère sa mère recroquevillée à même le sol dans un coin du salon, paralysée de peur. Qu'est-ce qui l'effraie tant? Jess, qui retient son petit-fils en otage? Ou bien a-t-elle conscience d'être assise sur une bombe à retardement?

436

— La police va faire ses investigations, maintenant, dit Jess. Et je vais m'assurer qu'ils n'aient de cesse de trouver qui a tué ma mère. Donc, si jamais vous aviez quelque chose à dire...

Jess lève le couteau, ne quittant pas Rose des yeux.

— D'accord, d'accord ! s'écrie celle-ci.

Fermant les yeux, elle secoue la tête, comme si elle tentait de déloger des souvenirs profondément enfouis.

— Harry a fait ses bagages et m'a dit qu'il partait. Je l'ai supplié de rester, mais il était décidé. Quand il est arrivé chez Julia, elle lui a dit qu'elle ne pouvait pas s'enfuir avec lui, que son mari avait découvert l'affaire et qu'il menaçait de la tuer, elle et le bébé, si elle le quittait.

Des larmes roulent sur les joues de Rose. Noah se tourne vers sa grand-mère, oubliant l'espace d'un instant toute la situation hostile alentour.

— Qu'y a-t-il, mamie ? demande-t-il avec innocence.

Et il lui tamponne la joue avec la manche de son pull.

— S'il te plaît, Jess, laisse-moi le prendre, dit Lauren en tombant à genoux. Ce n'est pas la faute des enfants.

— Continuez, hurle Jess à Rose.

— Ils se sont querellés, dit Rose. Il y a eu une bagarre. Harry m'a dit qu'elle avait perdu l'équilibre et était tombée. Et que, dans sa chute, elle s'était cogné la tête.

Un silence abasourdi s'abat sur la pièce.

— Comment as-tu pu ? s'écrie Kate. Comment as-tu pu inventer un tel tissu de mensonges ?

Elle a l'impression de manquer d'air. Elle ferme les yeux, se force à inspirer trois fois, puis expirer trois fois.

Rose sanglote, sa poitrine se soulevant et s'abaissant lourdement.

—Je suis désolée. Je suis tellement désolée. Mais c'était un accident. Il n'a jamais voulu qu'une chose pareille se produise.

—Alors pourquoi n'a-t-il pas appelé la police? demande Jess d'une voix mécanique. Si c'était juste un accident?

—Ce n'était pas envisageable! s'écrie Rose. Harry était un avocat en vue. Imaginez les recherches qui auraient été faites. Il aurait tout perdu: son travail, sa famille, et, si on ne l'avait pas cru, sa liberté.

—La police aurait vu qu'il s'agissait d'un accident, dit Jess. Un accident est un accident, mais un meurtre est un meurtre.

—C'était un accident, dit Rose. Un terrible accident.

—Et vous étiez prête à croire votre mari sur parole? demande Jess. L'homme qui vous avait trompée, qui avait un enfant avec une autre, qui allait vivre avec elle... Vous avez vraiment cru à cette version des faits?

Rose hoche la tête.

—Oui.

—Eh bien, je pense que c'est la police scientifique qui va trancher, à présent, dit Jess visiblement soulagée – mais pas assez détendue pour que Kate puisse lui arracher Jude des bras.

—Ils prouveront ce qui s'est vraiment passé.

—Je *sais* ce qui s'est vraiment passé, dit Rose.

—Ils ne croiront pas les ouï-dire d'une femme trompée, dit Jess d'un ton acerbe. Peu importe à quel point elle-même veut y croire.

—Je sais ce qui s'est vraiment passé, reprend Rose. Parce que j'étais là...

50

—Alors, comment ça va ? demande Kate en s'asseyant près de Lauren sur un banc de la salle 1, au tribunal.

—Je ne pensais pas que tu viendrais, dit Lauren.

Et elle se penche vers sa sœur pour l'embrasser sur la joue.

—J'ai dû prendre sur moi. Je ne sais pas comment je vais pouvoir la regarder dans les yeux.

—De l'eau a coulé sous les ponts, souffle Lauren en frottant le bras de sa cadette. Elle va se réjouir de ta présence.

—Je ne suis pas venue pour elle, déclare Kate d'un air tendu, avant de lui adresser un faible sourire. Je suis ici pour *toi*.

—C'est très gentil, dit Lauren.

Et, prenant la main de Kate dans la sienne, elle la serre bien fort.

—Êtes-vous toujours d'accord pour dimanche ? demande Kate.

Puis, saisissant son téléphone, elle regarde d'un air absent son fond d'écran, une photo d'un Matt souriant qui tient leur bébé,

Charlie, dans ses bras. Après avoir consulté ses derniers textos et e-mails, elle l'éteint.

— Oui, les enfants sont impatients. Simon était censé les avoir ce week-end, mais il a été inhabituellement courtois et a accepté d'échanger.

— Les miracles arrivent parfois.

— Calme ta joie, soupire Lauren. La plupart du temps, c'est vraiment un connard.

— J'allais te suggérer qu'on fasse un barbecue, si le temps reste au beau, dit Kate. Ce sera la première fois que l'on peut profiter de notre jardin depuis notre emménagement. Cela signifiera aussi que nous pourrons charger Matt et Justin des grillades, pendant que nous nous reposerons en sirotant du vin.

— L'après-midi idéal, si tu veux mon avis, dit Lauren.

La banalité de la conversation tranche avec le sérieux du lieu et ce qui va s'y dérouler.

— Que crois-tu qu'il va arriver ? demande Kate, soudain consciente de l'endroit où elles se trouvent.

— Eh bien, elle maintient que papa l'a appelée dans un moment de panique pour lui demander de le retrouver chez Julia. Et que, quand elle est arrivée sur place, il lui a dit que c'était un accident et il lui a donné le bébé.

Kate secoue la tête.

— Est-ce que cela ressemble à papa ?

— Nul doute que nous le saurons bientôt. Mais il aura sans doute voulu que le bébé disparaisse de la scène.

— Et elle affirme toujours qu'il lui a dit de laisser Jess à l'église ?

Lauren hoche la tête.

— Selon elle, papa lui a demandé de déposer le bébé dans un endroit sûr, et l'église est le premier lieu auquel il aurait pensé.

La porte réservée au public s'ouvre. Jess et Finn entrent. Cette première leur adresse un signe de tête poli et va s'asseoir sur le banc du fond.

— Est-ce que tu lui as déjà parlé ? demande Kate.

— Brièvement ce matin, après que le jury a prêté serment et que les premiers débats ont commencé.

Lauren soupire.

— C'est curieux, mais, en dépit des circonstances, c'est bon de la voir. Chaque jour qui passe, je comprends mieux son besoin d'agir ainsi, et, pour être honnête, il y a une part de moi à qui elle va manquer.

— Est-ce qu'elle a dit ce qu'elle voulait faire, par la suite ? questionne Kate.

— Finn vit avec elle, maintenant, et je pense que c'était prévu depuis le début. Elle a décroché un nouvel emploi dans un restaurant, en ville.

— Veux-tu que je les invite dimanche ? propose Kate.

Lauren se tourne vers elle, un sourire aux lèvres.

La cour demande le silence lorsque Rose entre dans le box des accusés. Elle n'est plus que l'ombre d'elle-même. Ses cheveux auburn, qui lui arrivaient aux épaules, sont désormais coupés court et grisonnent sur les côtés. Son teint, autrefois éclatant, est désormais cireux. Elle semble avoir rapetissé. Pourtant, quand elle regarde les gens présents et voit Kate, immédiatement, elle se redresse, comme revigorée par la présence de sa fille.

Aussitôt le juge assis, le procureur appelle l'enquêteur de la police scientifique à la barre, et, après les introductions formelles, l'avocat en perruque s'approche de ce dernier.

— Pouvez-vous nous confirmer que l'ADN de l'accusée, Rose Alexander, correspond à celui trouvé sur la scène du meurtre de Julia Woods ?

—Oui, répond l'homme aux lunettes avant de se pencher pour se rapprocher du micro et répéter ce qu'il a dit.

—Et pouvez-vous confirmer que le même échantillon d'ADN a été retrouvé près du corps de la morte, même si l'accusée affirme dans sa déposition qu'elle n'est pas entrée dans la maison ?

—Oui, c'est exact.

—Même si l'on peut toujours invoquer le bénéfice du doute, il est invraisemblable, dans cette affaire, n'est-ce pas ?

—C'est le moins qu'on puisse dire, confirme le témoin.

—Et pouvez-vous nous expliquer pourquoi on ne peut pas l'appliquer à ce cas particulier ?

L'homme s'éclaircit la voix, et Lauren serre plus étroitement la main de Kate.

—Parce que l'ADN de l'accusée a été retrouvé sous les ongles de la victime.

On entend des exclamations étouffées, dans la salle. Kate et Lauren échangent un regard.

—Et, soit dit en passant, enchaîne le procureur de la Couronne comme pour enfoncer le couteau dans la plaie, est-il concevable que quelqu'un d'autre ait été présent à l'heure du crime, à part l'accusée, Mme Alexander ?

—Absolument pas.

—Merci, dit l'avocat.

Il sourit.

—Je n'ai pas d'autres questions.

REMERCIEMENTS

Écrire un premier livre, c'est réaliser un rêve. En écrire un deuxième, un troisième, et en avoir un quatrième dans le tiroir, c'est au-delà de ce que j'avais imaginé. Et tout cela, je le dois à mon agente, Tanera Simons, de Darley Anderson, qui passe ses jours à mélanger des potions magiques pour en faire des breuvages qui changent la vie. Ses collègues Mary Darby, Georgia Fuller et Kristina Egan ont permis la large diffusion de mes romans, en assurant leur traduction dans quatorze langues et pays différents. Quant à Sheila David, c'est la visionnaire qui transfère l'idée dans un tout autre format. Merci à toutes.

Comme la plupart des romans, ce livre est fort différent du premier jet que j'avais envoyé à mes éditrices, Catherine Richards de Minotaur Books et Vicki Mellor de Pan Macmillan. Ensemble, elles m'ont aidée à peaufiner sa dernière version – à mes yeux, un roman reste toujours une esquisse, sa réécriture étant infinie – pour en livrer la meilleure mouture possible. Je suis certaine qu'elle pourrait encore être améliorée, mais il arrive un moment où il faut lâcher le bébé, sinon vous allez vous extasier, vous agiter, vous tracasser à son sujet bien plus longtemps que nécessaire. Merci à vous deux de m'avoir aidée à couper le cordon ombilical !

Il se passe tant de choses en coulisses pour transformer les mots en livre, faire en sorte que celui-ci soit distribué par les libraires et que les lecteurs le choisissent parmi les milliers qui lui sont proposés. Mille mercis à Nettie Finn, Natalie Young,

Joseph Brosnan, Sarah Melnyk, Matthew Cole, Becky Lloyd et Fraser Crichton pour tout ce que vous avez fait.

Merci aussi à mes merveilleux amis et famille pour leur patience et leur compréhension, et pour avoir la sagesse de ne pas me déranger lorsque je suis en train de tuer quelqu'un.

Mais mes plus grands remerciements, c'est à vous tous qu'ils reviennent, vous qui prenez le temps de lire mes élucubrations et qui les appréciez au point d'écrire des critiques, des blogs et de les recommander aux autres. Je vous en suis éternellement reconnaissante.

Achevé d'imprimer en juillet 2021
Par CPI Firmin-Didot à Mesnil-sur-l'Estrée
N° d'impression : 165310
Dépôt légal : août 2021
Imprimé en France
38122034-1